La collection
ROMANICHELS
est dirigée par
André Vanasse

Du même auteur

Le pavillon des miroirs,
Montréal, XYZ éditeur, 1994
- Prix de l'Académie des lettres du Québec, 1994
- Grand Prix du livre de Montréal, 1994
- Prix Québec-Paris, 1995
- Prix Desjardins du Salon du livre de Québec, 1995

Negão et Doralice,
Montréal, XYZ éditeur, 1995

Errances,
Montréal, XYZ éditeur, 1996

Les langages de la création,
Québec, Nuit blanche éditeur, 1996

L'art du maquillage,
Montréal, XYZ éditeur, 1997
- Grand Prix des lectrices de *Elle Québec*, 1998

Un sourire blindé,
Montréal, XYZ éditeur, 1998

La danse macabre du Québec,
Montréal, XYZ éditeur, 1999

Le maître de jeu,
Montréal, XYZ éditeur, 1999

Saltimbanques

La publication de cet ouvrage a été rendue possible grâce à l'aide financière du ministère du Patrimoine canadien par l'entremise du Programme d'aide au développement de l'industrie à l'édition (PADIÉ), du Conseil des Arts du Canada, du ministère de la Culture et des Communications du Québec et de la Société de développement des entreprises culturelles.

1781, rue Saint-Hubert
Montréal (Québec)
H2L 3Z1
Téléphone : 514.525.21.70
Télécopieur : 514.525.75.37
Courriel : xyzed@mlink.net

Dépôt légal : 3e trimestre 2000
Bibliothèque nationale du Canada
Bibliothèque nationale du Québec
ISBN 2-89261-290-X

Distribution en librairie :
Dimedia inc.
539, boulevard Lebeau
Ville Saint-Laurent (Québec)
H4N 1S2
Téléphone : 514.336.39.41
Télécopieur : 514.331.39.16
Courriel : general@dimedia.qc.ca

Conception typographique et montage : Édiscript enr.
Maquette de la couverture : Zirval Design
Photographie de l'auteur : Nicolas Kokis
Illustration de la couverture : Sergio Kokis, *Portraits de clowns*, huile sur masonite, 1998
Illustrations des pages de garde : Sergio Kokis, *Clowns assis*, xylogravures, 1993, collection privée

Sergio Kokis

Saltimbanques

roman

Romanichels

L'auteur désire remercier le Conseil des Arts du Canada, qui a encouragé la création de ce roman.

Aux vagabonds, aux saltimbanques et aux bâtards,
ces artistes de nulle part qui courent le monde
en croyant que l'existence est un fait accompli.

Devant quoi fuyez-vous ? La misère
Vous ne lui échapperez point
Personne ne vous retient, ici
Vous ne laisserez pas de regret
Là où vous allez
Vous ne serez pas les bienvenus

BERTOLT BRECHT

Cette étrange enceinte qu'on appelle art est comme un pavillon des miroirs ou une galerie des soupirs. Chaque forme évoque des milliers de souvenirs et d'images en chaîne.

ERNST HANS GOMBRICH

Dramatis personæ

Alberti Gorvic — Directeur du Circus Alberti (Herr Direktor).
Anise — Entraîneuse des chiens, femme de Pitagore.
Arcadi — Médecin SS en fuite qui se fait passer pour un Russe blanc pour accompagner le cirque (Kurt Gross).
Angelo — Acrobate au sol, partenaire de Jaccobo.
Cotshi — Clown auguste.
Durin — Clown musicien.
Elvira — Jeune prostituée qui se joint à la troupe, grande sœur de Lucas et de Gina.
Esmeralda — Lutine, compagne du lutin Janus.
Fanny — Trapéziste, fille cadette de Lidia Fisher.
Fili — Naine, femme du nain Loki.
Firmina — Aide-cuisinière, femme de Paco.
Fuank — Pierrot et superviseur des acrobates (Francisco Gomez).
Gandalf — Nain hercule (Wilhelm Lutz).
Gina — Fillette qui se joint à la troupe, sœur cadette d'Elvira et de Lucas.
Gorz — Peintre et ami de Makarius (Otto Gorz).
Ilario — Homme à tout faire, père de Mariangela.
Isabel — Funambule sur fil tendu, sœur aînée de Pancho.
Jaccobo — Acrobate au sol, partenaire d'Angelo.
Janus — Lutin, compagnon de la lutine Esmeralda.
Jeremiah Loco — Lanceur de couteaux, compagnon de Mandarine.
Katia — Aide-écuyère, fille aînée de Lidia Fisher.
Korvus — Maître d'un spectacle de corbeaux (Korvus Schwartz).

Kosta — Nain prestidigitateur.
Kropotkine — Nain ventriloque, tuteur de la jeune Virginie.
Larissa — Écuyère, femme de Larsen (Larissa Viriskaïa).
Larsen — Maître de manège, mari de Larissa (Lars Larsen).
Lidia — Musicienne, mère de Katia, de Lioubov et de Fanny (Lidia Fisher).
Lioubov — Dite l'idiote, fille de Lidia Fisher.
Loki — Nain, mari de la naine Fili.
Lucas — Petit garçon qui se joint à la troupe, frère d'Elvira et de Gina.
Makarius — Mime, arlequin noir et poète (Makar Leichen).
Mandarine — Compagne du lanceur de couteaux Jeremiah Loco (Mandarine Schnäpschen).
Marco — Ancien séminariste qui se joint à la troupe.
Mariangela — Jeune fille qui se joint à la troupe, fille d'Ilario.
Maroussia — Voyante et cartomancienne (Maroussia Grendel).
Martha — Cuisinière (Martha Noll).
Negerkuss — Noir qui travaille comme homme à tout faire dans le cirque (Richard von Hornweiss).
Oleg — Dompteur d'ours (Oleg Sergueïevitch Mindris, dit Mindras).
Paco — Valet d'écurie, mari de Firmina.
Pancho — Funambule sur le fil tendu, frère cadet d'Isabel.
Pietro — Garçon qui se joint à la troupe.
Pilar — Aide-cuisinière, cousine de Fuank.
Pitagore — Entraîneur de chiens, mari d'Anise.
Rita — Jeune prostituée qui se joint à la troupe.
Spivac — Magicien et prestidigitateur (Draco Spivac).
Sven — Trapéziste, compagnon de Wlacek (Sven Buzius).
Virginie — Jeune pupille et compagne de Kropotkine.
Wlacek — Trapéziste, compagnon de Sven (Jorg Wlacek).

1

C'est en février 1946, dans une banlieue déserte de Gênes, loin de l'agitation du port et du va-et-vient des soldats étrangers désœuvrés à la recherche de femmes ; la nuit est froide mais il n'y a plus de neige depuis le début du mois. Vu de loin, ce qui reste du Circus Alberti a plutôt l'air d'un campement de gitans ; les roulottes délabrées autour du feu paraissent abandonnées, leur peinture craquelée rappelle des bombardements ou des camps d'internement pour réfugiés. Le chapiteau n'est pas déployé et dort d'un sommeil plein de trous et de déchirures, moisi dans une des roulottes en attendant un quelconque miracle. Il n'y a pas beaucoup de mouvement là-bas, et l'observateur pourrait croire qu'il n'y a pas non plus beaucoup de monde. Mais les gens des environs et les rôdeurs savent bien qu'il ne faut pas trop s'en approcher, car les forains sont méfiants, toujours prêts à se défendre. Ils tiennent à leurs guenilles et à leurs animaux maigres de manière opiniâtre, et ils sont vicieux quand ils se battent. Qui plus est, soit ces saltimbanques sont des étrangers, soit ils donnent gîte à des étrangers, sans se faire incommoder par les autorités. Il paraît que d'anciens soldats et des prisonniers ont trouvé refuge parmi eux ; des gens qui n'ont rien à perdre, sans doute en attente d'être déportés, ou encore de ces personnes déplacées par la guerre dont il est impossible d'établir la provenance. Tout cela va changer, certes, avec l'ordre qui s'installe petit à petit, et ils finiront tous par disparaître de nouveau. Ou bien ils redeviendront un vrai cirque pour donner des spectacles et amuser les gens qui en ont tant besoin. En attendant, ils sont toujours là, depuis la fin des combats, et ne font rien d'autre qu'attendre eux aussi. Si on les laisse en paix, ils sont tranquilles et préfèrent leur isolement. Les femmes qui leur rendent visite en cachette ne s'en plaignent pas ; les forains troquent de bonnes choses contre les tissus, les fichus, les nappes de table ou les rideaux de salon que la populace a récupérés un peu partout. On se demande bien comment font ces vagabonds pour nourrir leurs chevaux et leurs chiens, même les deux ours, en plus d'avoir autant de boîtes de ration K de l'armée américaine. Mais personne n'ose leur poser de question. Ils ont l'air d'aimer le vin aigre du pays et la *pasta*, comme tout le monde. Alors, en attendant, on les tolère à distance.

Le jour, ils s'entraînent à faire des cabrioles, ils jouent leur musique rachitique et ils font tourner leurs chevaux. Il y en a qui s'en vont en ville, du côté du port, et qui reviennent parfois accompagnés d'autres comme eux, des femmes perdues ou des mines patibulaires, des fillettes et des garçons aussi. On dirait qu'ils augmentent en nombre depuis un certain temps, cette vermine, même s'ils restent discrets comme d'habitude. La nuit, cependant, vu de loin, leur campement fait peur, et c'est pourquoi les gens et les rôdeurs préfèrent les ignorer.

Si le passant ne les craint pas, ou s'il est lui-même une sorte d'étranger attiré par leur feu ou les accords de violon qui montent de là-bas, il sera tenté de s'approcher pour mieux examiner les images peintes sur les flancs des roulottes, histoire de savoir s'il s'agit bel et bien d'un cirque. Sauf que les chiens se mettent aussitôt à aboyer avec furie en sentant l'intrus, et les deux ours se joignent au concert avec leurs grognements de fauves. De grands gaillards débraillés, qui ne semblent rien avoir de la bonhomie habituelle des forains sortent alors de l'ombre un peu partout, accompagnés d'avortons aussi petits que musclés, agités et sautillants comme des fantômes, tous avec de lourds accents impossibles à comprendre. Ils ne sont pas accueillants, ces gens du cirque, même si quelques rares visiteurs arrivent à se joindre à eux.

Malgré la nuit noire et la réception menaçante, cette fois l'inconnu paraît bien décidé à partager leur soupe et la chaleur du feu. C'est un homme costaud, de grande taille, les cheveux coupés au ras du crâne comme les gens qui sortent des camps. À voir ses bottes éculées et sa capote militaire grise de boue, il est sans doute venu de loin. Il n'a pas la démarche d'un ouvrier cependant; ses traits sont fins et ses yeux bleus pourraient rappeler de mauvais souvenirs à un bon nombre de pauvres gens qui sont partis comme du bétail. Il leur dit qu'il s'appelle Arcadi et qu'il vient de la part d'un ami étranger de monsieur Alberti Gorvic, le directeur du Circus Alberti.

La mention du nom du patron rassure un peu, et on l'invite à s'asseoir après l'avoir bien examiné. Cet Arcadi a la carrure d'un lutteur, et bien nourri de surcroît même s'il semble très fatigué. Son français est trop correct; il a beau dire qu'il est russe, c'est évident qu'il s'agit d'un Allemand. Ce n'est pas le moment ni l'endroit de lui demander où il a passé la guerre. De toute façon, s'il voyage dans ces contrées, c'est qu'il a des papiers en règle. D'ailleurs, tous les gens qui ne meurent pas de faim ou qui ne sortent pas d'un stalag ont des papiers en règle; des documents fournis par les Américains, par la Croix-Rouge suisse, mais le plus souvent des papiers émis par les autorités du Vatican, qu'ils soient étampés en Italie, en Autriche ou encore dans les territoires allemands occupés par les Alliés. L'Église a tout à coup un nombre énorme de fonctionnaires civils ayant un besoin pressant de partir vers l'Italie, le Portugal ou l'Espagne. Il y a très peu de curés parmi eux, cependant, et pratiquement aucun pasteur protestant. Les catholiques de prestige survivent mieux, dirait-on.

Plusieurs forains sont blottis autour du feu de camp, où chauffe la bouilloire à thé. Des grands et des petits, maigres pour la plupart mais musclés, aux visages sérieux, emmitouflés dans des couvertures de cheval, ils fument distraitement sans oublier de surveiller le nouvel arrivant. Quelques femmes aussi, dont on ne peut pas dire si elles sont belles ou laides, tant leur apparence paraît négligée et leur silence profond. Celle qui sert le bol de soupe à Arcadi n'est pas vieille, et ses cheveux tirés en chignon sont d'un beau noir brillant;

mais elle ne dit rien et ne le regarde même pas. Ils sont tous méfiants, car d'habitude ils chantent ou rient entre eux ; le violon aussi s'est tu. Bien que la guerre soit finie depuis assez longtemps, la vie n'est pas encore tout à fait sûre, et cet Arcadi n'a pas l'air d'un artiste de cirque. Pour tout bagage, il n'a qu'un sac à dos très léger. C'est par ailleurs rassurant de le voir manger avec tant d'appétit, d'un air détendu comme quelqu'un qui vient d'arriver à bon port.

Le mime Makarius — un gaillard tout en os et en muscles, plus grand même qu'Arcadi et dont on devine qu'il sait comment se défendre — finit lentement de bourrer son brûle-gueule et vient ensuite s'installer juste à côté du nouvel arrivant, à la recherche d'un tison pour allumer son tabac. Puis, tirant pensivement sur la pipe, il s'adresse en russe au visiteur, en lui offrant sa blague.

— *Machorka, tcheloviek ?*

Arcadi hésite, interloqué ; il dépose par terre son bol vide, il fouille dans son sac et sort un paquet neuf de Lucky Strike. Il l'offre à la ronde, en insistant d'un signe de tête et avec le sourire, avant de baragouiner dans un mauvais russe qu'il en a encore d'autres, qu'ils peuvent en prendre à volonté.

Makarius, toujours debout, passe à l'allemand :

— Merci, j'ai ma pipe. Vous voyagez depuis longtemps, camarade ?

Arcadi sourit, étend ses jambes et, peut-être à cause de l'accent berlinois du mime, il répond sans plus chercher à dissimuler ses origines par des inflexions slaves :

— Oui, longtemps. Surtout, je vous cherche depuis longtemps. On m'avait dit que le cirque était plutôt à Rapallo.

— L'an dernier, reprend Makarius. Gênes était encore zone militaire. Nous nous sommes rapprochés en décembre seulement. Vous venez de la Suisse ?

— Oui, monsieur Gorvic m'attend.

— Bien, camarade. Il sera là, bientôt.

Détendu par le fait de pouvoir parler sa langue, l'étranger regarde autour et ne peut s'empêcher de demander, un peu déçu :

— C'est donc ça, le fameux cirque ?

— Oui, c'est ça, rétorque Makarius en regardant aussi à la ronde. C'est le noyau de base. Nous sommes en période de repos. Ça peut ne pas paraître ainsi mais il y a là tout un cirque, camarade. C'est évident, sauf pour ceux qui connaissent le cirque uniquement depuis les gradins. Les artistes ne payent pas de mine lorsqu'ils ne sont pas déguisés. Et puis, avec la guerre... Et vous, Arcadi, vous cherchez du travail ?

— Ça se pourrait. Je vais discuter avec monsieur le directeur.

— *Tak gospodin Arkadji*, fait Makarius, les yeux moqueurs, avant de lui demander, toujours en russe : Voulez-vous du thé ? Nous n'avons pas encore de café.

— Merci, répond Arcadi en allemand, avec un sourire qu'il veut complice.

Assis un peu à l'écart, Jeremiah Loco observe attentivement la scène de ses yeux noirs. C'est un gitan, impossible de se tromper, à moins qu'il ne soit un de ces juifs espagnols établis en Grèce. Mais plutôt gitan, à cause de la peau trop foncée, des cheveux trop lisses et de l'air oriental. Peut-être un peu trop grand pour un gitan, un peu trop effacé et pensif ; mais, après des années de camp de concentration, même les gitans sont moins vantards. Jeremiah est un lanceur de couteaux, et très habile ; il sait aussi forger des lames, ce qui lui a permis de survivre confortablement en battant et en tempérant des aciers fins pour les gardiens à Dachau. Les SS adoraient les poignards, et Jeremiah peut en outre ciseler et graver les lames qu'il fabrique avec des runes et d'autres fantaisies nordiques. Il leur a même fabriqué d'énormes épées moyenâgeuses, de celles qu'on doit manier des deux mains, pleines de symboles mystiques, et qui doivent maintenant rouiller sous les décombres des villes. Peut-être qu'en fin de compte il serait plutôt juif espagnol, car les gitans ne sont pas réputés pour le travail de l'acier. Quoi qu'il en soit, il est trop basané pour s'être promené en liberté durant le Troisième Reich. Mais s'il n'a pas trop souffert, sa haine est restée tout entière à cause de ce qu'il a vu. Ça ne paraît pas lorsqu'il lance ses couteaux autour du corps de Mandarine, sa jolie compagne hongroise — hongroise, ruthène, moldave, cela n'a plus aucune importance puisque tout change si vite —, pour dessiner sa silhouette voluptueuse sur la planche illuminée. Il a l'air très calme, même un peu nonchalant quand il n'est pas sur la piste, et ses couteaux sont extrêmement précis.

Jeremiah toise l'étranger en silence, tout en buvant son thé d'un air endormi. Que cet Arcadi ne s'avise pas de poser ses yeux bleus sur la chair de Mandarine. On l'appelle Loco aussi à cause de sa jalousie. Sa Mandarine l'aime beaucoup, certes, et elle n'a d'ailleurs pas le choix.

Les autres autour du feu suivent la scène sans montrer qu'ils observent aussi Arcadi. Il y a là Sven et Wlacek, les deux artistes du trapèze volant, amoureux l'un de l'autre comme deux gosses bien que Sven ne soit pas très fidèle et que Wlacek soit un peu trop mélancolique. Ils sont beaux comme deux anges déchus, l'un blond et l'autre brun, avec le même regard cynique des gens qui n'ont plus rien à découvrir.

Korvus, dit le Noir, à demi caché par l'ombre d'une roulotte, donne des graines de tournesol à un grand corbeau presque de la taille d'une poule. C'est Munin, la vedette de son spectacle de corbeaux dressés, à qui on a donné, en hommage au corbeau du dieu Odin, ce nom qui signifie « souvenir ». On dit que Korvus est noir non pas à cause de son apparence — sa peau est claire et ses cheveux, grisonnants — mais de son humeur toujours maussade et de son attirance pour les choses morbides. C'est un petit homme qui ne rit jamais même si ses corbeaux sont des maîtres dans l'art de la moquerie. Il n'aime ni les femmes ni les hommes, uniquement ses oiseaux ; ces derniers le respectent et lui obéissent comme de vrais fils. Voilà pourquoi Jeremiah et Mandarine peuvent l'aider dans son numéro, et qu'ils acceptent de mélanger le spectacle du lancer des couteaux et celui des corbeaux. Korvus n'a pas l'air de voir Mandarine autrement que comme une masse de chair provisoirement encore en vie. Mais il surveille aussi Arcadi avec curiosité, en pensant que cet inconnu sent un peu trop la charogne malgré sa charpente de lutteur. Munin picore la main de son maître avec un détachement de philosophe ; ou il vient chercher avec son formidable bec, doucement, les graines que Korvus tient entre ses lèvres. C'est attendrissant de les voir ainsi, surtout que ce gros oiseau noir est dressé pour aller chercher au vol les yeux de verre des grandes poupées de chiffon que Jeremiah Loco cloue sur les planches durant son propre numéro. On dit — mais on dit tellement de choses dans un cirque — que Munin serait capable d'aller cueillir les yeux de n'importe quelle personne, aussitôt que Korvus lui dirait de le faire et mentionnerait le nom de la victime. Et Munin, aussi bien que les autres corbeaux, connaît chacun des saltimbanques par son nom, sans jamais se tromper.

Pitagore et Anise, après avoir calmé leurs chiens, se sont retirés dans leur roulotte et s'apprêtent à aller dormir. Ces deux-là n'ont peur de rien, puisque leur meute de petits cabots sonneraient l'alerte en cas de problème, et Garm, le mastiff, dort toujours au pied de leur lit. Quoi qu'il arrive avec le reste de la troupe ou avec le cirque, le couple est certain de toujours s'en tirer ; si la guerre a fait baisser la valeur des êtres humains, tout le monde adore encore plus les chiens dressés. Et tous deux se lèvent tôt pour aller loin promener leurs chiens, de façon à ne pas déranger ceux qui préfèrent dormir le matin.

Larsen et Larissa, le maître de manège et son écuyère, se sont aussi retirés de bonne heure. Le travail avec les chevaux est fatigant, d'autant plus qu'ils doivent aussi s'occuper un peu des deux ours en attendant de trouver un dompteur pour les pauvres bêtes orphelines. Alberti leur avait annoncé l'arrivée d'un dresseur d'ours, mais celui-ci tarde à se manifester. Les forains se relayent pour faire faire des tours de tricycle aux ours afin qu'ils n'oublient pas ce qu'on leur a appris. Et les ours sont moins futés que les chevaux ; s'ils restent trop longtemps enfermés dans leur cage, ils redeviennent sauvages, ils commencent à s'accoupler compulsivement, et adieu la douceur et l'amour de la musique.

Arcadi s'assoupit après avoir bien mangé ; enveloppé dans une couverture, il somnole en attendant le patron. Alberti sait pertinemment qu'un visiteur est arrivé ; on l'informe de tout avec diligence, car, même d'apparence décrépite, son cirque est tenu de main de maître. C'est de cette façon qu'ils ont tous survécu à la catastrophe de la guerre, et Alberti va les emmener en Amérique. Mais Herr Direktor n'est jamais pressé lorsque Maroussia s'occupe de son avenir personnel. C'est une vraie gitane, voyante et cartomancienne, et tous deux se connaissent intimement depuis déjà bien longtemps. Maroussia Grendel arrivait de quelque part au Danemark, à l'époque de la grande inflation, encore presque une enfant, quand Alberti l'avait engagée dans son cirque. Elle avait été formée par sa propre mère, une voyante célèbre du cirque Schumann à Copenhague, et se cherchait une place à Berlin. Depuis lors, si la vie d'Alberti n'a pas de secrets pour Maroussia, le corps de la voyante n'a jamais cessé d'émerveiller le directeur. Comme c'est la nuit du quinzième jour du mois — Alberti est né un 15 juillet —, selon la prescription de la femme, c'est une nuit propice pour étudier les augures. Elle a une façon tout à fait spéciale de lire le corps de ce cher Alberti : nus tous les deux, en se caressant et en faisant l'amour, de manière à ne rien perdre des signes, les plus petits soient-ils, parmi les taches sur les draps, les gémissements, le temps que prend Herr Direktor à s'émouvoir, les stries rouges que ses mains puissantes laissent sur la peau de la gitane, tout alors devient oracle. Maroussia sait quoi faire pour que dure la narration mystérieuse, en inspectant chaque coin du corps costaud et ventru du sexagénaire, sans le brusquer, avec un soin sibyllin, l'effleurant là où il doit être effleuré, mordillant ce qui a besoin d'être mordillé, y compris en plongeant où il faut plonger pour chercher ce qu'elle y trouve depuis bientôt vingt ans. La peau olivâtre de la femme est lisse, soyeuse, et ses chairs sont abondantes là où la femme mûre est censée être prodigue. Et comme Maroussia n'est pas au lit le 15 de chaque mois par dilettantisme, mais bien parce qu'il s'agit de l'avenir d'Alberti et de tout le cirque, ses propres moiteurs répondent à l'appel de l'heure avec une effusion digne d'une adolescente ; cela aussi fait partie des présages et, avec Herr Direktor, Maroussia tient à rester sur le versant optimiste. Elle peut être mélancolique à ses heures, sans doute, même très défaitiste quand par exemple un homme plus jeune doit la prendre presque de force, cambré, multipliant les coups de reins pour compenser l'absence de rêves doux, pour oublier que Maroussia n'est plus une jeune fille, ou encore en éteignant la chandelle pour s'imaginer un corps plus svelte. En ces occasions, la gitane est nostalgique et ses présages sont aussi sombres que son sexe est aride. Mais lorsque c'est un vieux copain comme Alberti qui se donne à lire entre ses bras, Maroussia est toujours remplie d'espoirs et d'illusions. De toute façon, s'il rêve d'une femme plus jeune, c'est sans doute d'elle-même qu'il rêve ; ou bien il se souvient comment il l'avait prise la première fois, forçant son corps mince aux hanches étroites, et arrosant son ventre en moins de temps qu'il n'en faut pour faire un clin d'œil.

Ils ne sont pas pressés d'en finir, d'autant plus que l'arrivée de l'étranger est une donnée nouvelle, et les voyantes détestent s'avouer surprises par l'imprévu. Maroussia a besoin de nouveaux éléments pour tout prédire, et elle doit alors faire appel à d'autres charmes pour récolter encore des indices, malgré l'âge et la lassitude de son patron. Ce sont des atouts qu'elle réserve justement pour ces rares occasions, lorsque Alberti paraît perdu dans un passé trop passé. Il faut qu'elle fasse revivre une certaine fillette d'autrefois par la pure magie féminine, même plusieurs fillettes, voire des garçons impudiques, dans une sorte de breuvage de sorcière gitane à l'intention des dragons endormis. Sa métamorphose est telle que les meilleurs augures ne tardent pas à se manifester, au grand étonnement de Herr Direktor ; celui-ci la chevauche ensuite en jeune étalon, heureux de réentendre certaines plaintes et râles trop enfouis dans le souvenir. Maroussia est une femme qui lit dans le désir plus que dans le corps, et c'est pourquoi les hommes songeurs sortent toujours rajeunis d'entre ses cuisses.

L'arrivée de ce visiteur est un très bon signe, pense Alberti en serrant son ceinturon sous sa bedaine et en contemplant le corps de la gitane, son sourire de petite peste.

— Vas-y, mon taureau, lui dit-elle avec un accent enfantin dans la voix. Soit qu'il vient de la Suisse, et c'est de bon augure, soit qu'il a de mauvaises nouvelles, et tu reviendras ici pour qu'on y réfléchisse encore.

Seulement mensuelles mais religieusement respectées, ces rencontres avec Maroussia demeurent toujours rajeunissantes et très instructives pour le directeur. Le reste du mois, ils redeviennent simplement de vieux amis, chacun s'occupant à combattre la solitude ou l'angoisse par ses propres moyens. Et puis, lorsque le cirque est en tournée, la vie est si bien remplie qu'une séance par mois est bien suffisante.

Alberti sort de la roulotte en maillot de corps, sans enfiler de chemise malgré la fraîcheur de la nuit. Il aime montrer ses bras puissants, son torse de tonneau, spécialement après une performance comme celle que le sortilège de la gitane vient de lui prodiguer. Alberti avait commencé sa carrière autrefois comme hercule de foire — c'était Beowulf le magnifique — avant de devenir régisseur de cabaret à Berlin. Ensuite, il a eu son propre cirque.

Il s'arrête un moment au pied de l'escalier et promène son regard sur le cercle formé par les roulottes. Le délabrement de son cirque est visible dans les images peintes presque effacées, les essieux bancals, les pneus usés ainsi que ses artistes assis par terre comme une bande de vagabonds. Mais Alberti ne se laisse pas tromper par cette illusion de la réalité ; ce n'est pas le moment de voir petit. Ses yeux d'artiste savent voir plus loin que le trivial de chaque jour, et il recompose une à une les images brillantes de fauves et de belles femmes sur les parois des roulottes. Celles-ci s'illuminent alors automatiquement dans son esprit et, des coins de la scène, remontent très haut les quatre mâts de corniche du chapiteau, avec l'éclat de cristal des barreaux des trapèzes et l'éblouissement des paillettes sur la chair blanche des filles dans les bras de sveltes porteurs. La sciure par terre est fraîche, à peine éclaboussée d'eau claire. Les phares, les cris, la foule qui s'excite... Alberti mesure par terre d'un œil averti le cercle exact de la piste de treize mètres de diamètre, bordé d'une banquette bariolée d'étoiles. Il sourit et sent presque dans sa main la présence du long fouet qui commande l'entrée d'un percheron blanc ; voilà, il le suit en comptant mentalement les vingt et un pas réglementaires que le cheval exécute avec précision et fierté pour faire le tour du manège, sans qu'aucun ordre lui soit donné. Herr Direktor sourit même si la scène s'envole en laissant à la place son campement minable. Il tâte les muscles de son bras et pense de nouveau que cette Maroussia a partie liée avec saint Vite, le patron des saltimbanques. Ou peut-être avec le démon en personne.

N'étant pas un homme de cabinet, Alberti connaît tous les rouages d'une troupe : la paille pour les bêtes, la bière et l'alcool pour donner de l'énergie aux artistes, le soin des costumes, le besoin de repos qu'ont les jeunes gens, les mystères des jalousies et des peines d'amour qui peuvent tout gâcher dans le meilleur des spectacles. L'odeur de crottin, de sueur sur le parfum sucré des femmes, le moisi des roulottes, l'amertume des corps pouilleux ou l'haleine de ceux qui s'aiment ; tout cela plus les bêtes et les fauves, la puanteur et les lampes d'acétylène font partie de son univers de sensations. Et il se dit encore qu'il faut trouver le moyen de se procurer au moins un vieux tigre ou un léopard brun même décrépit, à défaut d'un éléphant. Il trouvera sans doute le reste des fauves là-bas en Amérique, où c'est rempli de jungles, de singes et d'Indiens.

Arcadi se réveille d'un bond à l'approche du directeur accompagné de trois autres forains. Fuank, Cotshi et Durin sont des clowns quand ils sont en piste, mais des gaillards à tout faire lorsqu'ils sont démaquillés. Si l'on ajoute que Makarius est assis à côté, cet Allemand qui veut se faire passer pour un Russe n'a aucune chance si ses intentions sont douteuses.

Ils font les présentations d'usage et tout se clarifie aussitôt ; l'ambiance se détend et le litron empaillé de rouge fait son apparition. Arcadi vient bel et bien de la Suisse, et il apporte des messages d'un autre Gorvic, Bello Gorvic, cabaretier et gérant de spectacles à Zurich. Ce sont des nouvelles attendues depuis longtemps et qui réjouissent la troupe. Le vieux Léon arrivera comme promis au mois de mars, depuis la fabuleuse Argentine où il s'était réfugié dès avant la guerre. Et le Circus Alberti revivra enfin pour partir en Amérique. Léon a promis de s'occuper des documents de voyage pour chacun des artistes, y compris des visas, ces choses miraculeuses qui font rêver toutes les personnes déplacées de l'Europe.

Ce n'est qu'une question de temps. Cet Arcadi et peut-être d'autres comme lui seront aussi du voyage, malheureusement ; mais que faire d'autre si ce sont les hommes de ce genre qui ont encore les meilleurs contacts et les bons pistons ?

Ils trinquent à la bonne nouvelle pendant qu'Alberti relit et déchiffre entre les lignes la courte lettre apportée par Arcadi. Son visage ne montre pas d'inquiétude, bien au contraire ; il se réjouit à la pensée que cet Allemand pourra voyager avec la troupe du cirque en jouant l'hercule ; il suffira de lui faire pousser la barbe et les cheveux. Cela tombe bien puisque leur ancien hercule est resté en arrière, phtisique malgré son paquet de muscles, après son séjour à Buchenwald. Selon les musiciens italiens qui l'ont vu là-bas, quand il a été libéré par les Américains et aussitôt hospitalisé, on aurait dit un épouvantail trop nerveux. Finie pour lui la vie de cirque, et peut-être même la vie tout court.

L'autre bonne nouvelle est l'arrivée enfin d'un vrai Russe, Oleg, un Russe blanc avec passeport français, spécialiste du travail avec les ours. Curieusement, cet Oleg aurait travaillé au Cirque d'Hiver à Paris. Sans doute un autre qui a un besoin urgent d'aller se faire oublier en Amérique. Si les douaniers le permettent, il apportera avec lui un ours brun bien entraîné. Ce n'est pas encore un fauve mais ce sera toujours une bête de plus.

On conduit Arcadi à une des roulottes où il peut loger provisoirement. Les autres restent autour du feu pour rêvasser un peu avant de se retirer dans leurs chambrettes respectives, la tête pleine de lumières américaines.

Alberti et Makarius se dirigent lentement vers la roulotte du directeur. Il est temps de discuter un peu, bien au chaud, et d'entendre ce que Maroussia a à dire sur les nouvelles de la nuit. Avant de fermer la porte, Makarius détache Beria de sa chaîne ; c'est le gros chien de garde, une sorte de bâtard de berger et de dogue allemand, et qui se promène uniquement la nuit. Beria est silencieux, sournois, et il aime rôder dans les environs pendant que les gens dorment. Il connaît chacun des forains et n'aboie jamais lorsque quelqu'un sort pour aller aux latrines ou pour chasser un mauvais rêve. Mais il n'aime pas les visiteurs.

La roulotte du directeur ne se distingue pas extérieurement des autres, mais elle a seulement deux pièces : la grande chambre à l'entrée, qui sert de bureau et d'entrepôt pour les vêtements et les équipements de scène, et la petite pièce du fond, avec son lit de camp, son poêle en fonte et sa bassine personnelle. Il peut y accrocher un hamac pour loger un camarade de passage, ou encore étendre des couvertures de cheval par terre pour accommoder plusieurs personnes. Des affiches jaunies représentant des scènes de cirque et de cabaret ornent les murs bas. Une photo encadrée trône sur le mur du fond : on peut presque y reconnaître Alberti, vingt ans plus jeune, en compagnie de Grock, le fameux clown musicien. Un petit daguerréotype pâli montre l'acrobate français Jules Léotard, l'inventeur du trapèze volant.

Maroussia les attend avec le samovar prêt et la bouteille de grappa, silencieuse, à l'affût des signes et des présages. Mais elle sait déjà que les nouvelles sont encourageantes, car Alberti n'oublie pas de soupeser ses fesses en passant, les doigts impudiques comme si c'était demain le 15 du mois. Makarius est aussi d'humeur joyeuse ; il se permet de caresser ses seins en faisant sa face figée de mime, tout comme si Maroussia était une de ces jeunes poulettes qu'il entraîne dans sa chambre. Si Herr Direktor est trop las, peut-être qu'elle suivra le mime jusque chez lui, histoire de confirmer toutes les bonnes nouvelles sur ce corps sec qui sait prendre une femme avec tant d'appétit. Comme il y a tant de filles et de jeunes putes à Gênes, cela fait une éternité qu'elle n'a pas lu l'avenir de Makarius.

— Tu vois, Makar, commence le directeur après avoir vidé son gobelet de grappa, je savais que Léon ne nous abandonnerait pas. L'Amérique a beau être loin, on se souvient toujours de sa jeunesse. Et Léon est un homme de cirque. Depuis dix ans, il a dû faire fortune là-bas en Argentine. Je le vois encore tout effrayé après avoir été obligé de vendre à perte son cabaret pour fuir en Suisse. Ces salauds de nazis... Il a bien fait, autrement il y aurait laissé sa peau. Tout comme toi, d'ailleurs.

Lorsqu'on t'a arrêté en 33 à cause de ton spectacle politique, je lui ai bien dit de partir. Tu pouvais t'en tirer mais pas lui : un juif compromis avec un subversif. Sans compter les gens qui lorgnaient son cabaret. À ce moment-là, il aurait encore pu le vendre à profit, et s'en tirer confortablement, peut-être même en Angleterre ou aux États-Unis comme tant d'autres. Ensuite, quand ils t'ont libéré et que tu es parti en Espagne, là encore il n'a rien voulu savoir. Il est parti à la dernière minute, Makar, par la peau des fesses… Il ne lui restait que Marseille via Zurich, et le bateau pour l'Argentine.

Makarius est pensif, il tire lentement sur sa pipe et examine les reflets du feu du poêle sur son verre de grappa. Le mime ne parle jamais beaucoup ; on ne saura jamais s'il a choisi d'être mime à cause de sa nature ou si sa taciturnité est une déformation venue de son métier. Autrefois, lorsqu'il était Makar Leichen, le mime poète ou l'homme noir, son numéro comportait toujours de longues récitations, parfois accompagnées par lui-même au concertina. Des poèmes très sinistres, pas du tout au goût du pouvoir en place, des choses pacifistes aussi et qui rappelaient les mots d'ordre des rouges. Dans ce temps-là, il était maigre comme un squelette et il se déguisait en Mort. Les ombres et les lumières des expressionnistes étaient alors à la mode, et ses spectacles avaient un grand succès dans toute l'Allemagne.

Il est pensif mais un sourire sournois se dessine sur ses lèvres ; de sa voix de basse il murmure une vieille chanson :

— *Wir sind die Moorsoldaten, wir ziehen mit dem Spaten, ins Moor*[1]… Tu sais, Alberti, là-bas à Börgermoor nous avions organisé un petit cirque pour nous, les prisonniers. On l'appelait le Zirkus Konzentrazani. Le fait de continuer à jouer et à écrire des poèmes m'a permis de tenir. Quand ils m'ont libéré, j'ai préféré ne pas attendre la catastrophe que j'avais tant de fois chantée. Après les Brigades internationales en Espagne, je

1. *Nous sommes les soldats du marais, nous allons avec nos bêches, dans le marais…* Chant de résistance des prisonniers du camp de concentration de Börgermoor, un des premiers camps de concentration de l'Allemagne nazie en 1933.

n'avais qu'un seul désir : avoir la paix. Je ne regrette pas d'avoir passé la guerre en Turquie. Ça doit être la même chose pour Léon en Argentine.

— Tu as raison, Makar. De toute façon, en prison ou pas, avec la guerre tu aurais échoué dans un de ces bataillons disciplinaires, les commandos vers le ciel. On n'aurait jamais su où tu aurais été dépecé. Moi aussi, je me suis débrouillé comme j'ai pu. Mais tout cela est du passé. Léon revient comme il l'avait promis, et il nous emmène en Argentine. Ce ne sera pas facile de trouver des artistes en nombre suffisant pour un spectacle digne de ce nom. Son argent peut acheter du matériel, peut-être même des bêtes, et payer le voyage. Mais on ne peut pas former des artistes avec de l'argent. Fuank et Durin ratissent toute la ville et les environs à la recherche de numéros ; ils ne trouvent que des affamés ou des fillettes qui ont uniquement appris à écarter les cuisses pour les soldats. Aucun dompteur. Tu te rends compte ? Aucun ! Et Spivac, cette nouille de magicien, n'a rien pu trouver de mieux que de tricher et de tricher aux cartes avec les Américains. Ils ont beau être des idiots et des sauvages, ça finit quand même par se remarquer si tu gagnes toutes les mains…

— Spivac, il avait hâte de dépouiller ces soldats ; il trouvait qu'ils étaient comme des gosses riches. Mais n'oublie pas que nous avons bien profité de ses combines.

— Oui, oui, on en a profité ! s'exclame le directeur. Mais il aurait fallu faire durer la combine, pas tout gâcher d'un seul coup. Maintenant, si Léon tarde encore à arriver, je me demande comment nous allons faire pour manger.

— Allez, Alberti, réplique Maroussia. Nous avons encore une roulotte pleine de leurs boîtes de conserve, sans compter les cigarettes… On peut toujours les vendre.

— Je sais bien, ma chère, reprend le directeur, adouci. En attendant, Spivac est prisonnier dans leur caserne, et ils ne veulent pas le libérer. En isolement ! Et s'ils le déportent ou le fusillent, hein ? On ne peut pas se permettre de perdre des artistes. Déjà qu'on n'en a pas assez. Surtout un artiste qui sait rapporter plus en dehors de la piste que durant le spectacle, ajoute-t-il en riant. Cette nouille de Spivac ! S'ils le déportent, c'est certain que Tito le fait fusiller : même s'il trichait aux cartes, il a passé toute la guerre à collaborer avec ses copains croates et avec les nazis. Ensuite, il paraissait prévoyant, il est passé à Trieste avec des papiers italiens tout à fait en ordre, il a été bien accueilli par les Américains... Cette nouille a tué la poule aux œufs d'or !

Mais cette exaltation est là uniquement pour cacher son enthousiasme. Alberti sait maintenant que son cirque va revivre ; il a déjà pensé à cette bonne nouvelle plus tôt dans la soirée, en dégustant les moiteurs de Maroussia. Maintenant il en est certain. Il sert alors une autre tournée de grappa pour adoucir le thé. Makarius sourit de son sourire énigmatique, les lèvres et les yeux très serrés, avec un léger balancement de la tête avant de dire ce qu'il pense :

— Spivac est une telle crapule qu'il doit se payer du bon temps en prison avec ses tours de magie. Je me demande s'il n'est pas en train de dépouiller les gardiens et les autres détenus.

— C'est l'isolement que je n'arrive pas à comprendre. Ils ne peuvent tout de même pas le prendre pour un espion. Spivac un espion ! Ces Américains sont drôles... En attendant, il faut aussi chercher un magicien prestidigitateur, c'est la moindre des choses pour un cirque. Sans compter que le numéro de Maroussia se trouve aussi amputé ; sans magicien, pas de voyante. Qu'est-ce que tu dirais d'aller aussi à la recherche d'artistes en attendant l'arrivée de Léon ? Je veux dire du côté de Turin ou de Milan. Tes papiers sont assez bons pour voyager en Italie, et tu partirais avec Cotshi ; il est italien et connaît bien la région.

— Oui, cela ferait changement, répond Makarius.

— Nous n'avons pas beaucoup d'argent mais tu emporteras des cigarettes ; c'est aussi bon que de l'argent. Tu verras ce qu'il est possible de trouver. Des jeunes gens aussi ; on peut toujours les entraîner pour des numéros simples, surtout s'ils sont beaux. Si tu nous trouves au moins un contorsionniste... Bartolo, le disloqué, est chez lui à Florence et ne sera pas du voyage ; il est presque paralysé par le rhumatisme, cette cochonnerie qu'il a attrapée dans les montagnes. Il n'a plus rien de l'homme-crapaud d'autrefois ; on dirait un hanneton. Sa famille s'occupe de lui. Un jeune disloqué, mieux encore deux ou trois, dont au moins une fillette pour épicer le spectacle. Fuank et Durin ont déjà visité tous les centres pour réfugiés à la recherche de jeunes gens doués pour la contorsion, y compris les bordels. Rien du tout.

— Je vais y aller, cette balade va me dégourdir un peu les jambes. Est-ce que Cotshi a des amis dans la région ?

— On verra avec lui demain. Toi, Maroussia, qu'est-ce que tu en penses ?

— Le visiteur du soir, demande-t-elle, un peu distraite, c'était qui ?

— Je ne sais pas, répond Alberti. Il m'a été envoyé par Bello et ses papiers sont passables ; Croix-Rouge suisse.

— Tu sais qu'est-ce que j'en pense ? demande Makarius.

— Oui, confirme le directeur. Et je pense la même chose que toi. C'est un Allemand en cavale, peut-être même un gradé SS, si tu veux mon opinion. Il suffira de le voir en maillot de corps pour remarquer la cicatrice sous son aisselle gauche. Je parie cent contre un qu'il a fait brûler son tatouage SS comme tant d'autres. Mais que veux-tu ? C'est ce genre d'individu qui va nous aider à obtenir les visas argentins. Il aura besoin de nous pour passer inaperçu en jouant à l'artiste ; d'ailleurs, d'autres comme lui vont aussi se servir du cirque, c'est du moins ce que j'ai compris des tractations entre Léon et Bello.

— Est-ce que Léon est au courant ? demande Maroussia. Un gradé SS !

— Oui, ma chère, je crois même que tout le monde est au courant, y compris le pape et les Américains. Sauf les gazés et les fusillés, bien sûr. Tout est en ordre, un ordre nouveau. C'est, paraît-il, Léon lui-même qui aurait organisé la combine. Il m'en dira plus lorsqu'il sera là. L'Amérique, ça a l'air de changer beaucoup les gens et leurs croyances, comme une sorte de monde à l'envers.

— Pourvu que Léon n'ait pas changé à ce point-là, dit Makarius.

— Non, pas Léon Feldmann, réplique Alberti. Je le connais, c'est un homme de spectacle.

— Moi aussi je le connaissais bien, fait Makarius. C'était avant qu'il aille en Amérique. Maintenant, je ne sais plus.

— Pessimiste, va ! Pas Léon Feldmann, Makar. Et il veut un cirque. Comment pourrait-il avoir changé à ce point s'il veut un cirque ? Non. Ces nazis seront là pour nous faciliter l'obtention des visas, ce sera une sorte d'échange trouvé par Léon pour nous aider. Il a toujours été très malin. La communauté allemande est nombreuse là-bas en Argentine, avec sans doute beaucoup de réfugiés antinazis. Il y a aussi beaucoup de juifs, et des communistes parmi eux. Je ne crois pas que ce soit un piège mais plutôt une excellente occasion que Léon aura dénichée pour nous. N'oublie pas qu'il a le sens des affaires et qu'il est pragmatique ; sans compter qu'il n'a pas vécu toute la haine après 36 et qu'il n'avait pas de famille susceptible d'être déportée. Alors, il est plus souple que nous, c'est tout. Je lui fais confiance.

— Peut-être… Et toi, Maroussia, tu lui fais confiance ?

— J'attends aussi pour voir, répond la gitane. Mais je suis plutôt confiante. S'il avait changé du tout au tout, il ne serait pas en train de préparer le voyage pour un cirque comme le nôtre. Il pouvait simplement ne plus jamais donner de ses nouvelles. S'il rapplique, c'est encore le vieux Léon Feldmann du cabaret Mermaid. Mais riche désormais, et cela fera un bon changement pour nous tous.

Ils boivent le thé d'un air songeur, chacun plongé dans les souvenirs d'un monde disparu à jamais, tout en s'efforçant de croire que l'Amérique sera capable de les accueillir sans trop les changer. Alberti s'étire et bâille, satisfait, avant de demander à Makarius :

— Tu accompagnes la dame ? Ne veillez pas trop tard, les enfants, il faut qu'on examine notre SS demain matin de bonne heure.

Maroussia ne cesse de s'étonner des dons de clairvoyance d'Alberti chaque fois qu'elle a envie d'un homme. C'est pourtant elle, la voyante, et ils ont bien fait l'amour tout à l'heure. Mais elle a encore le feu au cul, et Makarius est son préféré.

Ces trois-là sont de grands amis depuis très longtemps, et la gitane fait si bien les choses qu'aucun d'eux n'a jamais trouvé motif de se plaindre. Si le 15 du mois appartient au patron, il est bien tard, et c'est sans doute déjà le matin du 16.

La nuit est claire même sans lune, froide et sèche. Ils marchent lentement, accompagnés au loin par les pas silencieux de Beria. Le feu de camp n'est plus que charbons ardents d'un rouge foncé. Maroussia se colle contre le corps du mime, en laissant ses longs cheveux lui frotter la nuque pour qu'il hume le parfum de son désir de femme. Elle sait qu'elle sent fort quand elle a envie de cette façon-là, et c'est une sensation trop précieuse pour la gaspiller seule entre les couvertures. La main osseuse de Makarius sur ses fesses confirme qu'il sent aussi ce parfum, cette chose qui monte depuis les cuisses de la femme, de ses aisselles, de sous ses seins. On dirait un feu de poêle qui chauffe mieux après une bonne première fournée de bois, et qui chauffera ensuite longtemps, la nuit durant.

Ils s'arrêtent à l'entrée de la roulotte où se trouve la chambrette de Maroussia et se regardent dans les yeux pour laisser monter le désir ; aucune parole ne doit venir ensuite perturber la danse des corps. L'étroit couloir de la roulotte est noir et tiède, avec une odeur de corps endormis, de vieux vêtements, de vin et de paille, et d'un soupçon d'encens. La chambre de la gitane, faiblement illuminée par une lampe à huile, est entièrement tapissée de tissus variés, de broderies et de paillettes. Sa bassine renversée sous une nappe en batik tient lieu de table pour les tarots et la boule de cristal. Des vêtements exotiques pendent un peu partout, donnant à la pièce un aspect de forêt magique. Le lit est un simple matelas fait de tissus pliés sur le tapis, mais il est somptueusement recouvert de soieries bariolées et de brocarts.

Elle baisse la mèche de la lampe de façon à rendre la lueur encore plus faible, à peine ce qu'il faut pour faire scintiller sporadiquement les paillettes sur les murs. Maroussia n'a pas honte de son corps mûr devant Makarius — elle sait comment le mime possède ses chairs souples avec passion —, mais elle préfère cette pénombre parce que sa peau y répond avec les reflets métalliques qu'elle juge propices au combat qui va suivre. Ici, avec cet homme, elle n'est plus la voyante ; l'avenir n'a aucune importance et la mort elle-même serait la bienvenue entre les bras du mime. Maroussia est femme chaque fois que Makarius la possède parce que c'est lui qui l'a fait jouir pour la première fois, dans un moment où la fillette en elle croyait déjà que l'étreinte insipide des femmes était préférable à la rudesse des mâles. Certes, elle garde encore le plaisir saphique comme une sorte de violon d'Ingres, surtout pour jouer à apprendre aux toutes jeunes comment faire pour attirer au fond du puits ceux qui se penchent à peine sur la margelle.

Makarius connaît ses manières ; couché sur le dos, il la regarde faire. Le parfum de désir émanant de la femme remplit la chambrette et le paralyse. Elle se déshabille avec une infinie lenteur, en se caressant dans une sorte de danse, et provoque ainsi un sourire de plaisir chez celui qui lui a appris à danser. Elle dévoile sa chair comme si elle sortait de l'eau ; ensuite, elle dévêt l'homme avec le même soin. Maroussia investit le corps du mime avec la même assurance que quand elle possède les corps des jeunes filles, frissonnante cependant parce que c'est un mâle qu'elle découvre. Ses mains caressent en frôlant les membres osseux, aux longs muscles d'athlète et à la chair ferme. Elle salue son sexe d'un court baiser et glisse ses mains à la recherche de la source du pouvoir qu'a cet homme sur elle, les stries saillantes sur son dos ravagé. Makarius a subi le fouet en prison et sa peau porte toujours de longues cicatrices d'un rose foncé. Les toucher, les suivre du bout de la langue est une sorte de doux supplice que Maroussia s'offre chaque fois qu'elle a le mime à sa merci. Des frissons parcourent son propre corps, presque comme si un fouet glacial se promenait sur ses cuisses, ses fesses et ses mamelons dressés. Le corps longiligne de l'homme, rigide comme du cuir — et pourtant si souple et diaphane lorsqu'il est sur la piste —, d'une blancheur étrange, contraste avec ses cheveux qu'il teint d'un noir de jais, ses yeux d'un bleu presque glauque, et ses lèvres qu'il rehausse coquettement d'un soupçon de carmin. Ses mains énormes sortent peu à peu de leur passivité et entreprennent avec vigueur de renverser la situation, pour prendre possession de cette femme à la respiration saccadée. Ils s'enlacent et plongent l'un dans l'autre, chaque pouce de peau de l'un cherchant à se coller à la peau de l'autre, les bouches et les doigts sans pudeur ni crainte de blesser. La chair moelleuse et humide reçoit l'affront des aspérités viriles et en redemande, attisant encore ce qui n'a pas besoin d'être attisé, provocante et goulue pour être davantage assaillie. Maroussia mord ses propres lèvres pour mieux emprisonner ses plaintes, de peur que l'homme ne cesse de la tourmenter. Makarius la tient dans un étau de secousses et d'âpres caresses, pendant que le corps voluptueux de la femme tente malgré tout de vibrer en convulsions.

Ils voguent ainsi une bonne partie de la nuit, jusqu'à l'apaisement des sens ou jusqu'à l'épuisement de l'homme. Makarius dort profondément lorsque les étoiles commencent à pâlir, tandis que Maroussia voyage dans la vision d'une voie lactée de corps et d'amants châtiés par la bourrasque, comme si elle était condamnée pour toujours à errer dans le deuxième cercle de l'enfer.

2

Le campement des forains se réveille de très bonne heure, lorsqu'il fait encore noir. La vie des artistes ne s'arrête jamais, ils œuvrent par peur de la mort, pour combattre le vide dans l'illusion que la vie existe vraiment et qu'elle vaut la peine d'être vécue. Le cirque est un organisme où chacun remplit des fonctions multiples, dans une sorte d'immense métabolisme grouillant qui n'a d'égal que la vanité des hommes. Certains d'entre eux sont des bêtes de la lumière, d'autres sont des oiseaux de l'ombre ; et ils sont accompagnés d'hommes et de femmes à tout faire, opiniâtres et confiants, qui travaillent pour joindre le matin et la nuit, la clarté et les ténèbres, de façon que la vie ne cesse pas de couler un seul instant vers le prochain spectacle.

Le chien Beria est déjà couché à la porte de la roulotte d'Alberti quand Larsen vient l'attacher à sa chaîne. Le maître de manège n'est plus très jeune, sans doute proche de la cinquantaine, mais ses gestes sont encore élégants et pleins d'énergie. C'est un homme calme, posé, qui aime avant tout ses chevaux, sa seule famille. Selon son habitude, il a enfilé sa culotte d'équitation et ses hautes bottes, même s'il porte par ailleurs uniquement un maillot de corps à manches longues. Il se dirige vers la cabane qui sert de latrines, il pisse pensivement et, avant de s'occuper davantage de sa personne, il s'en va soigner les chevaux attachés dans l'enclos. Les bêtes l'accueillent joyeusement, s'empressant de venir chercher des caresses, excitées, sautillant sur place comme si elles allaient en promenade, heureuses de pouvoir tourner en rond sans l'encombrement des longes. Paco, son valet, revient déjà au loin avec son chargement d'eau, deux seaux se balançant au bout d'une perche. Un robinet enrhumé se trouve parmi les ruines d'une vieille fabrique, à quelques centaines de mètres du campement; le jour durant il y a dans cette direction un va-et-vient de forains qui alimentent ainsi le cirque avec une eau ferrugineuse mais apparemment saine. Les plus paresseux parmi les clowns et les nains ont même pris l'habitude d'aller se laver sur place, directement sous le tuyau pour éviter le fatigant trajet. D'autres chargent aussi des gosses des environs d'aller chercher de l'eau moyennant une cigarette.

Larissa, l'écuyère, rejoint Larsen peu après; aussitôt les chevaux salués, elle va apporter de l'eau et de la nourriture aux deux ours dans leur cage roulante. C'est une femme jeune, aux formes gracieuses mais bien remplies, d'une beauté quelque peu exotique à cause de son visage rond et de ses pommettes saillantes, de ses longs cheveux presque roux noués comme la queue des chevaux. Elle et Larsen travaillent ensemble depuis déjà des années, et ils vivent dans la même chambre. Il est difficile de dire s'ils sont amoureux comme des amants, puisque c'est surtout leur travail qui semble compter. Mais, souvent, c'est la tâche commune qui unit le mieux les couples. Et ils ne semblent pas faire partie de ces natures sensibles ou mélancoliques, chez qui les sentiments gâchent parfois la joie de vivre, bien au contraire. On dirait un bon couple de fermiers. Il est vrai par ailleurs que lorsque l'écuyère se présente sur la piste, habillée de son maillot serré et brillant, les coups de fouet et le visage fier du maître de manège ne sont pas uniquement le fait des chevaux qui tournent en cadence parfaite.

Fuank, le clown blanc, toujours mordant dans ses remarques, prétend que Larsen et Larissa ne font pas l'amour comme des êtres humains; tels un étalon et sa jument, ils se brosseraient d'abord la panse avant de se monter et de ruer en hennissant. Ce sont là des propos médisants et jaloux, inspirés par la nostalgie d'une vie de couple à laquelle la plupart des forains ont renoncé au profit de la liberté. Mais il arrive que la liberté pèse trop lourd, même pour les artistes, en particulier dans les nuits froides et solitaires. Par ailleurs, il n'est pas tout à fait faux de dire que Larissa ressemble à une belle jument, avec ses airs primesautiers et maternels, son poitrail tendu, cambré en avant, le dos arqué, la tête pivotant fièrement sur son cou musclé, sa chevelure dansante et sa croupe qu'on devine capable de bien porter un voltigeur du calibre de ce vicieux de Fuank. Mais elle n'a d'yeux que pour les chevaux, et elle appartient au numéro de Lars Larsen.

Larissa et Larsen n'ont pas souffert beaucoup de la guerre puisqu'ils en ont passé la majeure partie à donner des spectacles équestres en Italie et en Autriche. Parfois ils étaient de longs mois en charge de chevaux de parade. C'est que les chemises noires adoraient les cavalcades ; Mussolini se prenait pour un tribun romain et ne ratait aucune occasion de se montrer à cheval. Tout au contraire d'Hitler qui n'était jamais monté ni sur une bête ni sur un char d'assaut. Alors, Larsen et Larissa ont eu la vie facile et n'ont rien perdu de leurs habiletés. Ils se réjouissent à l'idée d'aller en Argentine ; durant toute la période du fascisme, ils ont eu diverses occasions de rencontrer des cavaliers argentins, et ils croient que dans un pays de gauchos les artistes de l'équitation pourront faire fortune. Ils rêvent même d'une ferme avec des chevaux, mais en secret, lorsqu'ils sont seuls sous les couvertures de leur lit qui sent la paille.

Larissa lève la bâche qui couvre la cage des ours et les salue pendant qu'ils sont encore endormis, pelotonnés l'un contre l'autre. Bobi et Bola forment un couple triste, délaissé depuis qu'ils n'ont plus de maître pour s'occuper d'eux, et ils passent le plus clair de leur temps à sommeiller. Ce sont de belles bêtes, peut-être un peu trop petites mais rondes et au poil bien lustré, aux reflets blonds. Comme les deux ours n'exercent presque plus leur art, ils paraissent se rendre compte qu'ils sont devenus seulement des prisonniers.

Larissa leur donne à boire et à manger, accompagnant le tout de caresses et de paroles douces. Mais elle le fait vite, par pure pitié, car le matin c'est le moment du pansage des chevaux, son moment préféré de la journée. Et elle repart vers l'enclos.

Le ciel commence à peine à s'éclaircir et déjà plusieurs fenêtres de roulottes sont illuminées ; de la cheminée de la cantine roulante monte aussi la fumée blanche du feu allumé pour faire chauffer le café et griller le pain. Il n'y a pas de vrai café ; les forains se contentent d'un mélange de chicorée et d'autres herbes amères, avec parfois du thé ou du chocolat américain, le tout bien parfumé avec une bonne dose de grappa. Le résultat final n'est pas mauvais pour aider à chasser le sommeil et pour ouvrir la voie à la première cigarette. Il paraît que Léon apportera du vrai café de là-bas, et aussi de la viande de mouton et des lainages. L'Amérique est un pays de cocagne.

Des silhouettes endormies vont et viennent, vers la cantine roulante ou vers les latrines, d'autres encore s'en vont avec leurs seaux chercher de l'eau.

Larsen est en train de bouchonner les chevaux avec de la paille pour enlever la rosée du matin. Larissa se joint à lui en riant des grosses têtes qui cherchent à lui soutirer des caresses, à se frotter le chanfrein et le naseau contre ses joues. C'est un travail qui dure toute la matinée : chacun des seize chevaux doit recevoir des soins précis et très personnalisés pour savoir que tout va bien, qu'il ne faut pas s'en faire de dormir ainsi à la belle étoile, et que l'entraînement se poursuit comme d'habitude. Et ils ont besoin qu'on leur parle, qu'on les appelle souvent par leur nom, tant d'une voix caressante que d'un ton de maître. Des bêtes blanches et pas très hautes, des *lipizzaner* autrichiens spécialistes du manège, qu'Alberti a autrefois achetés à Vienne et qui restent le grand joyau du Circus Alberti.

Il faut d'abord les bouchonner bien à fond, ensuite étriller leur corps avec soin et énergie, brosser la tête et les parties sensibles, puis peigner la manne, la queue et les paturons. En outre, tous les deux jours, il faut aussi laver en profondeur les fourreaux des verges et les vagins, en examinant chaque pouce de peau à la recherche de gerçures ou de parasites. Sans compter le soin des bouches, des blessures et des ferrures. Paco s'occupe des sabots et des fers ; même ici en pleine campagne il est capable de monter sa petite forge et l'enclume pour faire ce qui ne peut pas attendre la venue d'un vrai maréchal-ferrant.

Les chevaux sont précieux puisqu'ils sont aussi le numéro le plus prestigieux du cirque. Et ils sont sensibles comme le sont les artistes. Mais la troupe est pauvre et, même si on sait qu'ils ne doivent pas le faire, ces beaux chevaux blancs tirent aussi les roulottes quand le cirque a besoin de se déplacer. Ils ne protestent pas puisqu'ils savent que c'est provisoire et que chacun doit travailler comme il peut. Alberti et Larsen ne cessent de dire qu'ils achèteront des chevaux de trait dès l'arrivée en Argentine pour que les *lipizzaner* n'aient plus besoin de s'éreinter.

D'autres forains viennent aider Larsen et Larissa après s'être lavés et avoir pris une tasse de café. Sven et Wlacek, qui aiment beaucoup les chevaux et qui sont eux-mêmes assez habiles dans les voltiges équestres ; le clown Cotshi aussi ; et même le lutin Janus qui s'amuse à grimper sur les montures pour les brosser en faisant mine de les chevaucher. Bientôt les bêtes sont entourées de plusieurs membres de la troupe, comme dans un spectacle, et le travail se fait tout seul. Le mouvement et la douce chaleur des chevaux aident à se réchauffer le matin en attendant l'appel des repas.

Pendant que Janus s'amuse à la corvée du mieux qu'il peut, Esmeralda, sa femme, reste dans les alentours pour regarder en jouant du concertina, et ainsi animer le travail. Ce sont des lutins, très aimables et joyeux, aux proportions harmonieuses, bien coiffés et tout à fait élégants malgré leur taille qui n'atteint pas le mètre. On les appelle les « lilliputiens » dans les cirques allemands, pour les distinguer des vrais nains, ces derniers étant plus costauds, trapus, avec des os épais et un visage plus dur. Les nains sont d'un naturel moins avenant, ils sont plus orgueilleux et préfèrent de beaucoup les partenaires de grande taille. Les lutins du cirque sont délicats, tous les deux musiciens, et ils participent souvent aux numéros d'acrobatie à cause de leur petit poids et de leur souplesse. Ils peuvent aussi se spécialiser dans les rôles d'enfants, ce que méprisent profondément les vrais nains. D'ailleurs, les vrais nains ne se rabaissent pas à venir soigner les chevaux ; ils ont chacun leur propre numéro individuel. Ils se considèrent aussi, en quelque sorte, comme l'aristocratie de la vie foraine, désignés exprès par la fatalité aveugle pour occuper leur place naturelle qu'est le cirque.

Et les nains occupent en effet l'espace avec une grande fierté, comme on peut les voir faire là-bas, autour du feu de camp. Il y a Kropotkine, le nain ventriloque, toujours accompagné de Virginie, sa pupille comme il l'appelle, cette gamine très grande, d'âge indéfini, entre treize et dix-neuf ans, maigre à faire peur. Kropotkine sort toujours habillé avec soin et coiffé d'un haut-de-forme, le regard sévère et méprisant, en constante alerte pour déjouer la convoitise des hommes sur sa Virginie, même si personne d'autre que lui ne voudrait de ce paquet d'os dans son lit. On voit aussi Gandalf, le nain hercule arborant des couleurs voyantes et vêtu de sa belle cape, qui hante les cuisinières dans la cantine roulante pour goûter le ragoût et pour donner des conseils tout en tâtant les chairs à sa portée. Gandalf est un bon vivant, optimiste parce qu'il a survécu là où d'autres ont laissé leur peau, parce qu'il a baisé là où d'autres n'ont fait que soupirer. C'est aussi un des conseillers personnels du directeur, puisqu'ils travaillent ensemble depuis le début.

Le nain Kosta attend patiemment le repas en s'amusant à tourner et à faire des pirouettes avec son éternel jeu de cartes, d'une façon à rendre jaloux le meilleur des funambules. Il se débrouille aussi bien avec des boules et avec des bouteilles, même avec des torches, mais il préfère son jeu de cartes parce que ce n'est pas un objet rigide. Il peut donc le faire tourner dans toutes les directions, l'ouvrir ou le fermer et lui faire prendre la forme d'un accordéon qui flotterait dans l'air. Kosta peut aussi enchanter les dames, en leur offrant sur demande n'importe quelle carte. Si Spivac disparaît, il ne restera que le numéro de Kosta avec les cartes.

Loki et la jolie Fili, les deux autres nains, sont encore dans leur chambre, peut-être même sous les couvertures à cuver le vin de la veille. Loki et Fili sont frère et sœur, semble-t-il, mais ils ont été placés en bas âge dans des familles de goyim par leurs riches parents juifs qui ne voulaient pas montrer d'avortons en public. Tant pis pour les parents et pour les frères et sœurs normaux ; Loki et Fili ont survécu à la guerre dans des salles de spectacles suisses et italiennes, pendant que le reste de la famille a été décimé par les nazis. Maintenant qu'ils se sont retrouvés, ils vivent ensemble comme mari et femme pour tenter de faire revivre les souvenirs du temps où on les avait séparés. Voilà qui montre le bien-fondé de la sagesse de Gandalf quand il dit : « La seule religion qui convient aux nains est celle du cirque, et Dionysius protège toujours ses fidèles compagnons contre la cruauté des *gadjos*[1]. »

Chaque matin, c'est la même agitation autour des cuisinières. Les forains n'ont que deux repas par jour, et celui du matin doit leur fournir assez d'énergie pour attendre jusqu'au soir, après la fin du spectacle. Tout le monde a faim et prétend s'y connaître en cuisine. Mais le feu de bois est long à chauffer l'eau des pâtes ; il faut aussi peler les patates et bien frire les oignons pour l'invariable sauce dont les rations K constituent l'élément de base. C'est beaucoup de travail ; les femmes finissent par perdre patience et elles les chassent tous de là sans cependant réussir vraiment à les éloigner.

Le repas du matin est un événement qui exige de la patience. Les artistes viennent là surtout pour demander si par hasard on n'aurait pas un de ces rares ragoûts de lièvre, ou si des poules grasses n'auraient pas été chapardées par des gosses du voisinage et échangées à la cantine du cirque contre des cigarettes. Ils pourraient le savoir rien qu'à l'odeur, certes, mais l'espoir est toujours présent et ils ne peuvent s'empêcher de venir fureter. Il est déjà arrivé que ce soit une belle chèvre entière, et ils ont eu une grillade. Une autre fois, c'était un porcelet égaré dans la ligne de tir des couteaux de Jeremiah, et qui a fini dans la casserole commune. Le plus souvent, cependant, ce qui se dégage de la cantine, c'est l'odeur douceureuse et quelque peu irritante des éternelles rations K de l'armée américaine. Ça nourrit et c'est très bon pour la santé, paraît-il, mais c'est fade comme l'enfance. Si les Américains sont si infantiles, c'est peut-être parce qu'ils mangent trop de cette bouillie sucrée et sans épices. C'est quelque chose d'un brun clair comme du caca de bébé, avec à peine quelques morceaux baignant dans une espèce de sauce très épaisse ; on peut y voir de la viande, du maïs, des patates et des carottes,

1. Nom que les gitans donnent aux non-gitans.

le tout bien sucré avec une sorte inconnue de sucre. Mais que peut-on utiliser d'autre lorsqu'on n'a pas de viande et que Spivac a obtenu tout un chargement de cette bouillie au lieu de précieux dollars ? C'est pratique, ça vient dans des boîtes, ça se conserve bien et les soldats n'ont pas besoin de chauffer la mixture avant de la gober.

Mais les artistes ne sont pas des soldats, Dieu soit loué, et sans plaisir ils ne profitent pas de la nourriture. Et puis, si c'est trop mauvais au campement ils risquent de se disperser, d'aller se faire inviter n'importe où, et cela finira soit par des désertions, soit par des bagarres, si ce ne sont pas des chiasses phénoménales qui paralysent le corps et empuantissent tout alentour. Un cirque a le devoir de bien nourrir et loger les artistes, et ce devoir passe avant même l'obligation de les payer. Herr Direktor est très strict là-dessus, surtout qu'il est le premier à aimer la bonne table et qu'il ne se permet jamais de manger à l'écart du groupe.

Les cuisinières se démènent comme elles peuvent, avec la sagesse millénaire des pauvres gens. La plupart du temps, il y a des pâtes, toutes sortes de pâtes, mais aussi de la farine de maïs pour la polenta et des patates pour les gnocchis. Du pain aussi, le plus souvent d'une qualité douteuse, mais indispensable puisqu'on peut le râper quand il est très sec pour en faire des galettes qui tiendront lieu de pâtes pour la lasagne. On peut aussi frire les galettes avec des tomates ou s'en servir pour épaissir un minestrone trop dilué. Tout cela constitue la base et nourrit son homme, mais n'a pas de goût. Il faut en plus les fromages que les forains se procurent dans les campagnes environnantes, les légumes séchés comme les tomates ou les aubergines, le poivron en poudre ou le chou dans la saumure. Du riz et des haricots lorsqu'il y en a, des pignons, des lentilles ou du millet. Jusqu'aux châtaignes qui peuvent servir en cas d'urgence. Et beaucoup d'oignon, d'ail et de fines herbes séchées, car ce n'est pas parce qu'on est à Gênes qu'on trouve facilement des conserves de *pesto genovese*. Il y a de l'huile d'olive en quantité, il suffit d'avoir un bon odorat pour savoir si elle a été mélangée à de l'huile d'automobile. Et comme les œufs, la viande ou le poisson sont inabordables, et que les saucisses paraissent trop trafiquées — qu'on y trouve de la chair de chien n'est pas trop grave, mais il ne faut pas que ce soit uniquement de la sciure de bois mélangée à du suif et des piments forts —, les cuisinières se rabattent souvent sur les fameuses rations K. Elles font des sauces en réduisant la bouillie et en la faisant revenir lentement avec de l'oignon, de l'ail et de la tomate séchée. Il faut ajouter une bonne poignée de sel pour tenter de cacher le goût du sucre, toutes sortes d'herbes et aussi du vinaigre. Avec un peu d'imagination et de tolérance, le résultat final rappelle malgré tout une nourriture civilisée pour accompagner les spaghettis ou la polenta. Les odeurs fortes qui se dégagent alors font presque oublier la couleur fade de ces sauces et l'odeur doucereuse qui persiste autour malgré tout. Même les ours, qui pourtant sont des omnivores, préfèrent cela aux rations K fraîchement sorties des boîtes de conserve.

Une bonne partie de la matinée se passe ainsi en travaux sérieux, en bains ou en étirements, en corvées de lavage ou simplement à flâner en attendant le repas. Avoir le ventre vide n'encourage pas les efforts physiques, et les forains s'étalent dans le paysage comme s'ils étaient dans une fête champêtre. De loin, on entend parfois leur musique, des chants ou des éclats de rire, surtout du côté de l'enclos des chevaux où l'activité du pansage s'accompagne de petites cavalcades ou de tours de piste pour faire plaisir aux animaux. Quand le cirque est ainsi oisif, sans spectacle en perspective, une certaine indolence s'empare de tous, chacun remettant au lendemain les entraînements sérieux ; de toute façon, si des nouvelles encourageantes arrivent, ils auront au moins une semaine de répit pour remettre en état la toile et les gradins. Par ailleurs, seuls les acrobates et les gens qui ont des animaux ont vraiment besoin de s'exercer. Les clowns et les nains, le véritable noyau du cirque, ont le métier dans le corps ; il suffit qu'ils se mettent dans l'esprit du spectacle, avec costume et maquillage, et tout se passe comme s'ils n'avaient jamais cessé de jouer.

Pitagore et Anise reviennent de leur promenade matinale avec leur meute de chiens artistes. C'est en rase campagne qu'ils effectuent le dressage de leurs bêtes, loin des distractions et de ceux qui dorment tard le matin. Pitagore est un homme petit, maigre et nerveux, arborant une longue moustache très mince qui lui donne une allure orientale. Anise est petite également et tout aussi nerveuse, mais elle est plutôt boulotte et se déplace sans l'élégance prétentieuse de son partenaire. Ils se plaignent souvent des autres forains et ils ont beaucoup à redire sur le comportement de presque tous les artistes de la troupe. Ils trouvent aussi que leur numéro de chiens savants est — ou, en tout cas, devrait être — le spectacle central du cirque. Partout où ils sont passés auparavant, cette impression n'a fait que grandir dans leur esprit, et ils regrettent que leur importance réelle ne soit pas reconnue et qu'on ne leur accorde pas plus de respect et d'égards. Ils sont donc un peu amers, et plus irritables encore à cause de cette longue attente du cirque à Gênes. Curieusement, on trouve cette même nervosité chez leurs chiens, des petits caniches et des bassets au poil teinté de couleurs fantaisistes et toujours habillés comme pour le carnaval, avec des rubans, des casquettes et des petits pantalons bouffants. On dirait que les cabots ne distinguent plus le moment du spectacle de la réalité quotidienne ; dès qu'ils aperçoivent maître et maîtresse, ils se mettent à faire des cabrioles, à marcher sur les pattes postérieures, à exécuter des saute-mouton les uns sur les autres, tout en courant en cercle, tremblotants, hystériques, et en faisant entendre des gémissements et des aboiements aigus. Pitagore et Anise ne cachent pas leur émerveillement devant ces excès ; surexcités, ils se répandent alors en mamours et en gratouillages, pour le plus grand bonheur de la meute. Garm, le mastiff, lui aussi a fini par attraper des manières à force de côtoyer les petits chiens artistes, et bientôt il exigera à son tour un léotard pour se produire sur scène.

Pitagore et Anise arrivent ainsi entourés de leurs bêtes, gonflés de plaisir et de fierté pour tout ce qu'ils ont accompli durant la matinée. Ils préfèrent cette entrée spectaculaire qui leur permet de faire semblant de donner des ordres aux chiens et leur évite ainsi de devoir saluer les autres forains. Tous deux savent qu'ils possèdent le seul numéro complet du cirque, et ils croient qu'ils pourraient partir n'importe quand pour se produire dans des salles de spectacles par leurs propres moyens, d'autant plus qu'ils possèdent des passeports français. Ils ont déjà menacé de le faire, sous prétexte que le cirque n'est pas à leur hauteur, qu'ils sont habitués à mieux, à des compagnons plus respectueux, et autre blablabla. Sauf qu'ils ne l'ont pas fait jusqu'à présent, sans doute dans l'espoir d'aller aussi en Argentine, cette terre de gens cultivés et raffinés, et où ils seront enfin reconnus. Mais il se pourrait également qu'ils restent uniquement à cause de la ration K, cette pâtée dont raffolent à la fois maîtres et chiens. Alberti ne s'en fait plus, et il évite même de les rencontrer pour ne pas devoir entendre leurs propos hargneux.

Le groupe des chiens s'excite davantage lorsqu'il s'approche de la roulotte du directeur, à cause de la présence silencieuse du formidable Beria. Le dogue n'est pas un artiste, seulement un gardien, et il n'a que faire des ordres ou de la meute bigarrée qui tente de le provoquer à distance. Les petits chiens se mettent alors dans tous leurs états, allant jusqu'à pisser sur place en glapissant, tellement ils détestent le gardien. C'est chaque jour la même chose, et le mastiff s'énerve aussi, tout en évaluant prudemment la longueur de la chaîne et le cercle de sécurité dans lequel il peut parader sans risque de se faire bouffer par Beria. Ce dernier ne fait qu'entrouvrir les yeux, accompagnant parfois ce geste d'un grognement ou d'une grimace, tant il connaît la sensiblerie des artistes. Selon Fuank — ce en quoi il est approuvé par les autres saltimbanques —, il faudrait un jour exciter suffisamment le brave Beria pour qu'il arrache sa chaîne, viole quelques-unes des petites vedettes et finisse une fois pour toutes par enculer cette fripouille de mastiff. Il dit que cela sauverait l'honneur de Beria, mais c'est évident qu'il voudrait bien voir la tête que feraient les deux prétentieux et la crise qui s'ensuivrait. Pitagore et Anise paraissent d'ailleurs craindre qu'une telle chose n'arrive et ils multiplient les cris et les sautillements nerveux dès qu'ils s'approchent du gros chien. Ils expriment leur dédain pour Beria en levant le nez et en l'appelant « le monstre ». Curieusement, pourtant conduit avec discipline par les deux dresseurs, le groupe de chiens se trouve à passer chaque matin devant la roulotte du directeur ; et chaque fois c'est le même branle-bas et le même étonnement de voir Beria encore couché à sa place habituelle.

Il n'est donc pas étonnant qu'ensuite, lorsque le groupe passe devant des nains qui discutent, on entende des pets retentissants — des bruits de lèvres ou de vrais bons pets. Si elles n'excitent point les cabots, ces sonorités mettent le couple de Français de très mauvaise humeur. Ce sont d'ailleurs ces gaillardises insignifiantes, plutôt que leur amour pour les rations K, qui poussent Pitagore et Anise à manger souvent seuls dans leur chambre.

Avant même que le signal du repas ne soit donné au moyen d'une cloche de vache suisse, attirés par l'odeur ou mus par la simple habitude, les forains s'agglutinent déjà autour de la cantine roulante, en bavardant ou en essayant des cabrioles parmi les politesses épicées qu'échangent hommes et femmes. Le sourire est sur tous les visages et la vie n'a pas de mystère en cette heure bénie. Est-ce que l'Amérique existe vraiment ? Aucune importance, car aujourd'hui, grâce à la prévoyance de Herr Direktor, ils mangeront une fois de plus à leur convenance. Plusieurs d'entre eux ont encore frais en mémoire le souvenir de journées de spectacle qu'il a fallu endurer le ventre vide, lorsque ce n'étaient pas des journées de travaux forcés où ils côtoyaient la mort.

Arcadi est aussi parmi eux. Il s'est fait discret toute la matinée, se contentant d'observer la routine du campement sans trop s'approcher des gens. À la lumière du jour, il a l'air bien plus jeune qu'il ne paraissait hier soir, et son corps puissant lui donne l'allure d'un haltérophile accompli. Après la discussion qu'il a eue plus tôt avec Alberti et Gandalf, il semble aussi plus détendu, sans doute rassuré par la place d'hercule qu'ils lui ont offerte et qui lui permettra de partir avec le cirque sans qu'on lui pose de questions indiscrètes. Les bandes de cuir de son costume de scène couvriront la cicatrice de brûlure qu'il a dans la région de l'aisselle gauche. Alberti et le nain lui ont aussi conseillé de toujours porter une chemise pendant son entraînement, de se tenir loin de la ville, et surtout de se laisser pousser la barbe et les cheveux.

— Cela fera moins militaire, lui a dit le directeur, plus artiste de cirque. Il faut aussi que vous vous habituiez à un certain laisser-aller sur votre personne, à répondre moins vite quand on vous pose une question et à ne pas saluer en inclinant la tête. Un petit balancement du corps et des bras quand vous marchez serait aussi appréciable, si vous ne tenez pas à attirer l'attention des gens. Ce que vous fuyez, c'est votre problème ; mais il ne faudrait pas que cela compromette tout le cirque. Je vais vous aider à vous entraîner pour les spectacles, au cas où nous serions en mesure d'en donner avant notre départ. Rien de très spécial, uniquement pour que votre déguisement soit plus plausible. Ne craignez rien, vous avez le physique qu'il faut ; Gandalf et moi, nous tenterons plutôt de vous apprendre le côté théâtral de la chose. Ce n'est pas ce que vous faites qui compte mais bien ce que les spectateurs ressentent en croyant que c'est difficile ou dangereux. Un cirque n'est pas un gymnase pour athlètes, mais bien un palais des illusions pour émerveiller les gens... Ah, encore un détail : vous pouvez parler allemand puisque votre russe n'est pas convaincant. Mais essayez de chanter un peu, d'étirer les voyelles de la même façon que vous allongerez le mouvement de votre corps en marchant, lentement et en roulant les « r ». À votre place j'éviterais de parler beaucoup ; votre langage est trop parfait pour un hercule de cirque. Allez, faites connaissance avec les gens, installez-vous et ne faites surtout pas de confidences sans mon autorisation.

Est-ce que cet Arcadi a traité les gens avec autant de sagesse et d'humanité lorsqu'il était en situation de pouvoir ? On ne le saura pas ; mais ce soldat SS vient de recevoir la première véritable leçon de toute sa vie, et il est suffisamment jeune pour en profiter.

Arcadi est resté attentif durant toute l'entrevue, et il a semblé apprécier le fait qu'on ne veuille pas en savoir davantage sur sa vie antérieure. Il s'est évertué à rassurer le directeur en exprimant son désir de passer inaperçu pour recommencer sa vie à l'étranger, assurant qu'il allait obéir aux ordres et que Bello Gorvic en Suisse allait tout arranger pour que la troupe obtienne des documents de voyage en règle.

— Je m'étonne de la sorte de combines que ton cousin Bello est capable de manigancer, a dit Gandalf après le départ d'Arcadi. Mais s'il peut vraiment nous envoyer en Argentine, il faudra allumer des chandelles pour remercier le démon.

— Peut-être, peut-être pas, a répliqué Alberti d'un air pensif. Bello est un homme d'affaires, avec de bons contacts parmi les gens au pouvoir. Si ça se trouve, c'est vrai aussi que Léon est au courant de tout. Les politiciens, mon cher, se sont toujours servis des artistes pour faire avancer leur négoce. Pourquoi ne serait-ce pas vrai pour un cirque ? Ce jeune homme, Arcadi, il ne m'inquiète pas beaucoup ; il a bien l'air de vouloir jouer le jeu. Mais nous ne savons pas quels compromis il faudra encore faire pour obtenir les fameux visas et pour partir. En attendant, tous les espoirs sont permis puisque même des représentants de la race pure ont besoin de nous pour se camoufler. Alors, il faut prendre les choses du bon côté : si un nain et un directeur de cirque sont en train de mériter de la considération, il se pourrait que le monde ait vraiment changé, tu ne trouves pas ? Il faudra cependant que ce jeune homme sache respecter les races impures, sinon…

Gandalf a alors terminé la phrase du directeur par un simple geste, comme s'il tranchait une gorge, et tous deux se sont regardés avec le même sourire malicieux.

— Mais non, a rétorqué le directeur, il ne faut rien gaspiller, mon cher. S'il nous emmerde, on l'échange avec les Américains contre cet escroc de Spivac. Un vrai SS doit valoir au moins un faux espion.

Makarius vient de sortir du lit de Maroussia. Il revient à sa chambre avec un seau d'eau lorsque sonne la cloche du repas. Il se lave sommairement avant de se joindre au groupe avec sa grosse gamelle, tout comme il le faisait autrefois à Börgermoor. Seule la file d'attente rappelle ce temps-là cependant, puisqu'il n'y a pas de gardes armés, les forains bavardent joyeusement entre eux et les cuisinières sourient, fiers de ce qu'elles viennent de concocter, contentes de voir les gens manger de bon appétit. Il y a des pâtes à la sauce K à volonté, accompagnées de grosses tranches de pain frit tartinées de lard et de tomates séchées ; avec un verre de rouge pour faire passer le tout. Les plus gourmands peuvent revenir pour une deuxième portion s'ils se sentent capables de l'avaler.

Makarius remarque le malaise d'Arcadi ; celui-ci attend un peu à l'écart des autres qu'on lui dise où trouver une gamelle.

— Salut, Arcadi, lui dit-il. Bien dormi ?

Arcadi ne le reconnaît pas immédiatement, mais sourit et confirme d'un mouvement de tête.

— Tu n'as pas de gamelle ? Va en chercher une là-bas, dans la pile d'assiettes. Il y a aussi des fourchettes.

L'autre obéit et revient près du mime pour attendre son tour.

— Tu vois, Arcadi, reprend Makarius, c'est simple comme dans les stalags ; on se met en file et ils nous servent. À la bonne franquette, sans trop de chichis.

Devant le regard surpris de son interlocuteur, le mime ajoute :

— Tu ne te souviens plus des stalags ? Tu es peut-être trop jeune pour avoir été interné. Ici, beaucoup de gens ont bien connu les camps, ou ils en ont entendu parler. Allez, c'est ton tour. Firmina, c'est Arcadi, un nouveau ; sers-lui une bonne portion.

Ils s'assoient tous sur des morceaux de gradins, des tables et des socles disposés en cercle, et mangent en bavardant comme s'il s'agissait d'une fête. Le repas quotidien est le lieu social par excellence du cirque, où les gens se rencontrent et où les bonnes et les mauvaises nouvelles sont officiellement annoncées. C'est aussi par la nourriture qu'ils peuvent évaluer la situation financière d'Alberti, tout comme ils évaluent l'état de chacun par la tête qu'il fait.

Arcadi prend place à côté de Makarius et mange avec appétit, étonné des saveurs qu'il découvre dans une nourriture d'apparence si modeste. Le mime l'observe discrètement en tentant de découvrir quelle sorte d'homme est ce soldat qui vient de se joindre à eux. Il n'est pas aussi rassuré que le directeur. Il a l'impression qu'Arcadi joue les bons garçons timides ; il ne croit pas qu'on puisse changer à ce point en si peu de temps. Les manières du SS sont trop raffinées même s'il tente d'imiter les autres autour, son dos est trop rigide malgré qu'il soit assis sur un siège de fortune. Makarius capte mieux la nature profonde des hommes en les regardant bouger, en imaginant dans son propre corps les tensions que son interlocuteur subit sans s'en rendre compte, et il est trop expert dans l'art du simulacre pour ne pas reconnaître les piètres tentatives de déguisement des dilettantes. Ce petit spasme qui s'illumine comme une explosion nocturne dans la partie inférieure de son orbiculaire, tirant sur ses pommettes, après qu'il a décontracté ses mâchoires trop serrées lui en apprend beaucoup plus sur Arcadi que de l'écouter parler. Mais il ne tire pas de conclusions hâtives, se contentant d'emmagasiner ces impressions en attente d'autres encore.

Makarius mange à son tour en feignant de s'intéresser à la conversation de ses camarades. Il ne croit pas que le cirque coure un danger spécifique à cause de la présence d'Arcadi dans ses rangs, ni lui-même d'ailleurs. C'est plus une vague intuition, presque une curiosité perverse qui le pousse à scruter cet homme ; il a eu peu d'occasions d'observer attentivement les gardiens quand il était prisonnier. Il ne faisait que sentir leur présence, car il était défendu de les regarder dans les yeux ; et c'est de son propre corps qu'il se souvient le plus lorsqu'on l'avait fouetté. Maintenant, juste à ses côtés, il y a un de ces spécimens de brutes aristocratiques, sans arme ni uniforme, qui tente de jouer un jeu pour lequel il n'est pas doué. Comment ne pas être curieux, comment ne pas s'amuser avec l'idée soit de le provoquer pour voir s'il sait se battre à mains nues, ou de le rendre nerveux en lui tenant des propos ambivalents, pour voir s'il va crâner ou s'il va flancher.

Les autres forains ne semblent pas dérangés par le nouvel arrivant, qui a d'ailleurs été porteur de bonnes nouvelles. Alberti vient d'annoncer à toute la troupe qu'à partir d'aujourd'hui le cirque commencera les préparatifs pour reprendre ses activités normales. Ces paroles réjouissent les gens et leur donnent une énergie nouvelle, une énergie contagieuse puisqu'il n'est plus vaguement question de l'Argentine ; au contraire, chacun doit redoubler d'efforts pour trouver de nouveaux artistes, des numéros entiers si possible, car Léon Feldmann débarquera dans un mois avec l'argent nécessaire pour faire revivre le Grand Circus Alberti et pour leur faire obtenir des documents de voyage. Pour tous les gens du cirque. Chacun d'eux sait, dans son for intérieur, que ce sera en fait pour toute une bande de bâtards, de survivants et d'apatrides. La plupart d'entre eux ne se sont jamais sentis autres que saltimbanques, et après cette guerre le sentiment d'exclusion s'est accentué jusqu'à l'infini. Et voilà qu'en dépit de tout, le miracle de l'Amérique va s'accomplir pour eux aussi. La nouvelle a pratiquement les mêmes effets paroxysmiques que la cocaïne, cette drogue si populaire autrefois à Berlin et à Hambourg qu'elle détrônait les cigarettes d'opium ou les piqûres de morphine. Pourquoi donc s'en faire si le nouvel hercule est presque un émissaire du grand Léon Feldmann en personne ? Et si Léon préfère l'Argentine, cela veut dire que l'Europe n'est plus rentable à ses yeux ; ça doit donc être le paradis, là-bas.

Bien qu'ils aient le ventre plein, plusieurs ont à cœur de faire des cabrioles et des blagues, ou de raconter quelques mensonges à propos de cette Argentine magique ; sur l'Argentine ou d'autres pays du même acabit au bout du monde, comme Cuba, le Brésil, l'Australie. Ce sont des récits fantaisistes, parfois inventés de toutes pièces à partir d'autres récits venus d'endroits exotiques, comme Batavia, Surabaya ou Port-au-Prince ; des choses glanées un peu partout dans les bars ou de la bouche de marins ivrognes, ayant trait à des exploits virils, des amours fabuleuses ou des fortunes gaspillées en une nuit d'orgie.

Lidia, une belle femme aux manières délicates, autrefois pianiste à Bucarest, rêve de jouer à nouveau dans un vrai orchestre, de ne plus être la violoneuse fessue du cirque mais de redevenir madame Fisher ou tout autre nom prestigieux, selon les prétendants qu'elle trouvera en Argentine. Mais surtout elle rêve de voir ses trois filles adolescentes, Katia, Lioubov et Fanny, abandonner cette vie vagabonde et leurs instruments de gitanes, pour entrer au conservatoire, fréquenter la bonne société et enfin se marier en blanc. Il est vrai que ce rêve pâlit à mesure qu'elle-même s'adapte au cirque et que Lidia s'habitue à des tendresses exigées par sa chair. Mais les nouvelles de monsieur Alberti sont si bonnes qu'il n'y a pas de mal à s'amuser avec des illusions. Katia, l'aînée qui joue du violon, rêve seulement du voyage en bateau, pour côtoyer des officiers en uniforme de soirée lorsqu'il y aura des bals à bord. Lioubov ne rêve de rien; elle est restée un peu simple d'esprit après une nuit en compagnie de soldats de la glorieuse Armée rouge. Ou peut-être qu'elle était déjà un peu folle avant mais qu'on ne le remarquait pas. Lioubov est si perdue dans son monde vide qu'elle ne se défend pratiquement pas quand quelqu'un l'attire dans un coin pour la peloter à la sauvette et sans tendresse; elle reste là en levant sa robe avec son rire nerveux, les yeux fermés, en attendant le morceau de chocolat qui doit suivre les caresses, et qu'elle gobera gloutonnement. Elle joue passablement bien de l'accordéon, elle chante des chansons tristes venant de nulle part, mais le plus souvent elle sourit béatement de tout ce qu'elle voit. Lorsqu'elle cesse de faire des grimaces, on voit que son visage est pourtant joli. Fanny, la cadette, ne connaît rien de la vie, et c'est pourquoi elle rêve de Wlacek le trapéziste, le compagnon de Sven, duquel elle est amoureuse parce qu'il a des manières douces et un regard romantique. Wlacek et Fanny sont de bons copains; le trapéziste lui apprend comment se maquiller et se tenir, il la protège comme si elle était sa compagne, et il a promis de lui apprendre à marcher sur le fil suspendu. Fanny attend seulement qu'il la prenne enfin dans son lit, comme le fait parfois le clown Durin avec Lioubov. En attendant de devenir acrobate et de se marier avec Wlacek en Argentine, Fanny joue des cymbales, du tambour ou de la cithare lorsqu'il est temps de faire de la musique.

Nains et lutins n'ont pas besoin de rêver, car ils vivent déjà dans la réalité du cirque; et ce n'est pas rêver que d'imaginer un chapiteau plus élégant, une troupe mieux habillée, des fauves et des éléphants pour embellir leurs propres numéros devant des salles combles. Ils se souviennent de leurs anciens costumes bien taillés, Gandalf se voit dans son habit d'hercule tout en cuir et en paillettes, coiffé de son haut-de-forme argenté. L'Argentine sera uniquement la reprise du passé, après que l'interlude de la guerre sera bel et bien enterré.

Le clown Durin ne rêve pas non plus d'une autre vie que celle du cirque, tout comme Sven qui est né dans un cirque à Copenhague. Cotshi, l'auguste, sans vouloir abandonner la vie de clown, envisage parfois d'avoir aussi une taverne ou un petit restaurant tenu par une belle fille bien en chair, italienne comme lui et, Dieu soit loué, vierge. Mais est-ce que ça existe en Argentine, des vierges ? Il en fera venir une d'Italie lorsqu'il aura son restaurant, une bien choisie par sa propre famille, et qui n'aura pas fait la pute pour les soldats étrangers.

Jeremiah Loco ne rêve jamais puisqu'il a déjà Mandarine et qu'il ne sait faire rien d'autre dans la vie que s'amuser avec des couteaux. Peut-être qu'il pourra forger des lames fines dans ses vieux jours, comme il le faisait à Dachau, mais il est incapable de s'imaginer vieux. Mandarine préfère éviter de rêver ou du moins de le montrer ; elle a trop peur que Jeremiah ne se rende compte de ses rêves et qu'il se mette en tête de vouloir tuer tous les beaux garçons du cirque, y compris cet Arcadi qui vient d'arriver. Ou bien elle rêve que Jeremiah devient moins taciturne, qu'il rit un peu plus souvent en lui faisant l'amour ; c'est qu'il sait déjà si bien le faire, et c'est de sa faute à elle si, quand il la prend dans ses bras, elle se voit assaillie par tant de mains et de bouches d'hommes en même temps. Mais cela n'a rien à voir avec l'Argentine ; Jeremiah va se détendre de lui-même au fur et à mesure que la vie deviendra plus facile.

Fuank ne rêve pas, il se contente de faire des projets à court terme. D'abord, survivre jusqu'à l'arrivée de ce fameux bateau ; et aussi trouver quelques garçons et filles assez souples pour faire des numéros sur le fil, sur la corde verticale ou pour devenir des contorsionnistes. Il sait qu'il se débrouillera bien une fois en Argentine. Fuank est le seul membre de la troupe qui peut enseigner toutes les disciplines du cirque, y compris le dressage des fauves s'il le faut. Qui sait s'il n'aura pas son propre cirque là-bas, de l'autre côté de l'Atlantique ?

En attendant, il y a le cirque d'Alberti à remettre sur pied et le patron sait qu'il peut compter sur lui.

Negerkuss, un des hommes à tout faire, au contraire, rêve beaucoup avec ces histoires sur l'Amérique. C'est un grand nègre silencieux, svelte et bien bâti, qui pourrait être un artiste mais qui refuse opiniâtrement de jouer les zoulous ou les hommes sauvages, préférant plutôt les tâches manuelles. Alberti n'insiste pas puisqu'il le connaît depuis son enfance, comme il connaissait son père, anthropologue et africaniste de renom. En réalité, Negerkuss s'appelle Richard von Hornweiss et il est peut-être le seul Allemand pur de toute la troupe. Sa mère était une princesse du Cameroun, et son père avait été naïf au point de croire à ses propres écrits sur l'égalité des races. Dommage, car bien qu'intellectuel, le petit Richard a dû se faire les muscles à l'école et dans la rue à cause de sa couleur peu aryenne ; ensuite, il a été obligé d'abandonner ses études de philologie à Heidelberg et a passé toute la guerre en Turquie, le seul à avoir été réformé de la Wehrmacht pour motif dermatologique : eczéma mélanoïde généralisé, était-il écrit sur ses papiers de dispense militaire. C'est à Ankara qu'il a connu Makarius et qu'il a appris les rouages du spectacle. Negerkuss est d'ailleurs un assez bon mime, il écrit de la poésie et rêve de vivre dans cette Amérique du Sud où, dit-on, il n'y a pas — ou presque pas, ou peu, ou pas encore trop — de préjugés raciaux. Qui sait, il pourra peut-être tirer profit de ses études de philologie à l'école de langues anciennes d'Izmir, en Turquie. De toute façon, il se débarrassera une fois pour toutes du nom de Negerkuss pour devenir Ricardo Blanco ou Ricardo Cuernavaca, professeur de grec ancien et écrivain. Un beau rêve que son passeport turc maquillé va peut-être lui permettre de réaliser. Makarius et Negerkuss sont d'ailleurs les deux seuls citoyens turcs de la troupe, même s'ils préfèrent ne pas trop devoir montrer leurs passeports aux autorités. Et c'est pourquoi la vieille tête de Turc utilisée autrefois par l'hercule du cirque s'appelle maintenant tête de nègre.

Maroussia s'est retirée dans sa chambre après avoir à peine mangé. Sa nuit a été longue, pleine de présages qu'elle n'arrive pas à comprendre tout à fait. Trop de tourmente dans son esprit et trop de désirs dans sa chair pour bien saisir ce que disaient les nuages du ciel au matin, le vol des oiseaux ou le marc boueux au fond de sa tasse de café. Les nouvelles paraissent au contraire trop bonnes pour être vraies, car elles contrastent avec la confusion qui règne dans sa propre tête. Cela exige davantage d'investigation, surtout maintenant qu'elle a observé le nouvel arrivant et perçu l'odeur de mort qui se dégage de son aura glauque. Seuls les arcanes du tarot de Wirth peuvent lui venir en aide dans ces occasions complexes où les oracles et les pressentiments s'entrechoquent avec des sonorités d'armes et de plaintes.

Maroussia prend bien soin de fermer sa porte avec le verrou avant de tirer les rideaux pour être seule dans la lueur des chandelles. Elle fait une prière pour saint Vite, le patron des saltimbanques et des choréiques, accompagnée des spasmes et des contorsions rituelles, la bouche en rictus et les yeux tournés vers l'intérieur du crâne. Le filet de salive qui lui coule sur le menton au bout de quelques minutes est un bon signe, cela veut dire que le saint est disposé à l'entendre ou qu'il veille sur son corps et sur les cartes colorées. Maroussia n'oublie pas les courtes oraisons à saint Cyriaque le Magicien et à saint Barthélemy, le patron des gitans de l'Inde, avant d'invoquer la faveur d'une longue série de saints thaumaturges liés au cirque, comme saint Blaise qui donnait des ordres aux fauves, sainte Marie l'Égyptienne libertine, patronne de ceux qui marchent sur la corde raide et de celles qui se donnent aux hommes par plaisir, saint Prime et saint Félicien, patrons des dompteurs, saint Bernard, qui a excommunié les mouches, saint Othmar, qui protège les exilés, ou encore saint Cyprien, le patron des arts du démon, et sainte Justine, sa compagne. La voyante ferme ensuite les yeux pour se mettre en état de recevoir les énergies divinatoires, respirant profondément afin que le corps se relaxe et que seul l'esprit soit de la partie. Ce n'est pas facile après la nuit qu'elle vient de passer, puisque sa peau toujours en état d'alerte et sa vulve encore brûlante dévient sans cesse la concentration des choses sacrées vers l'amour profane, le ici et le maintenant de la vie par opposition aux certitudes de la fatalité. D'autres prières sont alors nécessaires, adressées à ceux qui comprennent bien ces faiblesses humaines pour en avoir pâti eux-mêmes : saint Sébastien et saint Dominique, les patrons des sodomites, sainte Christine, martyre de la chair torturée, laquelle jouissait de la douleur au point de redemander des supplices à ses tortionnaires, sainte Julienne, qui emprisonna le démon pour en disposer selon son bon plaisir ; enfin, des supplications à saint Amand, qui ordonne aux serpents de ne plus tourmenter les femmes...

C'est une longue séance d'initiation préparatoire, où Maroussia ressent la présence obsédante de celui qu'on ne doit pas nommer, son odeur de soufre et de bouc si proche de sa nuque, comme pour humer le musc de désir et de mâle satisfait qu'elle a toujours l'impression de dégager malgré ses ablutions et le bâton d'encens qui se consume sur la nappe noire. La femme résiste cependant en récitant d'autres prières en langues oubliées et dont elle ne connaît pas la signification ; des litanies apprises de sa propre mère, qui n'ont jamais manqué de la soulager par leurs effets bienfaisants de répétition et d'endormissement. Les longs mantras venus de loin, de l'orée d'où les langues ont été enfantées à partir des cris, finissent par apaiser son âme de femelle en dégageant la sibylle endormie. C'est le moment propice pour étaler les lames prophétiques.

Avec les deux mains, Maroussia mélange sur la nappe les tarots sortis de leur enveloppe de soie. Ce sont vingt-deux longues cartes appelées arcanes, qu'elle interroge uniquement dans les occasions importantes. La lueur des chandelles paraît parcourue d'un frémissement d'âmes en peine au fur et à mesure que le mélange se fait d'un mouvement circulaire et dans les douze directions du zodiaque. Une fois étalées en croix, elle les ouvre une à une, méditant soigneusement sur les relations et les possibilités qui apparaissent en guise de constellations de vies humaines. Hélas ! ce qui se donne à voir est trop cruel, et si loin de ce qu'elle aurait désiré. Au lieu de l'Empereur qui symboliserait Herr Direktor, apparaît le Fou de l'errance croisé par le Pendu victime d'une fatalité dont il ne sera jamais le maître. Au lieu du Chariot triomphant qu'elle souhaiterait pour le cirque, vient l'ambivalence de la Maison de Dieu messagère de catastrophes et la Roue de fortune renversée, incapable de dire si c'est le bien ou le mal qui adviendra. L'avenir est symbolisé par la carte treize, la Mort, qui peut être la fin de tout ou l'annonce d'un long voyage dans les métamorphoses. Qui plus est, cette fin ou ce voyage s'accompagne de la fluidité des éléments aquatiques de la carte dix-sept en biais, celle des Étoiles et de l'Eau. Enfin, trônant au beau milieu de la nappe, il y a le Bateleur, carte de la volonté et du travail personnel, un signe plus que positif puisqu'il signifie la ruse de l'artiste et sa créativité incessante. Mais Maroussia connaît d'avance cette constellation étrange, la même qui poursuit inlassablement la vie du cirque depuis toujours, pour dire et redire que l'effort individuel ne sera jamais garanti par les pouvoirs de l'au-delà ; le cirque sera toujours en mouvance et en équilibre précaire, loin de la conquête et toujours à recommencer.

Un sourire amer se dessine alors sur le visage de la femme, quelque chose à mi-chemin entre un rictus de douleur et un masque de mépris. C'est qu'elle pense à elle-même. Les yeux fermés, elle mélange à nouveau les cartes pour voir son propre sort, celui de Maroussia Grendel. La Papesse sort la première, signe du pouvoir mystique et de la clairvoyance ; mais elle sort à l'envers cette fois, suggérant la confusion et la souffrance de l'âme. Et elle s'accompagne ironiquement des cartes de la Lune, des Amoureux et du Démon, pour confirmer ce que la voyante sait aussi très bien : son pouvoir est compromis par des humidités féminines, des amours ambivalentes et des désirs brûlants. Une fois encore, le Bateleur couronne le tout, en lui redonnant l'espoir à travers ses propres ruses : sa dextérité de femme et d'artiste pourra peut-être redresser la Papesse et conquérir l'amour.

Elle tâte ensuite les cartes, les yeux fermés mais les mains très attentives, encouragée par l'absence de scrupules dont l'artiste bateleur est aussi le symbole, et elle sort alors la constellation de Makarius, telle qu'elle aime la voir apparaître : la Force croise l'Ermite solitaire d'un côté et le Démon renversé, subjugué par les ruses à la fois du Bateleur et de la Mort en biais, pointant vers le voyage plutôt que vers la fin. Tout en bas, la Papesse et la Lune, Maroussia et ses rêves humides, surmontées par l'Empereur, la carte de la logique abstraite, mais une logique croisée par l'ambivalence de l'Amoureux en chair et en os.

Elle sourit de plaisir en contemplant cette constellation, tellement belle qu'elle fait presque oublier la tricherie de ses doigts sensibles. Rassurée, Maroussia tente une deuxième fois de lire le sort du cirque. Trois cartes ouvertes, croisées d'un atout final. Mais comme toujours, une à une apparaissent les trois cartes fatidiques d'un avenir impossible à prédire : la Roue de fortune, la Maison de Dieu et la Mort, coiffées par le sempiternel Bateleur souriant et irresponsable. Voilà la destinée des artistes, voilà ce qui attend la troupe du Grand Circus Alberti. Est-ce que ce sera mauvais, ou tout bonnement la même aventure de l'errance, bouclée à la fin, comme pour chacun, par le silence de l'oubli ?

3

Makarius et Cotshi sont partis se balader vers le nord à la recherche d'autres artistes. Ils voyagent à pied ou par des moyens de fortune, et on ne sait pas quand ils reviendront. Ils savent cependant que Léon sera là fin mars et ils tenteront sans doute de revenir avant avril; de toute façon, leur provision de cigarettes américaines est plutôt maigre et il faudra qu'ils reviennent vite. Cela dépendra cependant de la misère qu'ils trouveront en chemin et des contacts que Cotshi croit pouvoir établir du côté de Milan et de la frontière avec le Tessin.

Sur place, le cirque déploie une activité renouvelée; le campement a déjà une allure plus nerveuse, avec un rythme soutenu de travail qui ne laisse plus de place pour les mines moroses. Des poteaux ont été fixés en permanence pour les exercices acrobatiques, tout comme le fil tendu, la poutre pour la corde verticale et les chevaux d'arçon pour les pirouettes. Chaque matin, Sven et Wlacek sortent aussi à l'extérieur les bascules et la batoude pour s'entraîner aux numéros de main-à-main en compagnie des lutins et de Fanny. La plus jeune des filles de Lidia fait des progrès sur le fil tendu et réussit déjà à tourner en tenant la poutre d'une seule main. Son attachement passionné à Wlacek lui donne l'énergie et le courage qu'il faut; elle veut faire plaisir aux deux trapézistes et leur montrer qu'elle est à la hauteur de leur estime. Peut-être même qu'elle arrivera à faire partie de leur numéro sur les trapèzes, tout au moins comme figurante; c'est pourquoi les deux camarades redoublent d'efforts pour développer le corps encore frêle de la jeune fille. Par contre, les tentatives pour intéresser Lioubov aux exercices sont un échec : elle est trop distraite, perdue dans ses rêveries. Maroussia essaiera d'intégrer la petite idiote dans son numéro de voyance, car Lioubov n'a même pas besoin de feindre d'être en transe. Par ailleurs, elle paraît plus calme, elle fait moins de grimaces et rit de façon plus douce depuis qu'elle passe parfois la nuit dans la chambre de la voyante, pour apprendre le métier. Même qu'elle semble aussi avoir un meilleur soin de sa personne ; bien coiffée et fraîchement lavée, l'idiote se révèle assez jolie. Lidia est ravie de ces progrès et elle cherche plus activement à se confier à Maroussia. Sa fille aînée, Katia, commence à s'intéresser aux chevaux depuis qu'elle s'est liée d'amitié avec Larissa. Ce n'est toujours pas une écuyère, loin de là, mais Larsen est déjà capable de l'imaginer en maillot, assise à l'anglaise sur une monture avançant au pas d'école. Katia pourrait mettre un peu plus de couleur féminine au numéro équestre, même si elle n'arrivera peut-être jamais à se tenir debout sur la croupe d'un cheval. Larissa fait de son mieux pour l'entraîner, pendant que Larsen se tient à distance pour ne pas éveiller de jalousies ; c'est que Katia a hérité du bel arrière-train de sa maman Lidia, qui malheureusement risque fort de devenir encombrant lorsqu'elle mûrira un peu. Mais pour le moment le cul de la jeune femme fait presque ombrage au derrière de Larissa, et le maître de manège sait que les juments sont parfois sensibles à certaines petites attentions.

Les deux ours restent oisifs malgré tout. Ils ont pratiquement oublié tout ce qu'ils savaient faire et deviennent plus paresseux à mesure qu'ils se gavent de rations K. Leur poil par contre est de plus en plus soyeux, tournant presque à l'auburn à cause des vitamines et autres richesses contenues dans les boîtes de conserve américaines. Leurs excréments sont devenus trop puants avec cette diète enrichie et empêchent le passant de s'intéresser à eux. Larissa et Katia leur font encore faire des exercices quotidiens, qui s'avèrent bien décevants puisque Bobi et Bola réagissent mal aux voix féminines et aux ordres doux. Ces sorties permettent au moins de nettoyer leur cage et d'éviter ainsi que les moisissures n'envahissent leur pelage. Loki et Fili, le couple de nains, tentent parfois de rappeler aux ours leur numéro en commun, avec des monocycles et des cordes à sauter, mais n'obtiennent que des roulades par terre à la façon des chiens ou une rare culbute maladroite. La seule chose qui plaît encore aux ours, c'est de se balancer de manière mécanique sur la bascule ou de glisser sur le dos en bas d'une petite pente qui se trouve à côté du campement. Ensuite, ils dorment et ronflent en toute tranquillité, sans même copuler comme ils aimaient tant le faire.

L'après-midi, Fuank et Durin, parfois accompagnés de Sven et de Negerkuss, se rendent à Gênes, à la recherche de jeunes gens talentueux. Ils n'ont cependant pas grand espoir de faire de vraies trouvailles, et y vont surtout pour la promenade et pour rapporter des choses dont la troupe a besoin. Negerkuss est devenu très précieux pour les tractations avec les soldats américains ; comme il est le seul Noir en civil dans toute la région, on l'accueille avec sympathie dans les casernes. Quand les gens pensent qu'il a un père américain, soldat de la Première Guerre mondiale, il ne le nie plus. Son anglais est très soigné, tout comme celui de Durin qui a travaillé quelques années à Londres ; cela leur permet de faire de bons marchés. Ainsi, comme les troupes d'occupation ont mis la main sur plusieurs dépôts de marchandises de toutes sortes, tant au port que dans la zone industrielle de la ville, le cirque réussit parfois à obtenir des produits de première nécessité. C'est ce qui est arrivé avec un lot de cuir en vrac qui dormait dans un hangar, et que Negerkuss et Durin ont pu échanger contre à peine quelques tablettes de haschisch africain d'une qualité bien médiocre. Le sergent américain était si content qu'il a fait transporter le cuir dans ses propres camions vers un cordonnier de leur connaissance. Une vraie trouvaille, tant pour le cirque que pour le cordonnier et sa famille. La troupe aura bientôt des harnais neufs, des coussins et des courroies de tout genre pour les appareils, ainsi qu'une infinité de petites choses indispensables à une troupe, dont des souliers neufs, des casquettes de protection et des habits de scène pour certains numéros.

L'échoppe du cordonnier Gianbattista est ainsi leur première destination en ville. Ils arrivent toujours chargés de vieux objets, de plans sur papier et de modèles taillés dans de vieux tissus, que le cordonnier copiera exactement sur du cuir neuf et rembourrera au besoin avec du crin ou de la paille tassée. Assez habiles pour réparer le cuir, les forains peuvent finir sur place les coutures et assembler les choses qui ne peuvent être livrées qu'en pièces détachées.

Ils prennent d'abord un verre de vin avec Gianbattista, s'informent des dernières nouvelles de la ville, et ils examinent parfois les jeunes gens que le cordonnier fait venir dans l'espoir de leur rendre service. Ce sont la plupart du temps des enfants maigres, d'une nervosité extrême, et qui s'avèrent sans valeur au bout d'à peine quelques minutes d'inspection. Les fillettes sont plus entreprenantes, plus fascinées aussi par la magie du cirque, et elles tentent de compenser leur maladresse en offrant leur corps peu formé avec des grimaces qu'elles veulent sensuelles. Même en étant très indulgent ou séduit par quelques bouilles plus gracieuses, il est impossible de les prendre ; leur maigreur due à la malnutrition n'a rien à voir avec la sveltesse des athlètes, et leurs os rachitiques se casseraient dès les premiers entraînements. En outre, aussitôt que ces enfants commenceraient à manger, leur corps deviendrait obèse, lourdaud à cause de l'absence de tissus musculaires sous-jacents. L'hyperlaxité des jointures tant recherchée n'est pas une affaire de famine mais de constitution, et Fuank sait très bien que ces pauvres enfants ne seront jamais des contorsionnistes. Sans compter que souvent les fillettes sont infectées de blennorragie, qu'il manque à ces gamins trop de dents dans la bouche pour pouvoir sourire sous la lumière, et que plusieurs d'entre eux ne semblent pas très éveillés. Ce sont de simples latrines italiennes pour l'éjaculation des soldats américains, comme dit Fuank avec plus de dégoût que de pitié.

Le cordonnier est déçu à chaque visite ; il ne semble pas très bien faire la distinction entre un cirque et un bordel. Lorsqu'il les voit refuser des fillettes et des garçons encore prépubères, il lève ses mains au ciel et maudit les forains sans jamais comprendre comment le cul peut passer après la capacité de faire des cabrioles. Fuank tente chaque fois d'expliquer :

— Gianbattista, je veux des petits qui sachent sauter, grimper à la corde, faire des culbutes ; des petits que tu engagerais ici pour couper du bois, mais assez intelligents pour apprendre aussi à tailler le cuir. Tu vois le genre ? Ou encore de belles grandes filles avec de gros tétons, souriantes. Des garçons costauds, avec de vrais muscles comme avant la guerre. T'en souviens-tu ?

— Ah, disgrâce, *porca madonna*, rétorque le cordonnier avec un soupir. Tu en veux trop, mon vieux. Des jeunes gens comme ça font la vie autour des casernes, ils gagnent des dollars, du chocolat, des cigarettes et des bas de nylon. Pourquoi voudrais-tu qu'ils abandonnent cette manne pour devenir des vagabonds ? Hé ? La vie que vous vivez, sans religion ni famille, est pire que la vie des putes. Même les policiers seraient d'accord avec moi. Allez, on regarde ce que vous voulez encore que je taille. On n'a jamais vu autant de harnais et de ceintures bizarres ! Mais vous ne trouverez pas d'acrobates ici, je vous le garantis.

Toujours la même rengaine, les mêmes déceptions. Ils n'osent rien répondre à Gianbattista, puisqu'ils savent que sa propre fille, une belle brunette encore adolescente, aime se promener bien maquillée et parfois avec des bas de nylon, et qu'elle ne fume que des Camel. Pourtant, elle aurait peut-être ce qu'il faut pour devenir une acrobate ; mais il serait délicat d'aborder ouvertement le sujet avec le cordonnier, et ils ont encore besoin de ses services.

Ils explorent ensuite la ville et repassent chez Gianbattista le soir, avant de rentrer, pour emporter ce que le cordonnier a déjà fabriqué. Les quartiers pauvres sont étroits et très sales, encombrés de gens bruyants. Ils voient souvent des soldats et des prisonniers qui reviennent de loin, arborant encore des bribes d'uniformes italiens, avec des yeux hagards, fatigués et une rancune silencieuse. La plupart d'entre eux paraissent cependant soulagés de savoir que tout est vraiment fini et que le printemps sera chaud. Il paraît qu'on engage déjà des hommes pour reconstruire les immeubles détruits, et le port qui reprend son rythme habituel est une promesse de prospérité. On dit qu'à Marseille tout est redevenu comme avant la guerre et que les gens n'y manquent plus de rien. Bientôt, ce sera la même chose à Gênes, même s'il sera difficile de recommencer avec tous ces enfants des rues, qui ont appris uniquement à séduire pour survivre. La quantité de garçons et de filles qui font le trottoir est vraiment effarante. Avant, seuls les quartiers du port avaient autant de putes ; désormais, les métiers de trafiquant et de souteneur sont ce qu'il y a de plus chic et prospère dans toute la ville.

Fuank et Durin connaissent des gens un peu partout ; ils s'arrêtent souvent dans les tavernes et les terrasses pour saluer des musiciens qui attendent du travail, des acteurs et des danseuses, toujours dans l'espoir que quelqu'un ait trouvé des numéros de cirque. Mais il est vrai que leur campement de forains ne paie pas de mine, et que pour le moment ils ne peuvent pas offrir davantage que le gîte et la nourriture. Leur parler de l'Argentine provoquerait uniquement des rires et des moqueries. Dans ces conditions, il est bien difficile d'attirer l'attention, même si les gens se souviennent de la réputation d'Alberti Gorvic. Il leur faut donc chercher par leurs propres moyens, et ils se perdent dans le dédale des ruelles sales à l'affût de ceux qui se tiennent dans les embrasures des portes en attendant les soldats. Il faut avoir l'œil et surtout beaucoup d'imagination pour pouvoir se représenter ces garçons et ces filles dans une autre situation, avec d'autres habits, des membres plus musclés, des visages moins cyniques et sans ces maquillages grotesques ; il faut pouvoir deviner s'ils seraient capables d'un effort soutenu, de discipline et d'une vie plus rigoureuse. C'est ardu et malaisé, même si Fuank est un connaisseur du corps humain et de l'existence. L'obstacle ici est la passivité doublée de l'ignorance concernant les autres façons de vivre ; ces enfants ne connaissent que le désir des adultes, et ils trouvent que leur vie est déjà assez bonne telle qu'elle est.

Les plus beaux enfants ne courent d'ailleurs pas les rues, mais sont gardés enfermés, loin de la vue des passants pauvres, réservés aux clients qui peuvent payer le bon prix. Il y aurait, semble-t-il, tout un réseau spécialisé en fillettes vierges et en garçons jamais enculés ; on les ferait circuler alternativement à proximité des divers cantonnements militaires alliés. Il paraît aussi que les enfants les plus habiles à jouer le jeu de l'innocence valent leur pesant d'or. Il faut donc avoir de la patience et beaucoup de tact pour qu'on ne prenne pas les gens du cirque pour des entremetteurs.

Ils ratissent aussi le port, où les chaloupes des pêcheurs amènent souvent des réfugiés venus d'un peu partout. Ils entendent parfois parler d'Abyssiniens ou de Nord-Africains en quête d'un permis de séjour, ou de familles entières de gitans, y compris des musiciens et des jongleurs. Mais ceux-ci ne se séparent pas facilement de leurs petits, et le cirque ne peut pas héberger tout le monde. Il y a des Yougoslaves, des Albanais et des Grecs ayant fui les nouveaux régimes, le plus souvent des romanichels de diverses origines, déplacés par la guerre et désormais privés de leurs chevaux, devenus simplement des indigents tombés dans une apathie extrême. Leurs propres enfants courent déjà les rues, et les vieux ne sortent plus leurs violons ni leurs guitares pour chanter ; leurs femmes sont trop sales pour avoir quelque chance de se vendre, tant le marché de la chair est riche en denrées fraîches. Les vrais Italiens paraissent bien tolérants devant cette invasion de gueux, et ils tirent autant de profits qu'ils peuvent de leur situation de citoyens en règle tout en blâmant les troupes d'occupation.

La journée passe ainsi bien vite mais sans grand bénéfice. Ils ramènent de temps à autre quelques jeunes gens avec eux, en sachant qu'il faudra les chasser le lendemain dès qu'on les aura lavés, nourris et qu'on aura vu fonctionner leur corps sans les hardes qui cachent leur maigreur. Les garçons repartent en boudant, mais contents de ne pas devoir faire les exercices physiques, heureux de pouvoir retrouver les clients qui ne demandent pas d'efforts. Les fillettes, au contraire, semblent incapables de comprendre ce qu'en fait on voulait d'elles, et offrent de rester pour aider au ménage ou à la cuisine, dans l'espoir que leur corps si jeune trouvera preneur chez les forains. Il arrive aussi que l'une ou l'autre reste plus qu'une nuit, si elle est particulièrement mignonne et débrouillarde, si elle sait rire sans trop faire la mijaurée ni la boudeuse. Mais ce ne sont pas des choses qui durent, et lorsque vient le temps de chasser ces petites aventures de passage, c'est en général bien pénible pour tout le monde. Celui qui a usé de la petite doit se débrouiller seul, et le plus expéditivement possible pour qu'il n'y ait pas de scandale.

Trois fois par semaine, Maroussia se rend aussi en ville, l'après-midi, pour tenir des séances de divination chez une dame qui croit beaucoup en ses pouvoirs. Cela a commencé par de simples visites sporadiques, mais son succès a été si grand que désormais elle a sa table au salon, avec des réservations et des listes d'attente. Ses gains constituent un apport substantiel aux finances de la troupe, tout en servant aussi d'avant-poste de recrutement d'artistes que les clientes pourraient connaître. C'est maintenant une véritable légion de femmes qui ne peuvent plus se passer des oracles de la gitane, et beaucoup d'entre elles promettent de surveiller leur voisinage à la recherche de jeunes gens habiles pour le cirque.

Le tarot étant trop complexe pour ces âmes frustes, Maroussia se contente d'un jeu de cartes ordinaire, de la lecture des lignes de la main ainsi que d'une bonne entrevue ; elle excelle dans l'art de faire parler les femmes, puisqu'elle sait pratiquement toujours de quoi elles ont besoin de parler. Mises en confiance par les messages des cartes et des paumes, les pauvres créatures déballent aussitôt les plus intimes de leurs soucis, qui ont trait pour la plupart aux affaires de cœur et aux affaires de cul. Ici et là, elle reçoit quelques demandes concernant la santé des êtres chers, la pertinence de telle ou telle décision, ou encore des interrogations sur des prisonniers de guerre qui ne sont pas encore revenus de Russie. Maroussia est capable de décrire de jolies sépultures situées en Ukraine ou sur la Volga, gardées très propres et fleuries par des moujiks reconnaissants, en souvenir du beau soldat italien tombé au champ d'honneur. Cela peut être aussi en Libye, en Roumanie ou dans des endroits magiques impossibles à identifier. Ou elle voit le soldat toujours vivant, peut-être convalescent dans un sanatorium étranger, amnésique ou qui retarde sa demande de rapatriement à cause d'une amourette sans importance. Invariablement, tous ces soldats regrettent beaucoup la mère patrie et se souviennent avec passion de leur mère, de leurs sœurs ou de leur femme. D'autres conseils sont donc indispensables pour lui faire oublier définitivement ses écarts d'homme en voyage quand le soldat reviendra. Il arrive aussi à Maroussia de devoir scruter directement à l'intérieur du purgatoire — ce qui est très ardu et donc plus cher — à la recherche d'âmes en peine qui, si elles ne reçoivent pas aussitôt des prières et des cierges, risquent fort de se retrouver dans de mauvais draps, tant leurs comptes à régler avec le démon sont nombreux. Pour les enfants, c'est plus facile ; elle sait qu'ils sont tous déjà au paradis — comment pourrait-il en être autrement ? —, et il s'agit simplement de laisser aller son imagination pour décrire leurs jeux et leurs mauvais coups en compagnie des anges. On la consulte à propos de fiançailles, de maladies vénériennes, de la conduite à tenir envers des prétendants trop insistants, s'il faut céder parce qu'il a promis d'abandonner sa femme, et même comment se débarrasser des rivales. Le manque de fringale chez les maris vieillissants peut inquiéter celles qui n'ont pas eu beaucoup d'enfants ; à l'opposé, celles qui ont une progéniture nombreuse cherchent des recettes pour diminuer l'ardeur des vieux boucs. Sa pharmacologie habituelle consiste en de nombreuses prières adressées à une horde de saints peu connus mais très efficaces, chacun d'entre eux étant spécialisé dans l'un ou l'autre des problèmes de l'existence. Cette thérapeutique est d'autant plus valable et valorisée qu'elle doit être consommée dans l'enceinte même d'une église catholique. Ce détail est d'ailleurs la garantie suprême du succès de la voyante, et on lui a même déjà demandé si elle ne serait pas par hasard une sœur cloîtrée déguisée pour mieux aider les pauvres gens. Ses conseils personnels au sujet de la vie féminine intime sont cependant les plus prisés, et Maroussia passe parfois de longs moments solitaires à imaginer ses clientes tentant de mettre en pratique, la nuit, les recettes apprises l'après-midi. Des conseils tout à fait judicieux d'ailleurs, qui visent tous à ce que le lit devienne un lieu de plaisir plus que d'ennui ou de souffrance. Les maris ne doivent pas s'en plaindre, et cela doit souvent fonctionner, puisque des clientes reviennent ensuite pour revoir certaines leçons, souvent même avec des questions précises qui trahissent l'exercice de véritables travaux pratiques. Et lorsque certaines choses sont faites sous la protection de la sainte mère l'Église, il n'y a pas de mal, ou presque pas, même s'il ne faut pas en parler ouvertement durant la confession pour ne pas manquer de respect au prêtre. Jusqu'à des dames très âgées qui posent des questions sur ces sujets plutôt par curiosité, en disant que c'est pour aider une belle-fille ou une voisine. Dommage qu'on ne puisse pas s'ouvrir de la sorte avec les curés, se plaignent plusieurs d'entre elles, sans se faire aussitôt rabrouer ou inviter à la sacristie pour des séances de dévergondage.

Plus rarement, Maroussia doit conseiller les femmes au sujet d'amours interdites, que ce soit entre filles ou entre membres d'une même famille, en général entre une tante et un neveu ou entre une nièce et un oncle; entre beau-frère et belle-sœur aussi, d'autant plus que la guerre a séparé des époux tout en facilitant l'intimité d'autres parents devant certaines couches vides. C'est une véritable confusion pour les gens simples, mais que la voyante démêle avec une sagesse concrète pour le contentement de toutes les parties. Il n'y a jamais maldonne, puisqu'elle est dans le sein extravagant de la fantaisie tourmentée par le désir. Si par mégarde la cliente hésite en évoquant des détails concrets de sa vie, qui contrediraient la sagesse des cartes, Maroussia a toujours la possibilité de jouer le va-tout d'un puissant inconnu qui se pointe à l'horizon, un mâle avec une énergie telle que même les cartes se sentent affolées. Et elle recommence à vaticiner pour tenter de dévoiler la nature et les desseins du mystérieux personnage. Cela réussit à tous coups, même avec les vieilles soupirantes, puisque cela pourrait signifier la visite rêvée de l'évêque en personne ou — pourquoi pas ? — une pérégrination à Gênes du très saint père Pie XII, ce paradigme du goupillon ruisselant dans le giron des bigotes.

Maroussia se dit d'ailleurs que son jeu de cartes est bien surnuméraire, puisqu'elle n'a en fait besoin que de cinq cartes, toujours les mêmes, pour représenter l'ensemble des besoins de ses clientes: le roi de bâtons, la dame de cœurs, le valet d'épée, le joker pour l'imprévu et l'as d'épées pour faire craindre la mort. Elle doit étaler fréquemment le joker pour exciter les fantaisies ou apaiser des craintes. Souvent il est un mari cocu qui risque de surprendre les amants ou qui ferme les yeux, mais il peut aussi bien être un étranger de passage, l'oncle qu'il s'agit de calmer ou le neveu inexpérimenté qui a tant besoin d'affection. C'est la carte qu'elles préfèrent parmi toutes, puisqu'elle ouvre la porte à des possibilités infinies, du boutiquier du coin qui lorgne avec appétit les chairs de sa cliente au gendarme maladroit mais bien membré, en passant par le jeune curé timide, le vieux voisin encore gaillard ou le beau-frère romantique qui cédera malgré lui. Ensuite, il paraît que ce joker de rien fait des miracles dans le lit conjugal, sans jamais déranger outre mesure le jour des créatures de Dieu.

À la fin de la journée, Maroussia revient au cirque avec de l'argent et souvent chargée de cadeaux, des bouteilles de grappa, des tissus colorés et même des robes anciennes qui serviront à faire de beaux costumes. Mais toujours pas de petites filles souples pouvant devenir des contorsionnistes.

Le soir, maintenant, le campement a une tout autre allure, avec de la musique et des artistes qui se déguisent et se maquillent de nouveau pour essayer les vêtements qu'on rafistole. L'heure du repas est souvent accompagnée de représentations improvisées de nouveaux numéros des clowns et des lutins, même des nains, chacun faisant de son mieux pour garder vivant l'espoir que le cirque survivra vraiment. Lidia et ses filles travaillent leur musique avec plus d'assiduité et, avec les tambours de Janus et d'Esmeralda, et la trompette de Gandalf, on commence à pouvoir parler d'un petit orchestre. Ce n'est pas grave si ça fausse par moments, cela fait partie du spectacle, et le rythme seul compte pour le travail des chevaux et celui des funambules. Durin ne se fait pas prier pour exécuter des solos de scie, toujours drôles et inattendus, ou pour animer la soirée avec ses airs de violon. Lui et Lioubov sont d'ailleurs en train de préparer un duo de scie et d'accordéon destiné à ramollir le cœur des spectateurs durant l'entracte ; c'est quelque chose de si mélancolique et attendrissant que parfois ils arrivent à arracher des larmes à ceux qui écoutent silencieusement autour du feu.

Korvus et Jeremiah restent à l'écart de ces célébrations, mais c'est évident qu'ils suivent avidement des yeux les jeux des autres pour évaluer les progrès qu'ils font. Ces deux-là n'ont pas besoin de se montrer ; ils s'entraînent la journée durant, car ils ne savent rien faire d'autre dans la vie, et ils s'entraîneraient même s'il n'y avait pas de cirque. Mais c'est toujours bon de voir que la troupe est vivante et qu'un de ces jours on va tous s'y mettre pour lever le chapiteau afin de vérifier l'état de la toile.

Alberti est le plus joyeux de la troupe, cela va sans dire. On sent dans le ton de sa voix et dans la clarté de ses ordres qu'il retrouve sa fierté proverbiale. Il encourage les musiciens, il se promène à la ronde d'un pas martial, il s'adresse à l'un et à l'autre pour s'enquérir des progrès accomplis, sans oublier de promettre mille costumes colorés et des paillettes, tant qu'on en voudra. Où ira-t-on les chercher ? C'est une autre question, mais aucun des artistes n'a le cœur de poser ce genre de colle à Herr Direktor lorsque celui-ci étrenne son propre veston bardé de brandebourgs recousus à neuf.

La simple reprise des entraînements a eu un effet magique sur la troupe. En rejouant leurs anciens numéros, les vagabonds d'il y a à peine quelques semaines sont redevenus des artistes. Et la nausée du monde et l'incertitude ont moins de prise sur l'âme quand on sait qu'on a choisi cette vie plutôt que d'y avoir été jeté, qu'on ne fait pas partie du troupeau et qu'on a quelque chose de personnel à faire, à montrer et à perfectionner. Il n'y a donc plus besoin de justifications, puisque l'acte même de faire de l'art est sa propre raison d'être ; ils le sentent dans leurs muscles, dans le corps tout entier, dans les mains qui redeviennent agiles et prêtes à raconter ce qui émane du monde de la fantaisie, dans la gorge qui a envie de chanter et les yeux qui se souviennent de rire et de briller.

Kropotkine, le nain ventriloque, d'habitude jaloux et orgueilleux, offre lui-même un soir de montrer à tous son nouveau spectacle de pupazzi. Il se présente après le repas habillé de ses meilleurs atours, une veste de cérémonie à basques, une chemise bouffante à plastron plissé, le cou serré dans une lavallière et des guêtres rouges fermant son petit pantalon noir. Même s'il commence par des choses simples que les autres connaissent déjà, l'atmosphère est chargée d'attente, et Kropotkine déguste avec plaisir l'expectative de ses camarades. D'abord, ses deux marionnettes parlantes, Hugo et Mama, en d'éternelles disputes conjugales, chacune cherchant à blâmer l'autre ou à la ridiculiser devant les spectateurs, dans une véritable orgie de voix et de cris, de rires et de plaintes. C'est très drôle malgré la noirceur de certains passages ou les réflexions qui frôlent la scatologie. Le nain sait doser le rythme, alternant les moments plus délicats avec des logorrhées désopilantes pour tirer profit de la tension montante. Hugo se permet même des réflexions sur la guerre et le sort des soldats, non sans rappeler en passant comment son épouse frétillait sous les coups de reins et les gaillardises des troupes d'occupation. Mama rétorque que Hugo a dû laisser sa virilité chez les étrangères, puisque depuis son retour de campagne il ne fait que ronfler. Et ça continue dans la même veine, en crescendo, jusqu'au point culminant de leur bagarre à coups de dents.

Kropotkine remercie pour les applaudissements avec à peine un signe de tête. Il enchaîne ensuite avec deux nouvelles poupées, l'une corbeau et l'autre renard, lesquelles s'évertuent à raconter de mille et une manières la fable de La Fontaine, chacune tentant à son tour de se mettre en valeur. Maître corbeau et Goupil sont extrêmement maniérés dans leurs gestes et dans leur langage, et ils s'expriment dans un espagnol assez convenable même si leur accent est fortement italien. C'est un véritable tour de force, car non seulement les marionnettes parlent avec des voix bien distinctes, mais elles bougent et prennent des poses dans une sorte de représentation raffinée, pendant que le visage de Kropotkine prend des expressions appropriées pour encourager les deux adversaires. Leur dialogue est aussi truffé de coqs à l'âne et de retours en arrière bien dosés, d'illogismes et d'exagérations parfois poétiques, parfois hilarantes. Un succès.

Le nain remercie encore avec des airs hautains et il annonce enfin le clou de son spectacle, qui sera d'ailleurs absent des matinées et réservé uniquement aux galas nocturnes : l'oncle Piotr et ses vilaines ballerines. Il s'agit d'une pantomime complexe où trois poupées utilisées successivement représentent des nièces délurées et perverses qui tentent de séduire un vieil oncle, incarné par Kropotkine lui-même. Mais ce qui rend le spectacle fascinant, c'est la présence de Virginie, sa gamine maigrichonne, habillée d'un tutu et de chaussons de danse ; elle joue sur scène exactement le même jeu que les poupées dans la main du ventriloque. Cela commence de façon bien naïve, avec les nièces préparant leur méfait, pendant que Virginie, tournée vers le public, déploie des merveilles d'artifices avec son corps et son visage. Dommage que le mime Makarius ne soit pas là pour apprécier tout le travail que Kropotkine a dû mettre pour arriver à faire vibrer de la sorte la figure pâlotte et infantile de Virginie. Le spectacle gagne en tension érotique au fur et à mesure que le jeu des séductions avance ; l'oncle se laisse d'abord faire mais décide ensuite de punir physiquement ses nièces. Kropotkine se venge alors des poupées à l'aide d'un minuscule fouet, les obligeant à toutes sortes d'humiliations et de bassesses, tandis que Virginie représente à l'avant-scène la servitude et la souffrance subie par les marionnettes. Elle le fait avec des contorsions, des cris et des gémissements, pendant que le nain fouette une à une ses poupées en les tenant de sa main gauche. Son travail de marionnettiste est excellent, certes, mais chacun se sent ravi par sa mise en scène de l'ensemble et par le jeu de Virginie. La fillette réagit comme un véritable guignol et, sans jamais s'approcher de Kropotkine ni du fouet, on la sent qui souffre à chaque coup ; elle supplie en offrant son corps tout en demandant pardon. Sans se contenter de répéter les mêmes gestes, elle innove chaque fois que Kropotkine change de poupée et de façon de les châtier. Dans la scène finale, l'oncle Piotr se réconcilie avec ses vilaines nièces et la débauchée Virginie, promettant d'autres fessées et des leçons plus sévères, à quoi la fillette répond par des baisers et des promesses de repentir.

Le public de forains est complètement captivé par le travail de Kropotkine, surtout impressionné de voir ce qu'il a su faire de cette pauvre fillette qui ne payait pas de mine. Quelques-uns des hommes tirent leur chapeau en imagination au nain, en pensant qu'ils passeraient bien une nuit avec Virginie, maintenant qu'elle a été entraînée d'une si belle façon pour jouer les fillettes dévergondées. Ils savent cependant que cela est hors de question ; le nain n'est pas un homme à se faire damer le pion. Aussitôt la représentation finie, d'un geste sec avec le petit fouet, il ordonne à Virginie de regagner leur chambre et de se rhabiller. Lui, il reste en compagnie des spectateurs pour recevoir leurs éloges.

Alberti, franchement enthousiaste, court embrasser Kropotkine pour le remercier d'un si beau travail. Le mélange des poupées et d'un véritable corps de fille sur la scène est une trouvaille vraiment originale, même pour un directeur comme lui qui a déjà tout vu. Et si érotique qu'il faudra surveiller le genre de public à qui le spectacle s'adresse. Malgré son ravissement, Alberti est tiraillé entre l'envie de déshabiller davantage la fillette pour épicer encore le numéro, et la peur de voir Kropotkine partir pour aller travailler dans un autre cirque si les promesses argentines tardent trop à se réaliser. Mais ce sont là des images trop fugaces, qu'il chasse de son esprit pendant que les forains se réjouissent. Kropotkine vient de rappeler à chacun des artistes qu'ils sont une véritable troupe, avec des numéros de qualité comme avant la guerre. C'était juste ce qu'il fallait pour encourager tout le monde à s'acharner au travail.

La tournée de thé et de vin est alors servie, mais les gens commentent encore la performance du ventriloque. On se raconte des histoires d'autres numéros du même genre, on compare Kropotkine au spectacle classique des *Picolli di Podrecca* et à celui du Pragois Joseph Skupa, tout en se souvenant que le nain a déjà travaillé avant la guerre sous la direction de Vittorio Podrecca en personne. Et chacun rêve de mettre aussi plus de beauté dans son propre numéro. Larsen imagine comment tirer profit du bel arrière-train de Katia ou comment la persuader de se mettre debout sur un cheval, histoire de faire briller les lumières sur la peau juvénile de son corps peu musclé. Sven et Wlacek pensent aussi à Fanny, non sans une certaine jalousie devant les talents de direction d'acteur du ventriloque. Si Kropotkine a réussi ce tour de force avec son sac d'os, ils pourront faire des merveilles avec une jolie fille comme Fanny.

Durin, le clown musicien, sourit en silence. Depuis longtemps déjà, il rêvait de prendre Lioubov comme partenaire, et voilà que Kropotkine vient de lui faire trouver la bonne idée. Il en discutera avec Maroussia dès le lendemain pour que la voyante prépare la pauvre simplette à monter sur scène. Durin sait que Lioubov se sent bien en sa compagnie, qu'elle lui fait confiance au point de venir coucher avec lui. Si elle arrive à se concentrer un peu plus, à cesser de faire des grimaces quand il ne faut pas, cela pourrait donner un numéro bien romantique. Pourquoi donc ne prendrait-il pas la petite idiote entièrement à sa charge ? Elle sera si jolie et heureuse qu'il n'y aura pas de honte à en faire sa femme.

Arcadi aussi se sent touché par la belle performance qu'il vient de voir, et il commence enfin à croire qu'il est dans un vrai cirque et que le voyage finira par se faire. Jusqu'à présent il s'est entraîné sous la direction d'Alberti et de Gandalf, s'efforçant de ne pas trouver ridicules les prouesses feintes qu'ils lui enseignent, mais toujours dans le doute sur la possibilité que cela puisse devenir un réel spectacle. Après avoir vu Kropotkine, il comprend un peu mieux ce qu'Alberti veut dire lorsqu'il parle de l'importance du théâtre et des jeux de scène pour séduire les spectateurs. Non pas qu'Arcadi soit gagné à la vie foraine, loin de là. Sa retenue et sa discrétion ne sont pas uniquement dus à sa timidité ou à son désir de passer inaperçu ; Arcadi évite le contact avec les autres autant qu'il le peut aussi par une sorte de répugnance envers ces gens inférieurs, ces métis et ces natures difformes. Mais il le cache bien et cela paraît être simplement la gaucherie d'un intellectuel qui doit soudainement se servir de ses mains et partager la vie de gens simples. Plusieurs des saltimbanques avaient vu cette réaction de retenue et de malaise lorsqu'ils avaient été en prison avec des professeurs et des avocats, et ils se disent que cela va lui passer, qu'Arcadi va finir par s'adapter. Il est vrai qu'il paraît plus rassuré que lors de son arrivée, et que les conseils du directeur ont fait des merveilles sur sa démarche empesée et ses gestes raides. Sa barbe et ses cheveux lui donnent aussi une allure qui convient mieux à un hercule de cirque. Après ce qu'il vient de voir, il commence à réaliser que si cela dépend de Herr Direktor, il sera de nouveau un homme libre vers la fin de septembre, parmi les gens raffinés auxquels il est habitué. Cette perspective lui permet de vivre beaucoup plus facilement le moment présent, de rire et de se détendre en compagnie des autres forains. Il reprendra son entraînement dès demain avec moins de mépris ; pourvu que le costume de gladiateur qu'on lui a promis n'ait pas de paillettes ni de couleurs trop voyantes.

Le seul vrai plaisir d'Arcadi consiste cependant à s'occuper des chevaux en compagnie de Larsen et de Larissa. Au début, il se contentait de les regarder de loin, de peur de se trahir en révélant ses connaissances et son amour des chevaux. Ensuite, il s'est approché timidement et a offert de les aider comme font Sven et Wlacek. Maintenant, étant devenu pour ainsi dire un copain de Larsen — qui est d'ailleurs un Danois bien aryen et non pas un de ces primitifs —, il peut chaque matin exécuter le travail fait autrefois par les nombreux valets d'écurie de sa famille. Il peut même monter pour exercer les chevaux, et c'est bien dommage d'être aussi grand de taille, puisqu'il préférerait jouer à l'écuyer qu'à l'homme fort.

La soirée finit dans la bonne humeur tout comme si le cirque avait déjà repris vie, presque comme après une nuit de spectacles avec salle comble, une nuit de *sfondonne* comme on dit dans tous les cirques d'Europe. Les artistes boivent encore en s'imaginant que leurs muscles sont endoloris et encore bandés, qu'ils voient des petits éclats de lumière en fermant les yeux et que les cris de la foule font encore écho quelque part dans la mémoire.

« Le travail de demain sera productif », pense Alberti en se dirigeant vers sa roulotte. Il regarde avec tendresse le couple dépareillé qui s'éloigne discrètement vers la roulotte des nains : c'est Gandalf et Lidia qui se cachent toujours de peur du ridicule, du qu'en-dira-t-on. Le directeur se souvient de Gandalf bien plus jeune, fier comme un coq, quand le nain hercule trouvait tout à fait normal de se pavaner dans les rues de Hambourg avec la grande Judith à ses côtés, la belle écuyère et aussi sa partenaire dans les numéros d'adresse au Cirque baltique. Gandalf et Judith, ses amis, qui étaient par ailleurs mari et femme dans la vie privée, simplement monsieur et madame Lutz. Mais la guerre a tué Judith, Gandalf a presque oublié qu'il s'appelle Wilhelm Lutz et qu'il a failli mourir tant de fois à son tour. « Si le grand Circus Alberti revit, pense le directeur, ce sera aussi à cause de Wilhelm, je lui dois cela et tant de choses encore… C'est bon qu'il ait retrouvé une compagne ; cette Lidia n'arrive pas à la cheville de Judith, bien sûr, mais c'est toujours un peu d'amour pour tous les deux. Elle devrait remercier les cieux d'avoir un homme comme Wilhelm pour réchauffer sa couche. »

Si le couple dépareillé se cache, c'est parce que leur union dure depuis peu de temps, même si chacun des forains est bien au courant de leur histoire. On ne peut rien cacher dans une troupe, surtout des choses aussi charmantes qu'une liaison amoureuse. D'autant plus que Gandalf est un des personnages importants du cirque ; lui et Makarius sont les conseillers du directeur, et seul le clown Fuank a plus à dire qu'eux au sujet de l'entraînement des artistes. Lidia et Gandalf se cachent aussi parce qu'ils ne savent pas encore comment se montrer au grand jour sans trahir le fait que ce qu'ils vivent est très bon, sans risquer un geste trop juvénile ou une petite attention qui paraîtrait déplacée à leurs propres yeux. Ces histoires entre veufs, lorsqu'elles viennent de commencer, sont très chaudes, chacun cherchant à la fois à faire revivre le défunt, à rattraper le temps perdu, tout en s'émerveillant des charmes exquis de la nouveauté ; sans compter le désir d'enseigner à l'autre les facéties qui faisaient le charme du premier lit, et l'envie de ne plus retomber dans les inhibitions d'autrefois. Ce sont alors des nuits très actives, pleines de choses interdites ; et lorsque cela arrive à deux personnes saines dans la quarantaine, c'est évident qu'on craint le regard des autres.

À leur histoire s'ajoute l'effet de surprise, surtout pour Lidia qui rêvait d'un mariage bourgeois avec un vieux Fisher bien rangé ou un Abraham respectable et proche de la retraite. Elle était tout étonnée de se voir embrassée par les bras puissants du nain, engloutie par un corps noueux comme une souche et pénétrée par une verge de bonnes dimensions. Lidia se souviendra toujours de son cri nerveux, dans le noir, et de la phrase idiote qui s'est présentée comme un éclat de rire dans son cerveau: « Mazeltov, elle n'est pas naine ! »

Lidia est une vraie dame ; une musicienne, certes, mais sachant aussi coudre et s'occuper d'un homme. Seule avec ses filles, devant subir le sort de la troupe, elle participe comme les autres à la confection des costumes, au reprisage et à d'autres petits travaux manuels. Mais jusque-là elle gardait ses distances, préférant ne pas trop savoir quelle sorte de vie vivent ces gens, et elle surveillait du mieux qu'elle pouvait ses filles pour éviter les mauvaises influences. « Ils sont charmants, ces forains, pensait-elle, mais ce n'est pas la société dans laquelle j'ai été élevée. » Herr Direktor est un homme raffiné, un vrai gentleman, et elle est contente de sa protection. Monsieur Lutz aussi, un homme si poli et cultivé qu'on oublie presque qu'il est nain ; et respectueux envers une dame comme s'il avait vécu lui aussi dans des cercles plus distingués. Lidia trouvait même curieux que le nain connaisse si bien les usages des familles juives. De confidence en confidence, de demande en demande pour repriser ici la manche d'un pourpoint, là un ourlet de pantalon, elle a fini par apprendre qu'il est veuf et que sa chère défunte était juive. Pas une naine mais une très belle femme, et de bonne famille, une artiste de surcroît même si elle était plutôt bohémienne dans ses habitudes et fréquentations. Une vraie famille juive donc, en dépit du fait que monsieur Lutz est plutôt libre penseur que luthérien. Elle a même souri en pensant qu'il est absurde d'être à la fois nain, protestant et veuf d'une dame juive. Mais Wilhelm est si charmant, si discret, attentionné et érudit en poésie, qu'elle a fini à son tour par lui faire quelques confidences. Voyant que ses trois gamines étaient désormais prises en charge et bien protégées au sein de la troupe, Lidia a commencé à baisser la garde, en se disant qu'en fin de compte ces gens-là étaient bien plus nobles que beaucoup de bourgeois qu'elle avait connus à Bucarest. La chair a quelquefois une voix très subtile, presque imperceptible pour arriver à ses fins sans effaroucher les natures sensibles. Gandalf est devenu une présence constante auprès d'elle, un homme si charmant et inoffensif qu'elle pouvait presque oublier son corps, en pensant par ailleurs qu'il était mignon comme un jeune garçon, une espèce de page. Jusqu'au soir où, ayant peut-être abusé du vin et un peu mélancolique à cause des paroles du nain, tous les deux dans la pénombre de la chambre, elle s'est laissé caresser, presque en riant de jouer ainsi à la bohémienne avec le petit monsieur Lutz. Ces jeux-là se corsent lorsqu'ils ne font pas mal ; Lidia pensait à son pauvre mari, si timide, et elle se justifiait en se disant que ce n'était pas grave, puisque ce pauvre Wilhelm… Arrivée au point de non-retour, frémissante dans les bras du nain et sentant ses mains impudiques, elle ne savait dire autre chose que : « Cher Wilhelm, voyons, il ne faut pas… » Les seins déjà à l'air, le sexe mouillé comme quand elle était encore adolescente, elle avait écarté ses cuisses pour ce qu'elle croyait n'être qu'un jeu d'enfants pas sages. Dans un mélange de surprise et de légère frayeur, Lidia avait appris alors quelque chose qu'elle n'avait jamais soupçonné sur l'anatomie intime des nains. Ce fut un beau combat : se sentant honorée de la sorte, et la nervosité du moment aidant, Lidia se mit aussitôt en devoir d'écraser le corps de Gandalf entre les secousses de son ventre avide et la tenaille de ses magnifiques cuisses. La tête enfoncée dans les seins de la dame, le nain répondit à son tour avec l'enthousiasme qu'il fallait pour faire disparaître une fois pour toutes les hésitations que Lidia pouvait encore cacher.

Ensuite, couchés l'un à côté de l'autre, la femme ayant posé sa main sur le sexe de l'homme comme si elle voulait signifier son droit de propriété sur un jouet qu'elle venait de recevoir, satisfaite mais encore mal à l'aise devant ce qui venait d'arriver, elle demanda :

— Wilhelm, mon cher, qu'est-ce que nous avons fait là ? À notre âge, ce n'est pas raisonnable…

— Mais, Lidia, il n'y a pas d'âge pour être heureux. C'est ton corps qui n'est pas raisonnable, ma chérie.

— Willy ! Que tu peux être vulgaire, fit-elle avec plaisir. Mais il ne faudrait pas recommencer, n'est-ce pas ?

— Si tu continues à me caresser comme ça, on a déjà recommencé.

Elle fit alors un geste de surprise mais l'homme retint sa main sur son sexe, tout en caressant à son tour le sexe mouillé de la femme. Lidia soupirait sans trop savoir comment réagir.

— Ne t'en fais pas, ma chatte. Nos défunts conjoints doivent être en train de se réjouir là où ils sont. Ton homme devait être un sacré veinard pour pouvoir garder une femme chaude comme toi. Je boirai à sa mémoire. Ma Judith doit être contente de me voir au lit avec toi ; elle aimait aussi les caresses et l'amour. Tu vois, Lidia, ils sont partis comme des musiciens qui abandonnent leurs instruments muets derrière eux ; il n'y a pas de mal si d'autres musiciens s'en emparent pour continuer à jouer de belles choses.

— Willy, comment tu es romantique... Un vrai poète.

— Non, Lidia, garde ta main là, joue encore...

— Wilhelm ! Qu'est-ce que tu fais là ?

— Viens, ma chatte, on refait un duetto, comme ça... On a beaucoup à apprendre ensemble avant de pouvoir donner des récitals.

— Willy !

❑

La belle et grande Katia n'attendait pas sa mère cette nuit-là ; toujours éveillée dans son lit, elle s'imaginait les officiers à bord du bateau en direction de l'Argentine. Chaque fois qu'elle revoyait son préféré en uniforme étincelant, il avait le visage d'Arcadi, la taille d'Arcadi et les mêmes yeux bleus pâles. Sous sa camisole, Katia sentait toujours les mains fortes du nouveau venu quand il la prenait par la taille pour l'aider à grimper sur le cheval, et elle souriait en pensant au coup final qu'il lui donnait toujours sur les fesses dès qu'elle avait les mains sur la croupe de l'animal. « C'est comment, un homme ? » se demandait-elle en revoyant en pensée la verge du petit étalon que Larsen avait laissé sous ses soins. Sa sœur Fanny, endormie dans le lit d'à côté, gardait ses mains entre ses cuisses après avoir longtemps joué en imagination avec Wlacek. Lioubov, la petite idiote, dormait profondément dans le lit de Maroussia, en suçant son pouce.

4

Il fait beau, presque chaud, et les forains sont tous regroupés et mangent en bavardant. Alberti discute avec Gandalf et Fuank pour établir avec certitude la liste des numéros sur lesquels le cirque peut déjà compter. Ils se demandent s'il ne serait pas bon de monter quelques spectacles assez simples dès que le chapiteau sera dressé. Cela fouetterait les membres de la troupe en leur donnant un motif concret de s'entraîner, sans compter que cela pourrait attirer des artistes de passage. Rien de bien compliqué, puisque les gens des alentours n'ont pas beaucoup d'argent à dépenser, mais même quelques lires ici et là encourageraient tout le monde.

C'est alors qu'ils voient une silhouette au loin, s'approchant du campement. L'homme n'a pas peur mais sa démarche est un peu chancelante, comme s'il était très fatigué. Maroussia, dont les cartes d'hier ont prédit de mauvaises choses, reconnaît le visiteur en premier. C'est Draco Spivac, le magicien. Les autres s'animent, ils crient son nom, le directeur s'approche avec un large sourire pour accueillir le revenant. Spivac ne répond pas aux salutations et continue à marcher, visiblement de sombre humeur. C'est un homme maigre, aux cheveux gominés et à la moustache cirée, d'habitude très soigné de sa personne, élégant et avec des gestes maniérés. Celui qui s'approche a plutôt l'air débraillé, mal rasé, le pas lourd, et il ne semble pas aussi content de sa libération qu'on pourrait s'y attendre. Ses deux mains, on le voit maintenant, sont enveloppées dans des bandages sales comme s'il portait des mitaines pour un travail lourd. Mais c'est bel et bien Draco Spivac, qu'on n'a pas fusillé ni déporté, et qui revient au cirque après plus d'un mois de cachot.

Les gens l'entourent en silence, tous attirés par ses mains bandées. Ce n'est pas difficile à comprendre et il n'a pas besoin de trop expliquer : on lui a cassé les doigts des deux mains.

— Les sauvages ! s'exclame Alberti. C'est pire que de te fusiller, mon cher. Pourquoi ?

— Ils prétendaient que je trichais aux cartes, rétorque Spivac. Les mêmes soldats avec qui je jouais dès le début, figurez-vous ! Et que je croyais mes amis... Voilà. Ça fait déjà longtemps, les os sont à nouveau soudés, d'après le médecin. Mais je n'arrive toujours pas à bouger comme avant. Ils m'ont gardé en prison pour qu'on ne sache pas ce qu'ils avaient fait contre un innocent, les brutes.

— Comment ça s'est passé ? demande Fuank, incrédule. Est-ce qu'ils t'ont jugé ? Pourquoi ils t'ont gardé là-bas ?

— Ça s'est passé comme ça s'est passé, répond Spivac avec un haussement d'épaules. La même nuit où je ne suis plus revenu ici. Ils étaient plusieurs, la chance était de mon côté comme d'habitude, et par simple rancune ils m'ont attaqué. Ensuite, ils m'ont cassé chacun des doigts, un à un ; et ils m'auraient tué pour qu'on ne le sache pas. Un gradé est apparu, ils ont appelé le médecin et ils m'ont conduit à l'hôpital sous escorte en disant que j'étais un espion. Après, ils sont venus s'excuser ; mais il fallait que je reste là le temps de la guérison, pour éviter le scandale. Maintenant que ce n'est plus enflé, ils m'ont laissé partir en disant que c'était une erreur, que je ne suis pas un espion, qu'ils regrettent beaucoup. Ils m'ont même donné une lettre de sauf-conduit au cas où je serais à nouveau arrêté. Voilà.

— Et maintenant ? demande Maroussia au bout d'un long silence.

— Maintenant ? Je ne sais pas, rétorque Spivac, irrité. Je ne sais pas... Ça ne fait plus mal, je peux tenir les choses, je bouge un peu mais je suis ankylosé. Pendant le temps que j'étais prisonnier, j'essayais de jouer avec eux, mais je perdais, évidemment. Même pas capable de tenir mes cartes, il fallait qu'ils m'aident pour que le jeu avance. Voilà. Je ne sais pas... Je n'arrive même plus à me raser convenablement. Il fallait qu'ils tiennent ma bite quand je voulais pisser. Une honte, mes amis, un crime épouvantable !

— Tu jouais aux cartes avec eux ? demande Gandalf, surpris.

— Que faire d'autre pendant un mois ? Ils me donnaient à manger, à boire ; ce n'était pas le cachot, loin de là. Ce sont des sauvages, ces Américains. Ensuite ils réagissent comme des enfants, ils te traitent bien, ils veulent apprendre des tours de magie, ils offrent de faire venir des putes, on rit… Mais mes doigts sont fichus et ils trouvent que c'est dommage. Tiens, dans ma poche, dit-il en s'approchant d'Alberti. Ils m'ont indemnisé en faisant une collecte hier, lorsqu'ils ont fêté ma libération.

En effet, Alberti sort de la poche de Spivac une liasse de billets : beaucoup de lires et quelques dollars accompagnés de bons de cantine pour obtenir des rations K, du chocolat, des cigarettes et de la gomme à mâcher.

— Si vous voulez, on peut y aller demain chercher les marchandises, reprend Spivac, avant qu'ils ne l'oublient. J'ai aussi quelques affaires à finir avec des copains, mais ce sera encore des cigarettes et non pas de l'argent. Je dois repasser à l'hôpital dans une semaine. Ils disent que ça va guérir…

Spivac se dirige vers sa roulotte en compagnie du directeur et de Maroussia pendant que les autres restent là, muets et tristes, réalisant à peine ce qui est arrivé à leur camarade. Spivac gagnait sa vie avec ses doigts, tant pour le jeu que pour ses numéros de cirque, et maintenant sa vie d'artiste est finie. Chacun d'entre eux a déjà réfléchi à ce qui se passerait s'il ne pouvait plus travailler et sait combien il est pénible de devoir se contenter d'une vie d'homme à tout faire dans le cirque après qu'on a tenu la place principale sur la piste. Et puis Spivac n'est pas un homme capable d'enseigner son art, il n'est pas suffisamment généreux pour céder sa place à qui que ce soit.

Dans la chambre du magicien, Maroussia réussit à le convaincre de leur montrer ses mains. Il est très craintif et préfère ne pas regarder ; c'est pour ça qu'il garde toujours ses bandages. Avec délicatesse, Alberti examine les doigts rougis et tordus que le magicien tient légèrement courbés. De toute évidence, plusieurs doigts n'ont pas été fracturés mais ont les articulations déboîtées, et ils paraissent en voie de guérison malgré les signes de calcification dans les jointures. Les tendons de la main sont encore enflammés et quelques hématomes ne sont toujours pas résorbés.

— Maroussia, veux-tu aller chercher Fuank pour qu'il regarde ? demande le directeur.

Une fois seul avec Spivac, il lui demande :

— Comment s'y sont-ils pris exactement ?

— Doigt par doigt, répond Spivac au bout d'un moment. Ils me tenaient à plusieurs, couché par terre sur le ventre, pendant que l'un d'eux me tordait les doigts. Je ne sais pas trop, j'ai perdu conscience à cause de la douleur. J'étais certain d'y laisser ma peau, Alberti. Des sauvages, je te dis. Et ils riaient comme si c'était un amusement. Il aurait suffi de reprendre leur argent ou de me donner quelques coups s'ils en avaient envie. Mais ils voulaient se venger parce qu'ils n'ont aucune classe, aucune chance contre un artiste. Ils me l'ont dit après, que c'était par rancune, qu'ils détestent tout ici en Europe, qu'ils savent qu'on les méprise. Des enfants gâtés devenus des adultes cruels. Ensuite, ils regrettaient d'avoir fait ça. Ils ne se souvenaient même plus comment cela s'était passé et disaient seulement que c'était un regrettable accident...

« Voilà. Je crois que je suis fini, mon vieux. Qu'est-ce que tu veux que je fasse ? Tout, mais tout dans un cirque dépend des mains, même balayer. »

Fuank arrive en silence et laisse Spivac finir sa diatribe. Il sait que le magicien a raison. Même s'il peut retrouver l'usage de ses mains, il lui faudra des mois pour pouvoir faire de nouveau ses tours de magie ; et peut-être qu'il restera toujours craintif, car désormais il sait qu'il a des doigts. L'artiste conscient de ses membres court le risque de se montrer gauche à un moment critique. Et l'art du magicien est justement basé sur l'élégance diaphane d'un corps qui bouge sans qu'on ait conscience de ses mouvements.

Fuank procède à un examen minutieux de chacune des articulations, lentement pour ne pas blesser Spivac. Celui-ci se détend au fur et à mesure qu'il se rend compte de l'absence de douleur. Seule demeure une raideur étrange lorsqu'il bouge les doigts, avec parfois l'impression d'avoir rouillé comme des outils laissés sous la pluie. La sensation sur la pointe des doigts et à l'intérieur des mains est bonne malgré tout, et il arrive à bien reconnaître ce que le clown dessine avec l'ongle sur sa peau. Les poignets sont intacts, tout comme la plupart des jointures entre la main et les doigts.

— Je crois que ça va guérir, dit Fuank en achevant son inspection. Ce sont vraiment des incapables ; ils ne savent pas comment s'y prendre pour estropier définitivement une main. Une chance, Draco. Mais il faudra oublier tes belles mains fines d'autrefois. À l'avenir, tu devras faire tes tours avec des mains noueuses de travailleur. Je crois que tu devrais abandonner les bandages et commencer à t'exercer de nouveau pour chasser la raideur. On en saura davantage quand les muscles auront regagné leur souplesse. Mais pas d'efforts. Commence par manipuler des balles molles et augmente la pression peu à peu. Joue aussi avec des billes sur une table, comme si tu jouais du piano. On verra. Mais je ne crois pas que ta carrière de tricheur soit finie, mon cher. Qui sait si avant le départ pour l'Argentine tu n'iras pas là-bas les dépouiller une fois pour toutes, en feignant l'impotence ?

— L'Argentine ? demande Spivac, plein d'espoir et avec un léger sourire, même s'il a des larmes aux yeux.

Il sait que le clown ne ment pas au sujet de quelque chose de si important. Si ses mains étaient finies, Fuank n'hésiterait pas un instant à le lui dire ; c'est une question d'honneur entre artistes de ne jamais encourager ceux qui sont voués à l'échec. Il se sent déjà mieux et ose bouger ses doigts.

— Ton histoire des soldats qui tenaient ta bite est bien bonne, fait le clown avec le sourire. Ils méritaient bien ça. Mais, Spivac, dis-moi donc, est-ce que ces beaux soldats te torchaient aussi le derrière ? Faudra pas y prendre goût, mon petit menteur. Allez, repose-toi ; nous jouerons aux cartes ce soir, après souper.

En sortant de là, Alberti demande à Fuank :

— Alors, c'est dans la poche ? Il s'en sortira ?

— Oui, je crois bien. Il fait un peu de théâtre comme chacun de nous, et il paraît encore traumatisé par le souvenir de la douleur qu'il a ressentie quand ils ont cassé ses doigts. Il va être maladroit pendant quelque temps, mais je crois que tu auras un petit numéro de magie pour l'Argentine. De toute façon, si les Américains du Nord sont aussi primitifs, imagine-toi comment cela doit être en Argentine. N'importe quel numéro fera l'affaire.

— Il paraît que non, réplique le directeur. Il paraît qu'ils sont cultivés là-bas, des amateurs d'art, des gens raffinés. Il y a beaucoup d'Italiens, d'Espagnols et d'Allemands là-bas.

— Peut-être, Alberti. Mais entre nous, s'ils étaient aussi cultivés que tu dis, crois-tu vraiment qu'ils feraient venir un cirque comme le nôtre ? C'est beaucoup d'argent pour si peu, tu ne trouves pas ?

— Il y a Léon, ne l'oublie pas.

— Oui, je me le demande… En tout cas, ils ne doivent pas être très exigeants en Argentine, et Spivac va les ravir, j'en suis persuadé. Il ne sera peut-être jamais comme avant, tu le sais ; mais nous non plus, nous ne sommes plus comme avant.

— Allez, Fuank, courage. Avec Spivac nous avons un numéro de plus sur la liste. Un ou deux danseurs sur fil nous feraient aussi du bien, et une jolie contorsionniste. Ça fait toujours de l'effet de voir un corps de femme tout mélangé, sens dessus dessous. Ça fait rêver. À propos, cette petite Fanny, qu'est-ce que tu en penses ?

— Elle est bien, répond Fuank. Toute jeune et souple. Ça fera une belle partenaire pour le numéro de Sven et Wlacek. Ils sont excellents mais il leur faut un corps de femme pour mettre de la couleur. Et la petite est jolie ; un peu trop garçonne encore mais elle va se développer dès qu'elle trouvera un homme. L'exercice seul ne fait pas pousser les formes chez les filles, tu le sais bien. Si elle prend les mêmes hanches que sa mère, dans quelques années elle devra dire adieu à toute forme d'acrobatie. Mais leur numéro est complet. Durin prépare aussi quelque chose avec l'autre sœur, l'idiote. Et ça aussi, ça va marcher. On pourra l'intégrer ensuite dans notre trio pour qu'elle fasse la colombine. À propos, ton montreur d'ours, tu crois qu'il viendra ?

— Pourquoi Bello se tromperait-il ? L'homme a besoin de voyager, et nous allons voyager. Alors…

— Je me demande si on ne devrait pas faire travailler les ours plus intensément. C'est toujours deux belles bêtes, ça fait de l'effet même dans un numéro pas compliqué. Negerkuss pourrait les prendre en charge, avec l'aide de Loki et de Fili. J'avais même pensé que si Spivac était vraiment paralysé, il pourrait donner aussi un coup de main avec les ours. Mais je préfère Negerkuss, s'il en a l'envie. Ça ne serait pas difficile de lui trouver une belle fille pour faire la paire ; elle serait là seulement pour montrer ses cuisses et pour l'aider au dressage. Larissa et Paco commencent à se fatiguer des ours, et le manège va très, très bien.

— Tu vois, Fuank, réplique le directeur, ça va très bien. Tu le dis toi-même. Nous avons plein de choses à montrer. Tu as tort de penser que notre troupe n'est pas de calibre à voyager.

— Ce n'est pas ce que j'ai voulu dire. Je me demande, comme toi d'ailleurs, où est l'intérêt de Léon en nous organisant un tel voyage. On a le droit de se méfier. Nous n'avons même pas de fauves ni d'éléphants.

— Oh, les fauves, on en aura, c'est évident. Il y a des fauves là-bas, des jaguars et d'autres sortes de fauves, sans compter les singes. Nous en achèterons sur place et nous ferons venir quelqu'un d'Allemagne pour les dresser. Les fauves, les singes et les serpents, c'est ce qu'il y a de plus là-bas. Peut-être même que cela n'attire pas autant leur attention qu'ici en Europe. Tu sais, les éléphants en Inde, ils se promènent dans les rues et ils sont entraînés pour aider aux travaux lourds. Là-bas, ils ne font pas aussi belle figure qu'ici. Tandis qu'un numéro comme celui de cette fripouille de Kropotkine, hein ? As-tu vu comment il a dressé Virginie à jouer la chatte ?

— Et comment ! Kropotkine est de calibre international, tout le monde l'a toujours su.

— Ça va marcher, Fuank. Makar va nous trouver quelque chose, je le sens. C'est dans l'air du printemps... Une autre chose : crois-tu vraiment que Spivac a des copains chez les soldats ? J'ai pensé que nous avons besoin de peinture pour rafraîchir les roulottes. Bientôt il fera plus chaud, sec. Ça égayerait les gens de voir tout le cirque repeint. Au moins ça fera oublier l'état de la toile. Je me souviens comment elle était la dernière fois; mais pliée depuis une éternité, avec la moisissure... C'est difficile de repeindre une toile; le matériel roulant et les outils, au contraire, c'est facile et ça fait de l'effet.

— On pourrait peindre aussi la toile du chapiteau, répond Fuank, pensif. Ça dépend de combien de temps nous aurons jusqu'au voyage, pour qu'elle sèche. On le fera à l'huile de lin diluée avec de la gazoline; en deux couleurs, rouge et blanc. Le blanc de céruse est facile à trouver. Pour le rouge, on n'a qu'à aller prendre un gros sac de minium chez des plombiers; ça ne coûte rien et, bien dilué, ça donnerait une sorte de rose gencive. Ce serait joli. Du minium ou de la terre rouge de Naples. Ça n'a pas besoin d'être très intense, rien que pour cacher les défauts. On donnera une autre couche en Argentine.

— Elle va craqueler, tu le sais. Et en quelques mois, au soleil, tout sera gris de nouveau.

— Oui, ça va craqueler. Mais ça durera le temps qu'il nous faut pour acheter une nouvelle toile. En attendant, notre toile doit être si laide que les gens auront peur d'y entrer pour le spectacle. Si on la peint et s'il fait soleil, elle séchera suffisamment pour qu'on la roule et la mette dans le bateau. Avec l'avantage que la peinture la rendra imperméable pour un moment. N'oublie pas qu'il fait froid en Argentine.

— Il faut attendre Léon pour savoir le temps qu'on aura avant d'embarquer. Spivac pourra peut-être nous trouver de la vraie peinture à bois pour les roulottes. Tant qu'on ne déploie pas la toile, on oublie qu'elle est trop vieille. On va attendre. Laisse Spivac se reposer un peu, se sentir de nouveau chez lui; ensuite on verra ce qu'on peut obtenir.

Il ne sera pas nécessaire de convaincre Negerkuss de s'occuper des ours. Durant l'après-midi, pendant que chacun tente de reprendre l'entraînement malgré la tristesse laissée par les mains broyées de Spivac, un visiteur se présente au campement et exige de parler au directeur. C'est un *carabinieri* très sérieux dans son uniforme qui ressemble à un costume de cirque, et il n'a pas l'air d'être venu pour s'amuser. Les forains croient aussitôt qu'il est là pour arrêter le magicien à cause d'un autre méfait quelconque; ils font semblant de chercher

Herr Direktor, Maroussia fait de l'œil au policier, tandis que Gandalf emmène de force un Spivac larmoyant vers les ruines de la fabrique.

Alberti apparaît enfin, craintif lui aussi puisque c'est la première fois qu'ils reçoivent la visite d'un représentant de l'ordre ; et les saltimbanques craignent toujours les autorités établies. Les présentations sont faites avec cérémonie, mais vite chacun se rend compte que le brave *carabinieri* n'apporte que de bonnes nouvelles. Il fait mine d'être fâché, son regard est sévère, et il exige que le directeur s'occupe de l'affaire en question immédiatement. C'est l'arrivée inopinée du dompteur d'ours qui a causé tout cet émoi et même un embouteillage au centre de la ville ; il aurait été arrêté le matin à Gênes et se trouve actuellement en compagnie de son ours dans une cellule du poste de police, en attendant le directeur du cirque. Le policier exige une escorte de trois hommes pour les amener au campement, ainsi que des chaînes très solides, car la bête met en danger la sécurité de la population.

Dans sa joie, chacun oublie Spivac et ses problèmes. On sort en cachette Bobi et Bola de leur cage pour les amener en promenade loin des yeux du policier, et Larsen attelle un cheval à la roulotte pour aller chercher les prisonniers. Voilà que la journée commence à s'égayer.

Alberti, Larsen et Fuank suivent le policier vers la ville. Chemin faisant, ils apprennent les détails de l'arrivée de cet Oleg, une espèce de géant russe mais détenteur d'un véritable passeport français. D'après ce que raconte le policier, ils se demandent si ce n'est pas le dresseur plutôt que l'ours que les autorités craignent le plus. L'homme n'aurait pas causé tant de problèmes que ça, mais les gendarmes préfèrent que le directeur du cirque soit là en personne pour prendre sur lui la responsabilité d'accueillir le Russe, qui risquerait fort de déranger l'ordre public. L'ours n'aurait pas non plus fait de dégâts ni porté aucunement atteinte aux bonnes mœurs. Simplement, les deux ensemble, la bête et le Russe, sont si imposants et attirent tellement la curiosité qu'un énorme attroupement s'est formé à leur suite ; cela n'a pas plu à l'étranger, et il aurait alors fait peur intentionnellement aux gens pour les disperser. La police a dû intervenir en menaçant d'abattre l'animal si l'entraîneur opposait la moindre résistance.

La porte du poste de police est en effet entourée de curieux et de policiers qui racontent leurs exploits de la matinée. Déjà détendu, Herr Direktor réussit à parlementer avec les gens et à convaincre le plus gradé des gendarmes. Ses arguments sont très persuasifs, puisqu'ils font appel et rendent hommage à la virilité et au courage proverbial des *carabinieri* italiens, surtout ceux de la région génoise. Le sujet de l'amende pour méfait public est oublié aussitôt qu'Alberti propose une petite mise en scène pour la sortie de l'ours du poste de police : une haie de policiers sera là pour applaudir le départ de la bête et du Russe, avec des remerciements à haute voix du directeur du cirque à tous les policiers du poste, en hommage à la protection efficace qu'ils ont donnée à un pauvre animal et à un artiste français de passage dans leur ville.

Oleg et son ours, couchés l'un sur l'autre, dorment paisiblement au fond d'une cellule. La scène serait très attendrissante si ce n'étaient la taille et l'apparence sauvage des deux dormeurs. Il faut frapper longtemps et très fort sur les barreaux pour réveiller le dompteur ; l'ours se tourne contre le mur et continue à dormir. Contre toute attente, Oleg s'avère être un personnage civilisé et fort sympathique, au sourire facile et aux manières franches. Il trouve très drôle d'être ainsi enfermé comme son ours, le grand Vania, qu'il décrit comme étant le plus doux des ivrognes poilus. Il n'est pas fâché contre les gendarmes, au contraire, et il les remercie pour le gîte et pour s'être donné la peine d'aller chercher les gens du cirque. L'atmosphère se détend aussitôt, surtout que Vania est vraiment endormi et qu'il doit être tiré hors de la cellule les yeux toujours fermés ; à deux reprises, l'animal se recouche dans le couloir et se fait prier pour continuer le chemin jusqu'à la cage roulante. Les applaudissements des gendarmes sont enthousiastes après le discours d'Alberti. Oleg doit accepter de nombreuses poignées de main, et le plus gradé des *carabinieri* s'excuse du gîte peu confortable qu'il a dû offrir à son hôte. On baisse la bâche de la cage pour éviter tout cortège de curieux, mais aussi pour respecter le sommeil du pauvre Vania qui se frotte les yeux comme un enfant à la vue du soleil.

Alberti et Oleg retrouvent assez vite des souvenirs communs concernant le milieu du cirque, et ils échangent des informations sur les gens qu'ils connaissent. Les nouvelles qu'apporte le Russe sont très encourageantes ; Léon Feldmann serait déjà à Paris et s'apprêterait à venir les retrouver après un court séjour en Suisse. Il n'y a plus de doute, confirme-t-il, le cirque s'en ira bel et bien en Argentine, et c'est pourquoi lui-même a entrepris ce voyage depuis Marseille. Il a abandonné son poste au Cirque d'Hiver à Paris depuis déjà quelques semaines, justement après l'invitation de Bello Gorvic de Zurich.

Oleg est un homme qui semble n'avoir rien à cacher, ou c'est plutôt qu'il n'a pas appris à avoir peur ; c'est ainsi qu'il répond aux questions des trois compagnons avec un naturel désarmant dans cette période de secrets et de méfiance. Il est russe, russe blanc réfugié depuis son enfance à Paris, et citoyen français après avoir fait son service militaire dans la marine. Il déteste les communistes et craint seulement que l'après-guerre n'amène une expansion soviétique en Europe ; voilà pourquoi il est attiré par ce voyage. Tout ça a l'air trop simple, et il ne dit peut-être pas tout. Son bagage se limite à un énorme sac de marin qu'il porte en bandoulière. Ses vêtements sont en bon état et ses bottes paraissent neuves.

Ce qui compte pour le moment, c'est son savoir-faire avec les ours et sa bonhomie. Avec son physique imposant — il doit peser dans les cent cinquante kilos et dépasse les autres d'au moins une tête —, il ressemble tout à fait à son compagnon Vania. De sa voix de basse il raconte le long voyage depuis la frontière, à pied ou sur des camions de passage, et comment il était trop fatigué à Gênes pour aller chercher le cirque. C'est pourquoi il a préféré créer un certain tumulte dans le but de se faire aider par la police.

— En outre, dit-il, Vania est trop faible pour continuer à marcher ; ses pattes sont trop délicates pour marcher sur la route pavée. Et même si j'ai assez d'argent, les gens avaient peu de choses à vendre pour nourrir un animal comme lui. Moi aussi, je me sens un peu faible.

— Ne t'en fais pas, Oleg, fait Alberti non sans fierté, nous avons beaucoup de boîtes de conserve américaines, nos deux ours en raffolent. Ton Vania aura bientôt retrouvé ses esprits. S'il y a quelque chose qui ne manque pas au cirque, c'est bien la nourriture.

— Qui s'occupe de vos ours ? demande Oleg.

— Personne, ou plutôt toi, répond Alberti. Ils sont inactifs depuis presque un an, c'est-à-dire depuis qu'on a perdu le couple d'entraîneurs à qui ils appartenaient ; deux Géorgiens, Matiev et Tamara. Ils étaient avec le cirque avant la guerre.

— Qu'est-ce qu'il leur est arrivé ?

— Ils sont restés en Autriche, dans la zone soviétique... Ils avaient des passeports allemands.

— Oui, fait Oleg avec un grognement, sans exprimer ce qu'il en pense.

— Les deux ours sont plus petits que Vania, reprend Alberti, et je crois qu'ils manquent pas mal d'entraînement. On les sort pour la promenade, ils sont beaux, bien nourris, mais c'est tout.

— Pas de problème, répond Oleg, de nouveau souriant. Vania leur montrera quoi faire ; ils vont se souvenir de tout en un tour de main. Vania est habitué à mener ses petits copains, et si les gens étaient des Géorgiens comme tu dis, pas de problème. Vania est originaire du Caucase, même si ses parents venaient de Sibérie ; les gens du Caucase savent comment s'entraider. Tous les ours répondent aux ordres en russe. Pas de problème. Avez-vous d'autres bêtes ?

Alberti doit alors avouer dans quel état se trouve son cirque en expliquant que tout ça est seulement provisoire, qu'ils auront des fauves et des singes là-bas en Argentine. Oleg n'est pas un débutant et, après quelques questions bien discrètes et respectueuses, il a une bonne idée de la situation.

— Pas de problème, Herr Direktor, reprend-il au bout d'un moment. Des ours bien entraînés font un beau spectacle et ravissent plus les enfants que des fauves. Avec les chevaux, les clowns et les acrobates, ils sont l'âme d'un cirque. Sans compter que ce n'est pas pratique de transporter des fauves ou des éléphants. Bello m'a dit que le bateau n'est pas très grand, qu'on sera un peu à l'étroit pour le voyage. Alors, comme tu dis, on se cherchera des fauves sur place, avec des singes si tu y tiens. Avez-vous déjà été en Argentine ? Non ? Personne ? Moi non plus. Il paraît que c'est un paradis.

— Oui, répond Larsen. C'est un pays de bétail, de chevaux, avec une longue tradition de cavaliers, les gauchos. Et des forêts à perte de vue, avec des Indiens.

— Des Indiens ? demande Oleg, intéressé.

— Semble-t-il, reprend Alberti avec enthousiasme. Un pays qui n'a pas souffert de la guerre, d'aucune guerre. Il paraît qu'il y a aussi des Noirs, comme en Afrique, mais des Noirs déjà civilisés... Il paraît. Ce sera un beau voyage ! Qui sait si nous ne pourrons pas ensuite aller vers le nord, vers la vraie Amérique, New York ! Ils ont de très grands cirques aux États-Unis, et les gens savent apprécier les spectacles. Des dollars, mes amis, beaucoup de dollars et de belles filles aux longues jambes. L'Argentine sera uniquement le début du voyage, j'en suis persuadé. Nous reviendrons en Europe avec un grand cirque cette fois, je vous le promets.

Larsen pense plutôt à une ferme très vaste dans la pampa. Oleg reste silencieux, sans dire à quoi il pense. Fuank est sceptique mais sourit quand même ; partir d'ici sera déjà quelque chose, et il ne peut pas s'imaginer une Europe où il vaudrait la peine de revenir.

Ils sont reçus très chaleureusement au campement. Oleg paraît content même si son regard averti lui permet aussitôt de se faire une idée précise de l'état embryonnaire du Circus Alberti. Son premier souci, après les longues présentations, est de faire connaissance avec les deux petits ours. Ceux-ci sont couchés, attachés à leurs chaînes au pied d'un poteau d'exercice, et paraissent aussi endormis que Vania. Oleg admire leur beau pelage soyeux et lustré, plein de nuances, tout en palpant l'épaisse couche de graisse accumulée pendant les mois d'oisiveté. Ils paraissent encore plus petits devant le Russe, presque comme des chiens, et quelque peu craintifs en entendant les commandements secs que celui-ci leur adresse de sa voix profonde. Bola tente de se cacher en se roulant en boule, mais Bobi paraît soudainement s'éveiller, tout comme s'il se souvenait de quelque chose de lointain. Oleg examine la muselière du mâle, vérifie si la chaîne est bien attachée au harnais et, d'un coup ferme, il tire vers le haut pour redresser Bobi. Confus, l'animal sort de sa léthargie et suit l'homme avec empressement. Arrivé à la piste du manège, le dresseur détache la chaîne et lui enlève la muselière ; Bobi paraît encore plus perdu, jusqu'à ce qu'il reçoive de petites tapes sur le visage accompagnées d'ordres en russe. L'ours grogne et tente de mordre, mais Oleg lui applique aussitôt une gifle retentissante sur le museau en le faisant tomber à la renverse. Le Russe crie encore dans sa langue et répète le même geste jusqu'à ce que Bobi baisse les yeux quand il caresse sa truffe. Ensuite, à l'aide d'un court fouet et d'autres commandements secs, il fait obéir l'animal : Bobi s'assoit, se redresse, se met debout sur ses pattes de devant, galope autour du manège et tente même de faire quelques culbutes maladroites. Il revient ensuite lécher docilement la main de l'homme à la recherche de sa récompense. Des ordres donnés par une voix plus forte encore l'effrayent l'espace d'un instant, et il cherche à s'enfuir, roulé en boule ; mais Oleg est là, juste là où il faut pour couper sa retraite, avec le fouet et en tapant dans ses mains pour rassurer l'animal et le faire obéir. Bobi se soumet aussitôt et recommence ses culbutes avec plus d'entrain, pour revenir ensuite se frotter contre le corps de l'entraîneur qu'il reconnaît désormais comme étant sa mère. Voilà ; cela paraît très simple mais il faut peut-être un géant avec une voix de tonnerre comme le Russe pour donner à l'animal adulte l'illusion qu'il est resté un petit ourson.

La courte séance s'achève sur d'autres ordres secs suivis de longues phrases chantées et caressantes, pendant qu'Oleg se laisse lécher le visage et les mains par l'animal. Il lui remet sans peine la muselière et la chaîne ; Bobi a l'air tout content maintenant, éveillé et prêt à jouer comme on ne l'avait pas vu depuis le départ de ses anciens entraîneurs.

Ils reviennent tous les deux vers le poteau où Bola se tient toujours immobile, enroulée sur elle-même en feignant d'être morte. Mais elle a bien entendu les ordres en russe, et aussitôt que l'homme tire sur sa chaîne, elle se met debout pour faire la belle. Oleg détache la muselière de la petite ourse sans toutefois avoir besoin de la punir ; Bola ne mord pas, elle se contente de lécher les mains et la face de l'homme, et lui obéit aussitôt. Cela lui vaut beaucoup de caresses et une avalanche de phrases russes si tendrement chantées que les femmes qui assistent au spectacle ne peuvent pas s'empêcher de se sentir émues. Cet homme doit sans doute savoir consoler une femme qui souffre et il doit aussi savoir la faire souffrir. Bola, tout heureuse, se frotte contre les jambes de l'homme et se met debout pour lui lécher encore le visage ; et elle s'y prend si bien que le géant se baisse et la prend dans ses bras comme si elle était une chienne, pour l'emmener vers la cage où Vania dort profondément. Bola est très lourde, mais dans les bras d'Oleg elle paraît au contraire bien légère. Ses pattes antérieures entourent le cou de l'homme, et sa tête pend en arrière, tout comme elle l'aurait fait avec sa maman ourse.

Au moment d'entrer dans la cage, sentant la présence de Vania, elle tente de réagir ; mais c'est déjà trop tard. Oleg la pousse et referme la porte, sans s'occuper outre mesure de ce qui pourrait arriver. À la vue des regards effrayés des spectateurs, l'entraîneur explique d'un ton amusé, avec son lourd accent slave :

— Vania est habitué à avoir de la compagnie. À Paris, il vivait avec six autres copains et copines dans la même cage. Pas de problème. Les ours, c'est comme les artistes, ils aiment dormir à l'étroit, pour se chauffer, pour sentir la bonne odeur des corps des autres artistes. Je sais ce que pensent les dames en ce moment. Sans doute du mal de monsieur Vania, qu'il ne sait pas se comporter en présence d'une femelle, n'est-ce pas ? Au contraire, mesdames, Vania est très respectueux ; il ne violera pas la petite. Ils seront comme frère et sœur, soyez-en assurées, ajoute-t-il avec un clin d'œil à Larissa et à Maroussia qui regardent la scène. Vania est un artiste et il a été châtré en bas âge. Un ours de Sibérie comme lui ne peut pas être dressé s'il est tourmenté par la virilité, et dix hommes n'en viendraient pas à bout s'il devenait agressif. Alors, la petite ourse ne court pas de danger qu'il lui fasse la fête… Dommage pour elle, mesdames. C'est elle qui sera bientôt à plaindre lorsque ses cabrioles ne produiront aucun effet sur Vania. Par contre, ce jeune malandrin que voici, fait-il en indiquant Bobi, il va falloir que je m'occupe de ses bijoux de famille s'il veut pouvoir vivre en compagnie des deux autres.

— Comment ça ? demande Larissa, émue.

— On n'a pas le choix, madame, réplique Oleg en lui faisant la plus drôle des grimaces. Il est déjà trop agressif, et sans doute habitué à monter l'oursonne. Les ours sentent ces choses mais ils ne savent pas expliquer comme nous, que c'est pour faire l'amour et non pas pour se battre. S'il a trop envie de l'oursonne, il va dégager une odeur de musc et mon Vania ne saura pas faire la différence ; ça va l'irriter, le rendre agressif. Un beau matin, on va retrouver Vania tout seul dans la cage, couché sur deux petites peaux d'ours. Ce n'est pas ce qu'on veut, n'est-ce pas ?

— Mais il est déjà adulte, dit Larsen. Pourquoi ne l'ont-ils pas fait avant ?

— Les anciens propriétaires s'attendaient peut-être à avoir des petits. C'est rare qu'ils se reproduisent en captivité, mais les artistes sont souvent optimistes. Et si les deux sont seuls, cela ne cause pas tant de problèmes ; il faut seulement garder le mâle muselé. Avec d'autres ours dans les parages, c'est une autre histoire. Ça sent fort quand ils ont envie de courtiser les dames. Ils ont l'odorat délicat ; ils sentent même lorsque c'est l'entraîneur qui est amoureux ou qu'une femme a ses règles. Je dois donc passer ce Bobi au couteau. Ça ne fera pas d'effet tout de suite parce qu'il est déjà adulte ; il faut quelques mois pour que la nature fasse le travail de l'adoucir. Si je lui ôte aussi les glandes odorantes, cela peut aller plus vite. Pendant ce temps, il couchera en dehors de la cage pour son propre bien. Mais ne le plaignez pas, il va devenir un meilleur artiste. Plaignez plutôt l'oursonne lorsqu'elle se mettra à gémir d'envie. Et attention à vos femmes quand ça va arriver ; il paraît qu'elles supportent mal ce genre de plaintes, et si alors vous n'êtes pas à la hauteur, elles iront chercher un soulagement ailleurs. C'est dans la nature, conclut-il avec un large sourire et des gestes d'impuissance.

Katia, surprise par le regard intense d'Arcadi, rougit et baisse les yeux, toute bouleversée à l'idée qu'il ait pu lire dans ses pensées les plus intimes. Arcadi sourit et pense ce qu'il garde bien secret au fond de son cœur : la sale petite juive n'a rien compris à la guerre.

L'arrivée d'Oleg a l'effet d'un rayon de soleil sur toute la troupe ; il est la preuve vivante que le voyage n'est pas une illusion. Alberti fait venir plus de vin pour célébrer l'événement, ainsi que le retour de Spivac. Pendant le repas du soir, le Russe raconte à la ronde les nouvelles de la France, disant que tout là-bas est redevenu normal, avec les éternelles disputes politiques pour le pouvoir, les boîtes de nuit pleines de fêtes et les cirques qui marchent très fort. Plusieurs se demandent naturellement ce qu'un homme de cirque comme lui fait à Gênes, mais ils n'osent pas poser à haute voix ce genre de questions embarrassantes. Spivac aussi est là ; il mange en se faisant aider autant qu'il peut, histoire de rappeler son malheur, lequel est déjà pas mal ombragé par la figure d'Oleg et de son grand Vania.

Pitagore et Anise cherchent à leur tour à se mettre en évidence en évoquant leurs propres expériences parisiennes. Ils interrogent Oleg sur diverses personnes qu'ils ont connues là-bas, en s'arrangeant toujours pour comparer leur situation passée avec ce présent si peu éclatant. Diverses choses bien françaises leur viennent ainsi à la mémoire, et ils les commentent à haute voix pour le profit de tous les autres. C'est uniquement par respect pour l'esprit de groupe qu'on ne leur demande pas pourquoi ils ne retournent pas à Paris, si c'est si bien là-bas et si minable au Circus Alberti. Mais là encore, personne n'a envie de gâcher la bonne entente, d'autant plus que leur numéro est vraiment au point. D'ailleurs, comme pour clore le bec de tous ceux qui jalousent leur succès, ils décident de finir la soirée en présentant des bribes de leur spectacle comme l'a fait Kropotkine. La présence d'un entraîneur d'animaux venant directement du Cirque d'Hiver n'est sans doute pas étrangère à leur initiative.

Les forains ont beau ne pas aimer le couple d'orgueilleux, ils doivent tous reconnaître que Pitagore et Anise savent s'y prendre avec leurs toutous. Le spectacle paraît ridicule aux yeux de plusieurs des artistes, puisque les petits chiens sont trop nerveux et sautillants, aussi cabotins que leurs maîtres.

Mais il est évident qu'ils auront un grand succès auprès des enfants. Les chiens, aucunement dérangés par la noirceur, acceptent joyeusement d'exécuter toutes sortes de pirouettes et de cabrioles, sautant à travers des cerceaux et par-dessus des haies, quelques-uns même par-dessus le feu de camp. Certains font la brouette avec les pattes antérieures, l'arrière-train posé sur la tête d'un compagnon. Il y en a qui sautent à la corde, d'autres qui savent compter en aboyant ou qui sont capables de monter sur une petite échelle pour sauter ensuite dans les bras d'Anise. Ce n'est pas du grand art et c'est même très confus, puisque chacun des animaux se croit la seule vedette du numéro. L'effet d'ensemble est malgré tout spectaculaire même si les performances individuelles ressemblent exactement à celles de tous les chiens de cirque du monde. Lorsque la musique et les tambours seront de la partie, l'effet de carnaval sera plus fort encore. La scène finale est particulièrement réussie, surtout qu'elle n'a pas l'air de faire tout à fait partie du spectacle ; mais c'est là que les spectateurs peuvent le mieux apprécier l'art des deux entraîneurs. Le nain Kosta, habillé en clown, entre en scène pour un numéro de jongleur et, d'une façon très drôle, il rate complètement sa performance en laissant tomber une à une toutes les bouteilles. Seul un maître comme Kosta peut d'ailleurs rater son coup d'une manière si spectaculaire. Déçu, il s'en va chercher deux petits chiens très sales, qui ne semblent pas appartenir à la troupe de Pitagore et d'Anise. Ils ont plutôt l'air de chiens de clochard, et réagissent de manière si intelligente et méprisante aux tentatives du nain pour leur faire faire des cabrioles qu'on dirait qu'ils sont là pour se moquer de l'obéissance des autres chiens. La pantomime est à la fois drôle et attendrissante, car ils semblent vouloir encourager le nain à plutôt s'entraîner avec ses bouteilles ; ils les rapportent chaque fois qu'elles roulent par terre, en insistant pour que Kosta les reprenne, et ils se cachent lorsqu'il reprend son numéro de jongleur. Cela finit de façon magnifique, avec le plus petit chien en l'air, enroulé en boule et à la place d'une des bouteilles du nain, pendant que l'autre animal ferme ses yeux avec ses pattes pour ne pas voir la catastrophe appréhendée. Kosta réussit enfin à bien jongler et les deux petits chiens paraissent applaudir en faisant des cabrioles.

Habituellement, ce numéro avec Kosta comporte aussi diverses tentatives pour jongler avec un jeu de cartes. Mais pour ne pas blesser davantage Spivac, le nain s'en est tenu ce soir uniquement à des bouteilles. C'est qu'il peut comprendre, peut-être plus que les autres, le malheur qui s'est abattu sur le magicien. Kosta pense à sa propre bosse et à son visage difforme, qu'il a dû exorciser sa vie durant par l'adresse de ses mains et ses acrobaties. Sans l'usage de ses mains, il préférerait se trancher la gorge. Cette nuit, seul dans son petit lit froid, le nain Kosta repassera une fois de plus les diverses façons qu'il connaît de se suicider, tout en se demandant comment fera Spivac pour continuer à vivre.

Oleg est fatigué et se retire avant les autres, non sans avoir d'abord accepté de formidables lampées de grappa pour assoupir son corps de géant. Les autres saltimbanques ne tardent pas non plus à rejoindre leurs chambres respectives, car le travail recommencera de bonne heure le lendemain.

Plus tard, après s'être une fois de plus occupée du corps de Lioubov qui commence à réclamer ses caresses quotidiennes, Maroussia se prépare à tirer les tarots pour tenter de comprendre le sens des nombreux bouleversements de la journée. La jeune fille est endormie sur le matelas dans une pose très détendue, ses cuisses entrouvertes, les bras écartés et les seins, qu'elle aura lourds comme ceux de Lidia, bougeant doucement au rythme de sa respiration. En la voyant ainsi endormie, on ne peut pas dire qu'elle est simple d'esprit. Maroussia ne croit pas que Lioubov soit complètement idiote, puisqu'elle réagit d'une curieuse façon lorsque leurs corps se caressent, et qu'elle sait demander précisément ce qui lui fait le plus plaisir. Elle commence aussi à savoir donner du plaisir, et cela fait un peu peur à la voyante qui se voulait uniquement une éducatrice. « C'est le moment de la remettre une fois pour toutes à Durin, pense Maroussia, avant que la fille ne s'habitue trop à mon genre de caresses. » La voyante ne peut pas adopter Lioubov ; elle aime trop les hommes et se sentirait blessée de devoir partager ses amants avec la jeune fille.

Les hommes sont ainsi faits, elle le sait bien ; ils trouveraient cela amusant au début, mais ils finiraient par venir à cause de Lioubov. Et elle n'a pas encore besoin de fillettes pour attirer les hommes qu'elle désire. « Durin s'occupera d'elle comme il faut, pense Maroussia. Les clowns tristes sont très amoureux et doux dans leur mélancolie. »

Mais ce n'est pas tout le campement qui dort sous la protection de Beria. Un petit drame se joue depuis le début de la nuit dans la chambre du clown Fuank. Rien de très grave, et cela ressemble même à d'autres petits drames du passé ; sauf que Fuank ne s'attendait pas à ce que ce soit si charmant et épicé. Le jeune homme qu'il a cette nuit dans son lit est, étonnamment, très innocent concernant les mystères de l'amour viril. Il n'avait pas du tout l'air d'un puceau lorsqu'il s'est présenté l'après-midi au campement, poussé par la simple curiosité et apparemment fasciné par les exercices de Sven et de Wlacek sur la barre fixe. Marco, le séminariste, est un garçon aux grands yeux étonnés, crédule comme le sont les gens de la campagne, mais bien bâti de corps, propre et avec une peau très blanche et lisse comme celle d'une fille. Fanny l'a même trouvé joli, et elle s'est efforcée de montrer son savoir-faire encore maladroit, ce qui l'a au contraire raidie et a gâché passablement ses performances. Sven s'est rendu compte que le visiteur les regardait et l'a invité à se joindre à eux pour s'amuser sur la barre. Marco n'a fait que s'éreinter en vain, transpirant abondamment et incapable de faire quoi que ce soit de valable. Il sait exécuter des culbutes en arrière, faire la roue sans trop d'élégance et marcher un peu sur ses mains. Mais c'est tout. Son corps a été habitué aux travaux physiques dans un couvent du val d'Aoste, d'où il vient de s'échapper pour connaître la vraie vie. Peut-être qu'il arrivera à s'assouplir un peu avec des mois d'entraînement. Pour le moment, seuls son corps d'éphèbe et son regard fasciné attiraient vraiment Sven. Wlacek aussi l'a trouvé mignon, sans plus, au contraire de Sven qui commençait déjà à vouloir garder Marco pour l'essayer plus à fond.

L'arrivée d'Oleg et toute l'agitation autour des ours a d'une certaine façon précipité les choses dans un sens qui ne faisait pas l'affaire de Wlacek. Sven s'est épris de Marco, il l'a emmené se baigner avec lui sous le robinet et lui a promis qu'il pourrait rester au cirque. La jalousie est sans doute le plus grand danger qui menace l'équilibre précaire de certains numéros, et Sven agit parfois impulsivement quand il est attiré par quelqu'un. Wlacek souffre en silence des incartades de son compagnon ; il ferme d'habitude les yeux quand il s'agit d'aventures de passage, ou quand Sven découche et revient ensuite avec des poches sous les yeux. Cette fois, cependant, il dépassait les convenances en voulant héberger l'ancien séminariste dans leur chambre.

— Ne t'en fais pas, Wlad, lui a-t-il dit. On s'amusera à trois. Rien que pour initier le petit, pour voir s'il ne pourrait pas apprendre quelque chose.

— Non, a répondu Wlacek. Je n'aime pas comment tu le regardes. Je n'ai pas envie de m'amuser à trois.

— Tu as ta Fanny, pourtant.

— Fanny est comme une sœur, Sven, tu le sais. Tu l'aimes aussi. Et elle fait partie de notre numéro.

— Marco pourrait être le petit frère, a-t-il rétorqué avec un sourire de trop.

Ils étaient à deux doigts de la crise conjugale lorsque Sven a fait appel à Fuank, sous prétexte que Marco avait quand même un corps digne d'être développé. Fuank est l'autorité finale quand il s'agit d'acrobates, et il l'est aussi quand il s'agit de la paix entre artistes. C'était déjà la nuit quand il a tranché le litige :

— Pas question de discorde entre vous deux pour un petit cul terreux. Vous avez déjà la petite à entraîner. Si vous voulez le garçon, je vous prends la Fanny. Pas de discussion, Sven : Wlacek a raison et tu le sais bien. Il est beau gosse mais il a un corps de garçon de ferme bien plus que d'acrobate. Je le garde pour moi cette nuit et je verrai demain matin quand j'aurai mis son corps au travail. Vous deux, concentrez-vous plutôt sur ce qui fait votre force. Si tu veux des minets, Sven, cherche-les en ville sans déranger la paix commune. D'accord ? Et sans rancune.

Ce n'est pas la première fois, ni la dernière, que Fuank ou même Alberti doit agir comme juge de paix dans l'union houleuse des deux trapézistes. Le pire est qu'ils s'aiment vraiment et qu'ils n'ont aucune envie de se quitter. Mais la nature trop fougueuse de Sven le porte à désirer garçons et filles sans discrimination, dès qu'ils ont un corps svelte et musclé comme celui de Wlacek, ou ses yeux mélancoliques.

Sans vraiment entendre les délibérations, Marco a quand même compris que Fuank est le patron. Le repas du soir, la bonne ambiance, le spectacle de chiens et peut-être le bain avec Sven l'ont convaincu que le cirque est une bien meilleure place qu'un couvent, et il s'est promis de tout faire pour y rester.

Une fois dans la chambre, très docile, Marco laisse Fuank examiner son corps, tout comme il s'est laissé laver par Sven en fin d'après-midi. Les prêtres l'ont sans aucun doute entraîné à ne pas être trop prude et à se laisser faire quand on le lui demandait.

Le garçon paraît si à l'aise dans la situation délicate où ils se trouvent que Fuank décide d'approfondir son examen en se servant de son propre torse dénudé pour donner à son élève des exemples du fonctionnement des muscles. Nu sur le lit, le corps de Marco s'avère être plus trapu, avec des articulations épaisses et une ossature bien fournie. Pas du tout un corps d'acrobate mais peut-être celui d'un porteur si jamais il a l'énergie nécessaire pour s'entraîner à la musculation. En attendant, c'est simplement un garçon timide ayant l'habitude d'être touché et palpé par des mains adultes, qui se laisse caresser en regardant le plafond malgré les vagues de chair de poule trahissant son émoi.

Fuank le retourne sur le ventre pour tâter les muscles du dos depuis la nuque et examiner une à une ses vertèbres dorsales. Il le fait à cheval sur le corps de Marco et celui-ci ne bouge pas, même en sentant le sexe de l'homme sur la raie de ses fesses. Fuank explore alors la puissance de ses fessiers, la flexibilité des adducteurs dans l'écart latéral des cuisses, et ses mains remontent ensuite sur le ventre du jeune homme pour vérifier la tension des abdominaux. Marco est mal à l'aise avec sa propre érection et répond au regard interrogateur de l'homme par une grimace d'impuissance.

— Tu jouais comme ça avec les curés ?

— Non…
— Jamais ?
— Parfois, mais pas déshabillés…
— Est-ce qu'ils t'ont caressé comme ça ? demande Fuank en gardant la verge de Marco dans sa main et en touchant les testicules et l'anus avec ses doigts.

Le garçon ne dit rien ; sa respiration s'accélère, les palpitations de son sexe trahissent le cœur qui bat la chamade, et ses jambes paraissent soudainement molles, sans vie. Il attend quelque chose avec passion mais ne semble pas savoir ce qui va se passer au juste. Fuank doit lui apprendre comment se soumettre à ce qu'il désire, et cela ne se fait pas à la hâte. Marco, en élève sage, se laisse guider sans jamais tenter de prendre des initiatives précoces. Et ils s'amusent ainsi longtemps malgré quelques larmes et quelques gémissements.

C'était bel et bien la première fois même si Marco savait déjà réciter un Ave Maria en latin une fois leurs corps au repos, après les ébats. Les prêtres l'ont bien dressé par des caresses intenses, sans doute très patients et ne manquant pas par ailleurs de jeunes hommes plus avancés dans l'éducation virile ou religieuse. Ils gardaient Marco pour plus tard, lorsque son désir serait aussi fort que sa dévotion, sans toutefois soupçonner que le garçon avait une fringale printanière plus importante que ce qu'il laissait paraître. Ils ne pouvaient pas non plus savoir que le clown Fuank serait l'auteur de ce dépucelage si peu catholique.

Fuank est attendri par le mélange de désir et d'innocence de l'ancien séminariste. S'il a cueilli bien des pucelles, c'est la première fois qu'il initie un garçon ; et un garçon si doux, timide et complaisant. Ils parlent à voix basse, avec une étrange complicité. Fuank fume et boit de la grappa en écoutant Marco parler de sa vie au couvent, de sa fuite et des compagnons laissés en arrière.

— Est-ce que je peux rester avec le cirque ? demande Marco avant de s'endormir.

— Je crois bien, répond Fuank tout en pensant : « Cette salope de Sven va me haïr demain matin. »

5

Réveillé de bonne heure, Fuank borde Marco dans les couvertures et le laisse dormir encore. La fraîcheur du matin et la lumière dorée finissent par dissiper l'afflux d'images intenses dans son esprit. En chemin vers le robinet, il est rejoint par Oleg ; le dresseur a le torse nu et porte seulement un caleçon long enfilé dans ses bottes. Il a bien dormi et semble d'attaque pour s'occuper des ours. Ils se mettent d'accord pour se retrouver à plusieurs après le repas et régler définitivement le problème de Bobi.

Oleg ne sait pas répondre aux questions du clown sur les documents de voyage, mais il ne semble pas non plus inquiet à ce sujet. Fuank n'est toujours pas rassuré. Au contraire d'Alberti qui fait des projets en pensant au cirque tout entier, le clown a connu beaucoup trop de situations semblables, autrefois à la fin de la guerre d'Espagne, pour voir autre chose que des cas particuliers. Il se rappelle comment le bien commun se fout en général des questions de détail et il se demande ce qui se passera si certains des artistes ne sont pas acceptés par le consul argentin. Makarius et Negerkuss, par exemple, à cause de leurs faux passeports, ou Jeremiah avec son billet de libération de Dachau pour unique document, sans compter ceux qui n'ont aucun papier à présenter. Et Lidia et ses filles, juives de Roumanie avec à peine un droit de séjour provisoire en Italie ? Lui-même, le clown Fuank, en réalité Juan Francisco Gomez, réfugié espagnol comme Pilar la cuisinière et comme Paco et sa femme Firmina. Leurs certificats de séjour français sont périmés depuis longtemps. Non pas Arcadi ni Oleg, puisque ces deux-là semblent protégés par leur passé ou leurs copains, mais Wlacek qui est tchèque, Durin qui est un Allemand dépossédé de sa nationalité. Martha, l'autre cuisinière, croit être allemande malgré les intonations slaves dans sa prononciation. Sven, Larsen et Maroussia sont danois et ne courent aucun risque, pas plus que Pitagore et Anise, même si Pitagore est un ancien réfugié arménien. Mais Larissa est yougoslave malgré ce qu'en dit Larsen, et elle aussi n'a qu'un laissez-passer provisoire. Il paraît que Korvus Schwartz serait lapon ou finlandais, ce qui va être très difficile à éclaircir en quelques semaines, car il voyage depuis l'adolescence, et son pays d'origine a peut-être entre-temps changé de nom et de propriétaire. Kropotkine n'aura pas de problème parce qu'il est russe blanc comme Oleg, mais Virginie, sa petite protégée, est encore mineure, sans parents, et pour toute origine elle se souvient vaguement d'avoir été à Vienne… Mandarine peut être allemande, polonaise ou lithuanienne, selon l'époque où l'on regarde l'endroit où elle est née. Les nains et les lutins disent que leur pays s'appelle Cirque. Et il y a maintenant Marco. C'est bête mais Fuank aimerait ne pas le laisser en arrière, si c'est possible. « Il est intelligent et instruit, se dit le clown, pourvu qu'il ait aussi du nerf pour s'entraîner aux haltères. Sa seule chance sera d'être porteur ou homme de base pour pyramide. Et il faudra encore qu'on déniche des voltigeurs et des équilibristes pour pouvoir le caser… »

De retour au campement, Fuank trouve déjà Sven, Wlacek et Fanny en plein entraînement. Ils semblent à nouveau de bonne humeur, et Sven le salue d'un geste obscène accompagné d'un sourire. Le travail a le don de faire oublier à l'artiste les petites trivialités. Et ces deux-là sont un couple uni malgré tout. Fuank ne peut s'empêcher d'admirer le sérieux des trapézistes, ainsi que tout ce qu'ils ont obtenu de la petite Fanny en peu de temps et malgré qu'ils n'aient pas encore monté les vrais trapèzes. Ils tentent de les remplacer par des barres fixes espacées, mais cela coûte de bonnes égratignures et des efforts physiques supplémentaires. Ils doivent se contenter de pendre aux barres, sans l'aide de la force centripète pour supporter le poids de leurs corps ; leurs voltiges se font alors sous une énorme pression due à l'ajout du poids de Fanny lorsqu'ils l'attrapent, avec des secousses sur les poignets, les épaules et les creux poplités en arrière des genoux. Leurs principales articulations sont doublement bandées, mais Fuank sait très bien que, une fois les bandages enlevés, il faudra masser les muscles et panser les surfaces irritées pour tout recommencer le lendemain malgré les écorchures. Fanny, en simple chemise et en collant rapiécé, sans espadrilles, le dos trempé de sueur, a déjà les poignets rouges malgré les bandages et l'heure matinale. Mais elle aussi paraît avoir du plaisir dans l'exercice, volant d'un lanceur à l'autre tout en frôlant presque le filet de sécurité. Et voilà qu'ils rient avec fierté quand elle réussit une petite vrille en l'air ou qu'elle se retourne pour être attrapée par les mollets.

« Du beau travail », se dit Fuank, et il sourit à son tour en pensant combien ces trois camarades vont être heureux dès qu'on aura monté les trapèzes sous le chapiteau. Leurs corps souples et brillants de sueur font oublier les habits déchirés, sales, jaunis par tant et tant de lavages. Cela n'a pas d'importance car ils jouent pour le plaisir de jouer et non pas pour se montrer ; montrer et transformer ce jeu en spectacle est le travail d'Alberti et de Fuank. Sven et Wlacek s'exercent pour s'améliorer parce qu'ils aiment sentir leurs corps ; de toute façon, avec ce qu'ils savent déjà faire sans se forcer, le public aura assez d'émotions pour son argent. Et pendant qu'ils s'exercent, les deux compagnons paraissent se ficher éperdument de ce qu'il adviendra plus tard. Il est clair que si Wlacek ne peut pas voyager, Sven et Fanny refuseront aussi de partir. Si Lidia et ses filles ont des problèmes, il faudra se passer des trapèzes. Si Makarius est refusé, Maroussia non plus ne sera pas du voyage. Jeremiah et Mandarine n'abandonneront pas le vieux Korvus. Les autres clowns ont besoin de Fuank, et il faudra que le consul argentin accepte aussi Pilar, Paco, Firmina, tous les nains, et maintenant Marco.

Fuank soupire, soulagé à la pensée que si les saltimbanques sont désireux de voyager et de voir du pays, ils n'ont pas besoin de cette Argentine pour continuer à s'amuser. Si Léon est en train de bluffer, ou si Alberti flanche et fait trop de compromis, ils n'auront qu'à partir seuls tous les deux et chercher là-bas d'autres artistes. Le reste de la troupe trouvera toujours un moyen de survivre en attendant des jours meilleurs. La guerre est finie après tout, et on ne tue plus les gens simplement parce qu'ils sont différents. Réjoui par cette constatation, Fuank revient à sa chambre pour réveiller le jeune Marco.

La castration de Bobi attire une bonne partie de la troupe. Il est vrai qu'il faudra tenir l'ours lorsqu'il se sentira coincé sans savoir au juste ce qu'on lui veut. Mais les gens sont là aussi par solidarité. Tout le monde se rend à l'évidence : les couilles de Bobi doivent partir pour le bien commun, pour son propre bien aussi ; mais c'est par ailleurs regrettable de ne plus voir l'oursonne si contente d'être montée, ni Bobi les yeux dans le vague après ses exploits virils. Oleg tente de banaliser la chose, sans trop de succès. Larsen dit que c'est comme hongrer un poulain, sauf que Bobi est adulte et qu'il sait bien se servir de sa virilité. Et puis, des couilles, ce sont des couilles, et chaque mâle présent pense aux siennes, tout comme chaque femme se souvient comme c'est bon d'avoir un homme actif entre ses cuisses.

On a laissé Vania et Bola dans la cage roulante avec la bâche baissée pour qu'ils ne soient pas choqués par le spectacle. C'est rassurant de voir qu'Oleg avait raison : ce matin, l'oursonne est déjà pelotonnée contre le gros Vania, et tous les deux dorment paisiblement. Ce sera sans doute la même chose pour Bobi une fois qu'il aura dit adieu aux plaisirs charnels.

« Pourvu que les ours ne soient pas comme les hommes », pense Martha, la cuisinière, dont le fils débile mental avait été châtré par les nazis avant la guerre mais qui avait continué à se masturber chaque jour et à terroriser les femmes du village, avant d'être abattu comme un chien galeux. Elle a presque oublié cet emmerdeur qui a gâché sa vie de jeune fille sérieuse, en la transformant en femme à soldats. Martha avait à peine quinze ans. Tout ça parce qu'elle avait aimé un jeune caporal blond durant une guerre avant cette dernière. Une fois son idiot tué, elle a voyagé un peu partout mais n'a plus jamais voulu s'approcher d'un soldat. Peut-être que son visage fermé et ses bras puissants ont fait qu'aucun soldat n'a plus voulu lui faire de l'œil. Tant mieux. Les souvenirs sont tristes mais elle est là, comme les autres, pour voir châtrer le jeune ours. C'est aussi que ce nouvel arrivant, cet Oleg, lui a paru tellement sympathique ce matin quand il est venu voir la cantine roulante ; un homme si distingué et si fort qu'il n'a même pas eu peur d'elle. Bien au contraire, Oleg s'est adressé à elle en lui disant « ma petite sœur », avec le même accent chantant qu'un caporal blond d'autrefois. Et il paraissait si timide en formulant sa demande, il s'excusait tant des yeux comme si c'était quelque chose de défendu, qu'elle a esquissé à son insu un geste de tendresse envers l'étranger. La tendresse, cette bête qui peut rester tapie très longtemps après avoir été effarouchée, des années ou même toute la vie durant ; mais elle ne meurt pas, la peste, elle ne fait que se cacher pour surprendre les créatures dans un moment de faiblesse, et alors soit les perdre de nouveau, soit raviver de vieilles tristesses. Mais le rire d'Oleg est si franc que Martha a oublié combien la tendresse peut blesser ; elle a simplement trouvé que la matinée était plus belle que d'habitude. Après tout, elle était autrefois une fille de la campagne, elle a vu châtrer des porcs, des veaux et des chevaux. Elle sait bien ce qu'il faut faire en ces occasions ; la demande d'Oleg n'a rien d'extraordinaire. Et pourquoi pas, si c'est pour rendre service à un homme aussi affable ? Martha a toujours su qu'il ne faut pas gaspiller les choses importantes. Ensuite, s'il lui a demandé à elle plutôt qu'à une autre… Le soleil est alors devenu presque éblouissant. Ah ! la tendresse, quelle plaie si douce !

Surpris dans son demi-sommeil, contrarié d'avoir été attaché dehors toute la nuit, Bobi n'a pas réagi quand Oleg s'est approché. Il n'a pas compris immédiatement à quel jeu on allait jouer, et refusant toujours d'ouvrir les yeux, il s'est retrouvé lié avec des cordes, les pattes de devant fixées au poteau comme s'il s'étirait pour bâiller. Effrayé, il a alors vu les spectateurs silencieux ; mais trop tard. Déjà on empoigne chacune de ses pattes de derrière pour l'écarter ; les hommes sont costauds et rien ne sert de grogner à travers la muselière ni de crier comme un bébé. Oleg fouille dans son bas ventre, il trouve ce qu'il cherche et, d'un geste aussi rapide que précis, il lui tranche complètement le scrotum. Bobi crie et se débat en vain. Avec la pointe du couteau l'homme extrait ensuite ce qu'il arrive à atteindre des glandes odorantes proches de l'anus. Il applique d'abord du vinaigre et une sorte de sel sur la plaie, en frottant doucement jusqu'à faire cesser l'hémorragie. L'ours est toujours plaqué par terre, sur le dos, les jambes écartées, et il frémit tout en geignant. La plaie est ensuite lavée à l'eau, et du vrai sel de cuisine est répandu sur toute la région pour inciter l'animal à se lécher continuellement. La salive hâtera la guérison. Enfin, après un compte à rebours, les hommes lâchent l'ours ; pendant qu'il tente frénétiquement d'aller sentir la plaie, Oleg lui détache les pattes antérieures, ne lui laissant que la chaîne et le harnais. Bobi roule sur lui-même et se lèche avec avidité, un peu surpris par la bonne saveur du sel, presque soulagé comme quelqu'un qui gratte une démangeaison énervante. Le gros seau d'eau reste à ses côtés pour étancher la soif que produira tout ce sel ingurgité.

Toujours en l'appelant « ma petite sœur », Oleg donne discrètement à Martha les deux noix rondes de chair qu'il a extraites de la poche de peau poilue. Il lui fait un clin d'œil et se lèche les lèvres d'une façon si gamine que la cuisinière ne peut s'empêcher de rougir en réprimant un sourire. Pendant que les forains se dispersent, Oleg et Martha s'en vont en silence vers la cantine. Elle sait comment le faire, et elle compte le faire bien ; ce géant d'homme qui n'a peur de rien l'a fait frémir tout à l'heure, comme l'ours Bobi, et elle a presque envie de se gratter entre les jambes, tant la nervosité est envahissante. Mais il est calme, Oleg, et il lui demande d'une façon si naturelle si elle a un homme parmi les forains que sa réponse vient avant même qu'elle ne pense à se fâcher :

— Non…, balbutie Martha en baissant les yeux.

— Je trouve que tu es une belle femme, Martha. Est-ce que c'est mal ?

— Quoi ?

— Qu'un homme te trouve belle ?

— Je ne sais pas, je ne comprends pas, réplique-t-elle en reprenant ses esprits et son visage fermé en dépit de la mollesse dans les jambes. J'ai passé le temps de ces enfantillages.

— Moi pas, petite sœur. Et je suis plus vieux, comme tu vois. C'est bon que ma petite sœur soit belle... Je ne crois pas que j'arriverai à m'habituer aux femmes en Amérique, Martha. Elles ne doivent pas être très fortes là-bas. As-tu déjà été en Amérique ?

— Moi ? demande Martha en riant.

Il lui sourit à son tour en faisant un clin d'œil.

— Allez, fais-moi goûter à ta cuisine, petite sœur. Les couilles de cet ourson vont me donner de la force ; il ne faut pas que ça se perde, ce ne serait pas juste pour lui.

Dans la cantine roulante où il n'y a personne d'autre qu'eux à cette heure, Martha fait chauffer de l'huile et rissoler un oignon dans le poêlon en fonte. Puis elle coupe chaque noix de chair en deux, les fait sauter à feu bas et sert le tout sur une assiette à Oleg, avec un gobelet de vin.

— Assieds-toi avec moi, Martha, lui dit-il avant de manger. On se souviendra de notre premier repas ensemble lorsqu'on sera vieux. Si tu veux...

Sans répondre, la femme prend place sur le coin du banc, les yeux baissés, au bord des larmes.

— Tiens, goûte, Martha, c'est bon. C'est un mets d'homme. Mais quand un homme est marié, sa femme en mange aussi. Tiens, n'aie crainte.

Elle accepte le morceau sur une tranche de pain. Il y étale aussi des oignons et lui tend le gobelet.

— À nous deux, ma chère Martha. Je m'appelle Oleg Sergueïevitch Mindris. Autrefois, ceux qui m'aimaient bien m'appelaient Mindras. Mais ça fait si longtemps... Comment les gens t'appelaient quand tu étais petite ?

— Martha... Martha Noll, répond la femme dans un râle pendant que les larmes lui coulent sur les joues.

Ils mangent en silence les petits morceaux de viande amère qui sentent fort la bête, sans se regarder. Ensuite, Oleg se lève, il caresse les cheveux de Martha d'un geste timide et lui dit avant de partir :

— Moi aussi, je suis seul. Tu n'y peux rien, petite sœur, tu es une belle femme. L'âme de l'ours va rester avec nous deux pour toujours, si tu veux... Je t'appellerai Marthoushka. Et si tu veux me voir sourire, appelle-moi Mindras ; ce sera doux sur tes lèvres. Après tout, n'est-ce pas, je ne suis pas si vieux que ça.

❑

Quelques jours après, alors que les forains s'affairent à gratter la peinture écaillée des roulottes, un vieux taxi monte la route cahoteuse qui mène au campement du cirque. Le bruit et la fumée du véhicule avertissent de son arrivée bien avant qu'il ne soit visible ; le travail cesse et les gens attendent, un peu surpris, puisque c'est la première fois qu'une automobile vient dans ces parages. Le taxi pointe son nez, il se faufile parmi les roulottes et après quelques secousses il s'arrête au milieu de la place. Trois passagers en descendent et regardent autour d'eux avec curiosité. D'abord un homme déjà mûr, bien nourri, très élégant, dont les rares cheveux sont teintés d'un blond presque jaune et qui tient une canne à pommeau doré. Il est accompagné d'un jeune homme et d'une jeune fille, tous les deux beaux mais avec des vêtements très modestes.

Alberti s'approche en fixant intensément le visiteur, l'air incrédule comme s'il s'agissait d'un fantôme. L'inconnu, au contraire, n'a pas de peine à le reconnaître et le salue chaleureusement, le visage radieux :

— Alberti ! Mon petit Alberti. Tu n'as pas changé d'un poil !

— Léon ? demande Alberti, toujours dans le doute, tant l'homme devant lui paraît différent du petit juif maigre, pâlot et nerveux à la veille de sa fuite, il y a dix ans. Celui-ci a plutôt l'air d'un de ces riches Américains qu'on voit dans les films, débonnaire, robuste et peut-être même plus grand de taille.

— Bien sûr ! Tu ne me reconnais pas ?

— Mais Léon… tu as l'air… Je ne sais pas.

— C'est moi, Alberti, le même qu'autrefois. Leandro Felmont, moi-même.

— Leandro ?

— Oui, Alberti, Leandro Felmont, gérant de spectacles et businessman, à ton service. Léon Feldmann est mort et enterré, et Leandro est né à sa place, mon cher. Tout est possible en Amérique du Sud. On change de vie, de nom, et tout recommence comme on veut.

C'est seulement alors qu'ils s'embrassent, le visiteur d'une accolade forte et Alberti un peu craintif, encore surpris par cette apparition étrange. Pourtant, le directeur le sait, c'est bien Léon avec sa voix cassée, son nez bizarre ; mais si différent qu'il paraît être un autre.

— Tiens, mon cher Alberti, fait-il en présentant les deux jeunes gens, je t'amène deux équilibristes sur fil que j'ai trouvés à Marseille ; ils seront aussi du voyage. Pancho et Isabel. As-tu de la place pour eux ?

— Oui, répond Alberti, toujours interloqué. Bien sûr, ils sont les bienvenus.

— Ton cousin Bello m'a dit que tu cherchais des artistes. Tu vois ? Je m'en occupe. Leandro s'occupe de tout dorénavant, mon cher. Leandro, le tonton d'Argentine, dit-il en adressant un large sourire à toute la troupe assemblée.

Les présentations sont faites, on sort les effets personnels des deux funambules du taxi, et c'est alors que le directeur se rend compte que Léon n'a pas de valise.

— Mais Léon, tu ne restes pas chez nous ?

— Non, Alberti, je suis à l'hôtel. Trop de bagages, tu vois ? C'est plus pratique à l'hôtel. Je suis en voyage d'affaires, quelques jours à peine ; je dois repartir en Suisse pour les démarches consulaires. Si tu veux, nous profitons de l'automobile pour regagner l'hôtel, tous les deux. On discutera là-bas en toute tranquillité, comme au bon vieux temps. D'accord ?

— Maintenant ?

— Oui, tout de suite. Tu t'habilles et on repart. Nous gagnerons du temps et nous pourrons souper tous les deux. Ce sera plus intime.

Alberti a l'air d'hésiter ; il regarde autour de lui et voit les visages qui l'encouragent en silence, qui lui font des signes affirmatifs.

— D'accord. Donne-moi deux minutes. Gandalf et Fuank te feront visiter le cirque.

Léon ne paraît pas s'étonner de l'état délabré du campement ; il écoute les explications de Fuank et de Gandalf d'une oreille distraite, en acquiesçant et en souriant comme s'il s'agissait d'un cirque au complet, tout monté et prêt à voyager. Les deux artistes échangent des regards interrogatifs mais continuent leurs explications comme si de rien n'était. Après tout, la personne réelle de ce fameux Léon d'Argentine est plus spectaculaire que ce qu'ils avaient osé rêver, et il se peut vraiment qu'il soit très riche. Gandalf trouve étrange qu'il ne se souvienne pas de lui, et qu'il le confonde avec un dompteur de fauves de l'époque d'avant la guerre ; mais il préfère ne pas rectifier l'erreur, puisque lui-même a de la difficulté à reconnaître tout à fait ce Léon transformé par l'Amérique.

Léon loue la qualité des chevaux et paraît très satisfait des trois ours dans l'état où ils sont. Il salue Pitagore et Anise avec beaucoup d'élégance mais vite, comme s'il était pressé, et refuse de prendre un morceau à la cantine sous prétexte qu'il a trop mangé à l'hôtel. Même pas un gobelet de vin. Il accepte quand même une cigarette, qu'il fume ensuite à l'aide d'un long fume-cigarette en nacre. Les forains remarquent particulièrement la qualité de ses souliers en cuir souple, presque jaunes, si minces qu'on dirait des espadrilles de danse ; aussi, l'éclat des chevalières serties de diamants qu'il porte aux deux auriculaires. Il n'y a pas de doute, c'est un homme riche, aux bonnes manières, pensent plusieurs, même s'il ne semble rien connaître au cirque. Mais s'il s'intéresse à eux, peut-être que le miracle aura vraiment lieu. Dommage que Maroussia soit en ville pour ses séances de divination ; elle a aussi connu ce Léon autrefois, et elle saurait leur dire ce qu'il en est au juste. Il faudra attendre le retour de Herr Direktor pour en savoir plus long.

Alberti sort de sa roulotte encore en train d'enfiler sa veste, un peu essoufflé de crainte de faire attendre un si noble visiteur. La surprise a été si grande qu'il a presque tout oublié du Léon d'autrefois ; l'ascendant qu'il avait sur l'homme du passé n'a plus de prise sur ce magnifique nouveau Léon.

Quand il entre dans le taxi, Alberti est tout sourire, le visage radieux, et il fait signe aux forains d'attendre son retour.

Pancho et Isabel, les deux équilibristes, sont assaillis de questions aussitôt le taxi reparti, mais ils ne peuvent rien apprendre de nouveau aux gens qui les entourent. Ce sont deux réfugiés espagnols comme Fuank et Paco, frère et sœur, et ils attendaient à Marseille en travaillant dans des spectacles de cabaret. Ils paraissent par ailleurs assez expérimentés dans la vie et capables de se défendre. Isabel, l'aînée, ajoute d'un air fier qu'elle sait aussi lancer les couteaux, même si cela paraît plutôt une bravade pour qu'on la laisse en paix. Pancho serait capable de jongler sur le fil tendu et aussi sur des chevaux. Ils viennent d'une famille de cirque, et leurs parents sont restés à Toulouse, dans l'espoir que Franco tombera avec la fin du nazisme. Ils ne savent aucun détail du voyage en Argentine mais se réjouissent d'être enfin dans un vrai cirque. Tout ce qu'ils peuvent dire, c'est qu'ils ont été très impressionnés ce matin, quand ils sont allés retrouver Léon à l'hôtel après avoir passé la nuit dans une auberge du port.

— La baignoire dans sa chambre est énorme, en marbre, une vraie piscine, dit Pancho, et les robinets brillent comme de l'or. Il a une montagne de valises en cuir. Monsieur Felmont est un homme riche, il n'y a pas de doute : les porteurs et le gérant de l'hôtel lui font tous des courbettes à cause de ses pourboires. Dans le train, il avait un compartiment à lui tout seul.

Au contraire de Léon, Isabel et Pancho acceptent volontiers le repas qu'on leur offre et ils mangent avec beaucoup d'appétit, contents d'être entourés d'autres artistes comme leurs parents.

Dans le taxi qui revient à Gênes, Alberti écoute, ébahi, les paroles de ce Léon devenu Leandro Felmont. Il est toujours mal à l'aise devant les belles manières et l'assurance du visiteur, mais aussi plein d'espoir quant à l'avenir de son cirque. Il se retient de poser des questions, de peur de paraître trop empressé.

— Ton cirque est à l'état d'embryon à ce que je vois, lui dit Léon. Il faudra se hâter, mon cher. Le bateau est prévu pour le mois d'août et nous ne pouvons nous permettre de rater cette chance. Bello t'a sans doute mis au courant des détails ; c'est notre seule chance de faire un bon coup. Il s'occupera de tout, ne t'en fais pas ; mais il ne faudra pas exagérer. Une trentaine de personnes tout au plus. Nous trouverons d'autres numéros à Buenos Aires. Le moins de bagages possible, évidemment. De toute manière, tu n'as pas beaucoup d'équipement, et là-bas on peut se procurer de tout. Dès mon retour de Suisse, il me faut une liste de noms et les photos pour les documents. Le consul argentin à Zurich pourra alors agir rapidement, et celui de Gênes complétera ce qu'il faut sur place.

— D'accord, Léon, nous serons prêts.

— Je compte aussi sur toi pour choisir des artistes fiables, contents de la chance qu'on leur offre ; pas de trouble-fêtes ni de têtes brûlées, ça va de soi. Tu dois garder à l'esprit que nous profitons d'un compromis, d'une occasion unique, et tu agiras avec toute la prudence que cela exige.

Si Alberti écoute en faisant semblant qu'il connaît déjà les détails dont lui parle son interlocuteur, c'est uniquement de peur que le chauffeur ne comprenne le français. Dès son arrivée, Léon a évité clairement de parler allemand, et ses regards sévères rappellent Alberti à l'ordre quand celui-ci tente de glisser vers leur langue commune. « Ça aussi, c'est un changement américain », pense le directeur, et il s'y soumet. Mais sa curiosité est trop grande, et il risque une question :

— Est-ce un bateau argentin ?

— Oui et non, répond Léon. Il bat pavillon grec mais sa route est essentiellement vers l'Argentine. Il n'a pas mouillé en Grèce depuis le début de la guerre ; les armateurs sont de Malte, des Anglais. Un cargo n'est pas très confortable, tu t'en doutes bien ; mais tout sera mis en œuvre pour que le voyage de la troupe se déroule le plus confortablement possible. Il apporte de la viande, de la laine et du café brésilien. Au retour, peut-être du vin et de l'huile d'olive si on en trouve à Málaga, pour rentabiliser davantage le voyage. Mais le cirque sera son principal fret, bien sûr. Voilà, ton cirque revivra, je m'en porte garant. Une semaine ou dix jours après le débarquement, tu pourras déjà donner ton premier spectacle. Mets donc les bouchées doubles et bientôt tu seras loin de cet enfer.

— Es-tu dans les spectacles, là-bas ?

— Oui, mon cher. Quand on a ça dans le sang, il est difficile de s'en défaire. Mais c'est plutôt mon passe-temps. L'Argentine est un pays fabuleux ; ils se sont enrichis avec la guerre parce qu'ils ont eu la sagesse de garder leur neutralité. Les occasions d'affaires sont si nombreuses que je me suis diversifié malgré moi. Importations et exportations, viandes en conserve, peaux, laine, je fais un peu de tout. Tu seras étonné de voir les estancias à perte de vue. Presque comme en Poméranie.

— Eh bien, reprend Alberti, je n'aurais jamais cru que je te verrais en homme d'affaires, Léon.

Pour toute réponse, le directeur ne reçoit qu'un sourire condescendant.

Le taxi les dépose à l'entrée d'un hôtel luxueux. Le page s'empresse de leur ouvrir la portière tout en saluant monsieur Felmont avec beaucoup de respect. Au lieu de se diriger vers le restaurant, Léon invite Alberti dans sa chambre après avoir commandé un repas à la réception :

— Ce sera plus intime pour parler affaires. Et ta redingote attirerait trop l'attention dans la salle à manger. Nous devons être discrets.

Alberti acquiesce sans tout à fait comprendre ce qui cloche dans sa redingote de gala ; il l'a pourtant bien brossée après l'avoir sortie du papier de soie où elle dormait bien pliée depuis des mois. Un simple regard sur le complet de Léon suffit cependant pour tout expliquer, et il se rend aussi compte que ses bottes ne conviennent pas non plus à un souper élégant.

La chambre est somptueuse, presque comme dans un palais. La salle de bains, plus grande qu'une roulotte du cirque, est tapissée de miroirs reflétant les marbres et le chrome de manière éblouissante. Les valises sont bien rangées à côté d'un coffre vertical dans lequel pendent plusieurs habits. Léon sert le champagne qui attendait au froid dans un seau de glace, et ils trinquent au succès du voyage.

Tout a l'air bizarre pour Alberti, comme si la réalité s'était mise à s'exagérer d'elle-même pendant que lui rapetissait. Cela ressemble un peu au bon temps de jadis, quand ils étaient prospères ; par ailleurs, tout a aussi une saveur nouvelle qui le fait se sentir sinon menacé, du moins inquiet.

— Je ne m'attendais plus à te revoir, Léon. La guerre a été si longue...

— Je pensais à toi, Alberti, mais je m'attendais aussi à ce que tu périsses. Quand Bello m'a enfin donné de tes nouvelles, j'ai eu du mal à y croire. Et tu avais toujours ton cirque. Un cirque au milieu de la catastrophe ! C'est bien toi, mon cher, avec ton âme d'artiste.

— Comment as-tu fait pour retrouver Bello ?

— Je ne l'ai jamais perdu de vue. Depuis mon départ de l'Allemagne, Bello et moi, nous sommes pour ainsi dire des associés. Il a représenté mes intérêts ici en Europe et m'a permis de garder mes fonds en Suisse. Nous avons travaillé ensemble à quelques reprises, et maintenant nous allons simplement officialiser notre association. C'est un homme précieux, et ses relations commerciales avec l'Argentine vont se développer énormément. C'est un peu à lui que tu dois ce voyage, c'est lui le cerveau de l'affaire.

Alberti ne peut plus se retenir et demande enfin :

— Pourquoi, Léon ? Je ne comprends toujours pas ce qu'il en est. Bello m'avait dit que tu étais dans le domaine du spectacle. Mon cirque, je l'aime beaucoup ; mais il existe plutôt dans mon esprit. Alors, pourquoi ?

Léon ne s'attendait pas à cette question. Il croyait que tout était bien clair, qu'Alberti était dans le coup et qu'il savait pertinemment que le cirque n'était qu'un prétexte. Il a douté durant l'après-midi, quand on lui a fait visiter le campement avec une fierté tout à fait déplacée, et son malaise a grandi en reconnaissant là-bas Wilhelm Lutz, le nain. Mais il croyait qu'au moins Alberti était au courant de tout. Que faire d'autre sinon expliquer ? C'est parfois difficile de tout expliquer en détail, de nommer les choses par leur vrai nom, surtout devant quelqu'un d'aussi peu habitué aux affaires qu'Alberti, et qui porte encore des bottes et une redingote de directeur de cirque.

Léon sert de nouveau du champagne et ils s'allument des cigares.

— Buvons encore à ton cirque, Alberti, et attendons l'arrivée du repas. Ce sera plus agréable de tout te raconter en mangeant, et nous serons certains de ne pas être dérangés. L'Europe reste un lieu de méfiances, de jalousies. Et tu dois t'imaginer que trouver des documents pour toute la troupe ne sera pas une affaire simple. Alors, soyons discrets.

— Tu crois vraiment pouvoir arranger la paperasse ?

— C'est possible. Je vais essayer, en tout cas. Mais il faut avant tout ta collaboration, et surtout que tes artistes se tiennent cois. Qu'ils ne sachent rien, de préférence. On ne peut pas risquer de tout perdre à la dernière minute. Les autorités italiennes et les Américains arrêteraient tout le monde ; adieu Circus Alberti. Les documents de voyage sont très réglementés en ce moment. Si jamais, je dis bien : si jamais, j'arrive à tout régler, ce sera de l'ordre du miracle, pour sauver tous ces artistes. Mais ce sera surtout pour toi, Alberti. Tu veux savoir pourquoi ? Eh bien, c'est parce que tu m'as aidé à partir, que tu m'as fait passer en Suisse en 36, et que tu m'as mis en contact avec Bello. Si je suis en vie aujourd'hui, c'est grâce à toi, conclut-il avec son bon rire d'autrefois.

Ils boivent encore, Léon lui fait essayer quelques vestes et lui fait cadeau de deux complets en laine accompagnés de chemises.

— C'est pour les entrevues officielles, Alberti. Tu feras meilleure figure habillé en homme d'affaires. Et voilà de l'argent pour les dépenses, fait-il en lui tendant une liasse de lires. Achète de la peinture pour les roulottes et remet tout à neuf. J'ai besoin que le chapiteau soit déployé à mon retour, pour que cela fasse vraiment cirque et non pas campement de réfugiés. Il faut qu'ils croient à ton cirque pour éviter tout soupçon. Sinon, ils pourraient penser que vous voulez uniquement immigrer illégalement en Argentine en vous faisant passer pour des artistes. Il me faut un cirque dans deux semaines, et tu as là assez d'argent pour créer au moins des apparences plausibles. On s'occupera du reste à Buenos Aires, d'accord ?

Alberti empoche l'argent, le cœur en fête, et, ne pouvant se retenir, il fait à Léon sa meilleure accolade d'hercule. Celui-ci répond à son geste avec émotion, et ils restent ainsi un instant, immobiles, jusqu'à ce qu'ils soient surpris par la sonnerie de la porte.

Le garçon d'étage entre avec son chariot rempli de plats couverts, de bouteilles et de couverts qu'il dépose sur une table de l'antichambre. Et il repart après une courbette très martiale.

— Allez, Alberti, à table. Fêtons nos retrouvailles.

Maintenant qu'il mange et boit de bonnes choses, la poche remplie d'argent, et qu'il est l'heureux propriétaire de deux complets en laine d'Argentine, Herr Direktor est tout à fait en état de recevoir l'information requise et de bien la digérer. Sur le coup, la bonne humeur et le cognac aidant, la chose ne paraît pas si étrange que ça. Il s'agit en fait d'aider quelques personnes à quitter discrètement l'Europe. Et si ces gens — ou plutôt leurs familles là-bas, si préoccupées de leur sort et sans nouvelles d'eux depuis une éternité — sont en mesure de fournir le bateau pour le voyage, pourquoi lever le nez sur cette chance inouïe ? Le cirque est providentiel, car ces voyageurs sans documents, pour ainsi dire des réfugiés, passeront plus inaperçus encore s'ils sont au sein d'une vraie troupe de cirque. Et c'est ainsi que Léon a trouvé un moyen de rendre service à son vieil ami Alberti, en insistant pour que ce soit son cirque à lui et non pas un autre qui profite du voyage. Léon se serait même porté garant en Argentine au sujet de la réputation de son ami, ce qui n'est pas peu dire, puisque les gens qui sont derrière l'entreprise comptent parmi les personnalités les mieux placées à Buenos Aires, à Córdoba et même à Montevideo. Voilà.

— Quelle sorte de gens ? demande Alberti plutôt par curiosité et pour alimenter la conversation.

— Des gens d'affaires, des politiciens, des propriétaires fonciers ; tout ce qu'il y a de plus fin dans la bonne société, y compris des magistrats.

— Non, je veux dire : les passagers, les réfugiés dont tu parles.

— Des gens qui ont eu des problèmes avec les troupes d'occupation en Allemagne, les troupes soviétiques en particulier. Tu sais comment cela doit être là-bas en ce moment, avec des dénonciations de toute part, d'anciennes vindictes. Les Allemands ont toujours été portés sur la délation, c'est leur fond luthérien…

— Tu veux dire : des nazis ?

— Si tu veux, même si cela ne veut plus rien dire. Ils étaient tous nazis là-bas. Disons plutôt d'anciens nazis qui préfèrent laisser leur passé derrière eux et repartir à zéro, qui ont peut-être même honte de leur passé d'Allemands.

— Comme ce SS que Bello m'a envoyé, cet Arcadi ?

— Je ne sais pas, je ne les connais pas de toute façon. Mais je fais confiance à Bello et à ses relations au Vatican. Ce sont tous des gens recommandés par l'Église ; ils ne peuvent donc pas être des SS comme tu dis. Il ne faut pas épouser leur paranoïa, Alberti. Nous sommes des artistes, souviens-toi. La politique n'a jamais été notre fort. Disons que c'est des gens qui ont besoin d'aide, et nous sortirons les plus gagnants dans cette histoire. Toi le premier.

Alberti réfléchit, il hume son cigare, il vide d'une longue rasade son verre de cognac et le tend pour que Léon lui en verse encore. Au bout d'un long silence, il répond en yiddish et avec sa voix d'hercule :

— Liew Abramovitch Feldmann, es-tu certain de ne pas mentir à ton vieil ami Albrecht ? Moi aussi, j'ai changé de nom il y a longtemps, pour pouvoir survivre sans trahir mes origines. Mais il faudra rendre des comptes un jour, tu ne crois pas ? Les morts vont nous poser des questions, peut-être même avant qu'on soit morts. Qu'est-ce que je leur répondrai alors ? Dis, Liew Abramovitch. Est-ce que tu ne mens pas à ton ami pour gagner un peu d'argent ensanglanté ? Vatican, catholiques, tu sais ce que j'en pense. Si tu veux des garanties, cherche-les du côté des Soviétiques ; peut-être que tes garanties seront un peu plus crédibles. Alors ?

Léon n'a plus la même assurance que tout à l'heure. Il se verse un nouveau verre avant de répondre en français :

— Je ne sais pas, Alberti. Je ne sais pas. La guerre paraissait si lointaine vue de là-bas, presque comme une fable. Je ne l'ai pas vécue comme toi, et quand je suis parti d'ici on parlait plutôt des SA que des SS. C'est possible que toutes ces horreurs dont parlent les journaux aient un certain fond de vérité. Mais c'est fini. Et il faut que ce soit fini pour toi aussi si tu veux survivre. Bello a monté l'affaire, et il compte sur toi pour l'aider ; mais aussi pour t'en tirer. Une fois là-bas, je t'aiderai à recommencer à nouveau et tu verras que le passé retombera dans l'oubli. Nous sommes maintenant dans une sorte de no man's land, il s'agit de tirer parti de ce qu'on a et de survivre. Je te promets une chose, il n'y aura pas d'assassins dans le groupe ; Bello me le confirmera.

— Bello ? Pas d'assassins ? Bello ne traite pas avec des assassins, tu le sais bien. Il ne traite qu'avec ceux qui ordonnaient les assassinats. Bello est suisse et il s'est enrichi avec la guerre en faisant payer le prix fort pour aider les gens, comme il l'a fait avec toi. Comme il l'a fait avec moi lorsqu'il m'a changé mes papiers pour que je puisse prendre un autre nom et passer pour son cousin. Mais le plus souvent, sans doute, il a préféré rester comme légataire de ceux qui partaient pour ne plus revenir. Il est ton associé parce qu'il n'a pas eu de chance avec toi, c'est tout.

— C'est la seule garantie dont je dispose, Alberti. Bello ne t'a pas dénoncé même s'il pouvait le faire. Il a agi comme un vrai frère, tu ne peux pas le nier. Alors, fais confiance.

— Et combien seront-ils, ces pauvres réfugiés innocents ?

— Entre douze et seize, je ne sais pas au juste. Les gens en Argentine ont payé d'avance pour l'ensemble de l'opération. Cela dépendra de ceux que Bello réussira à faire passer en Italie. Seize tout au plus.

— Avec Arcadi et Oleg ?

— Arcadi, comme tu l'appelles, est en fait un jeune médecin de talent, fils de bonne famille ; son nom est Kurt Gross. S'il a été enrôlé dans leurs troupes, il faut blâmer uniquement son idéalisme. Il est d'ailleurs né en Argentine. Oui, avec lui ils seront seize.

— S'il est aussi innocent que tu le dis, et argentin de surcroît, pourquoi ne part-il pas par bateau de Marseille ou de Londres ?

— Les risques, Alberti. Voudrais-tu que ton fils coure encore des risques après la guerre ? La famille en Argentine tient à sa sécurité. Quant à cet autre dont tu parles, je n'en sais rien.

— Oleg, un Russe blanc avec passeport français.

— Je ne crois pas qu'il soit dans le groupe. S'il a un passeport français et s'il est russe blanc, cela veut dire qu'il peut aller où il voudra, sauf dans les troupes soviétiques, bien sûr. C'est peut-être un vrai artiste que Bello a trouvé. Les autres viendront à la dernière minute, au moment de s'embarquer uniquement, par mesure de sécurité.

— Seize ? C'est pour ça que tu veux peu d'artistes ? Pour mieux les loger ?

— Non, ça n'a rien à voir. Je t'ai dit trente tout au plus pour ne pas que tu t'encombres avec des artistes de moindre importance. On sauve le Circus Alberti et non pas des artistes individuels. Sinon, il faudrait l'arche de Noé. Aussi, pour que tu ne sois pas trop à l'étroit. Le cirque voyagera dans les soutes ; tu l'avais compris, je suppose. Les autres passagers occuperont les quelques cabines disponibles, pour éviter tout contact, toute indiscrétion. Eux aussi seront très à l'étroit. Si tu veux, tu iras aussi dans une cabine, avec une femme de préférence. Ou tu changeras de femme au fur et à mesure, finit-il avec le sourire et des yeux brillants.

Alberti se creuse la tête pour essayer de trouver les dangers cachés que peut receler pareille aventure. Il ne s'attendait évidemment pas à servir de cheval de Troie pour seize nazis en fuite, sans doute des hauts gradés ayant commis toutes sortes d'atrocités. Et cela alors que ce tribunal est sur le point de se réunir à Nuremberg. Le risque est grand, certes, mais l'enjeu paraît en valoir la peine. Échanger seize criminels contre tout un cirque, y compris des visas et des documents en règle… Où serait-il, le piège ? Peut-il faire confiance à ce Léon si américanisé qu'il n'a même plus de scrupules ? Qu'est-ce que Maroussia dirait de tout ça, et Makarius ? C'est alors que lui revient en mémoire le geste qu'a fait Gandalf, le geste de trancher la gorge. Pourquoi pas ? Cette pensée l'apaise et lui permet de voir le bon côté de l'affaire.

— Alors, Alberti, qu'est-ce que tu en dis ? demande Léon d'une voix tendre.

— Est-ce que j'ai ta parole que c'est pour sauver le cirque ?

— Bien sûr, mon ami, fais-moi confiance.

— Si j'émigre, c'est pour continuer à être Alberti, Herr Direktor de mon cirque, le père gardien de tous les artistes. Je suis comme un chef d'orchestre, comme toi autrefois. Mon instrument pour faire de l'art, c'est l'ensemble de mes artistes. Si un seul disparaît, mon orchestre n'est plus fiable.

— Tu ne le regretteras pas, Alberti.

Ils finissent de boire en silence, tous les deux plongés dans les souvenirs déjà pâlis de ceux qui sont partis et ne reviendront plus. Et ils se quittent ensuite, après avoir mis au point divers détails pratiques pour les semaines à venir. Léon ne sera pas du voyage ; après avoir tout réglé, y compris ses propres affaires bancaires à Zurich, il repartira aussitôt de Marseille, sur un paquebot de voyageurs, pour recevoir la troupe à Buenos Aires au plus tard au début de septembre.

Dans le taxi qui sillonne les ruelles sombres de Gênes vers la banlieue où se trouve le cirque, Alberti réfléchit toujours aux dangers que le voyage pourrait receler. Il n'en voit pas. L'argent dans sa poche, les complets de laine douce et les deux grosses boîtes de cigares brésiliens qu'il apporte pour ses artistes sont des poids réels qui font pencher la balance du côté de l'optimisme. Mais il y a encore ces fameux documents de voyage, tout comme il reste à pouvoir imaginer ce cargo quittant paisiblement le port avec ses artistes dans les soutes. Il préfère ne pas penser aux seize passagers déguisés en forains. Que dira Makarius ? Est-ce que Gandalf aura vraiment le courage de trancher la gorge à un certain Leandro je-ne-sais-pas-quoi si jamais cela tourne au vinaigre ? Alberti sourit alors à la pensée que non seulement Gandalf n'hésiterait pas à le faire, mais qu'il faudrait auparavant qu'il se batte avec Jeremiah, Makarius et Fuank pour savoir à qui reviendrait l'honneur de saigner le traître.

Arrivé au campement, le directeur rassure les forains qui l'attendent toujours malgré l'heure tardive. Tout va bien et on se prépare pour le voyage, tel est le mot d'ordre. Les quelques billets et les cigares distribués à chacun des membres de la troupe prouvent la bonne foi de Léon et scellent la bonne nouvelle. Ils se procureront dès demain la peinture pour rafraîchir les roulottes, et le chapiteau sera bientôt déployé. Alberti est tout sourire parce qu'il n'y a pas de temps à perdre.

Plus tard, dans sa petite chambre en compagnie de Maroussia, de Gandalf et de Fuank, plongés dans la fumée épaisse des cigares brésiliens qui brûlent la gorge et qui éveillent l'esprit, Alberti fait un rapport détaillé de sa rencontre. Il ne leur cache rien, ni même ses propres soupçons. Tout doit être discuté, y compris les mets qu'ils ont mangés, les détails de la chambre d'hôtel, l'expression du garçon d'étage lorsqu'il est entré avec le repas, celles du visage de Léon quand le directeur s'est adressé à lui en yiddish, ou encore la couleur exacte des complets de laine ayant servi de cadeaux ou de pots-de-vin pour le convaincre. Tout cela a une importance extrême aux yeux de Maroussia, car les augures se cachent souvent derrière des faits d'apparence anodine, et seule une investigation exhaustive peut révéler leur sens caché, leurs intentions secrètes. Tous quatre regrettent l'absence de Makarius, cet homme si expérimenté et si judicieux dans les situations confuses. L'intimité qu'il a avec la mort est une complicité trop précieuse, une sorte de sagesse indispensable en ce moment, puisque tout dans cette histoire pointe vers la mort dans ses multiples aspects : la mort individuelle de chacun en premier lieu, qui n'est pas à négliger car c'est elle qui blesse le plus cruellement. Mais aussi la perspective de la mort du cirque comme entité sociale, comme lieu magique où les forains pratiquent leurs charmes et qui métamorphose les vagabonds qu'ils sont en artistes. Ce n'est pas tout cependant ; ces passagers clandestins, ces notables nazis puent trop la charogne humaine, comme ils puent aussi cette odeur aigre et insidieuse qui émane des corps des victimes à la vue du bourreau, quelque chose comme de l'urine rance mêlée aux sueurs froides d'un malade fiévreux, et les suintements de plaies trop grattées. La même odeur de fosse commune que Maroussia a flairée quand Arcadi est arrivé au campement du cirque. Dommage vraiment que Makarius soit en voyage en ce moment; lui seul pourrait jeter un brin de lumière dans cette chambre enfumée où ils se trouvent.

Gandalf s'exprime le premier, une fois qu'Alberti a tout raconté et qu'il a répondu aux nombreuses questions:

— Ils ont besoin du cirque; ce sera impossible d'en trouver un autre tout prêt à la dernière minute. Alors, nous ne courons pas tant de risques que ça. Il suffit d'accepter toutes leurs conditions et de faire à notre tête au dernier moment. Est-ce que nous tenons tant à cette Argentine, au point de vendre notre âme? Tu lui diras que nous serons trente, mais qu'il doit préparer les documents pour une cinquantaine de personnes, puisque tu ne sais pas au juste quels sont ceux qui embarqueront au dernier moment. Comme si tu avais besoin d'une certaine marge de manœuvre pour mieux choisir les artistes les plus fiables, ceux qui t'emmerdent le moins. Montre-toi veule, Alberti, comme si nous étions tous des vagabonds anxieux d'émigrer. Avec l'argent, nous remettrons en marche tout ce qui est possible et, au dernier moment, ce sera à toi de choisir qui fait partie de ton cirque. Ils devront se plier à ta décision. Sinon, mieux vaut ne pas embarquer.

— Je suis d'accord, ajoute Maroussia. Nous gagnerons du temps en attendant le retour de Makarius et de Cotshi. Mais il faudra avoir une conversation sérieuse avec Oleg; il reste trop mystérieux. Ne dévoile rien de nos intentions.

— Moi aussi, je suis d'avis qu'il faut jouer leur jeu en attendant, ajoute Fuank. Je me fiche de ces nazis; ils ne sont pas différents à mes yeux des Américains, des Soviétiques ou des Français. Ce sont des militaires, donc des brutes. Si on peut s'en servir, tant mieux. Je ne les crains pas dans le bateau non plus. Une fois en haute mer, ils vont bien se comporter. Nous sommes capables de nous défendre et ils ne peuvent pas liquider tout le cirque pour effacer leurs traces. Si chacun se tient de son côté, le voyage se passera bien. Mais il y a un point qui m'inquiète, Alberti: cette escale à Málaga. Tu as des réfugiés espagnols dans ton cirque, et cela risque de créer des problèmes. Je ne tiens pas à atterrir dans une geôle du caudillo, et nous ne pourrons pas nous défendre si jamais il y a une inspection de police. Les nazis, au contraire, seront accueillis comme des héros là-bas.

— Qu'est-ce que tu proposes ? demande Alberti.

— Tu demanderas qu'on inscrive les Espagnols comme étant des Italiens. S'il peut trouver des documents, il peut aussi les remplir n'importe comment. Et même ces fameux documents, nous sommes libres de les accepter ou pas tant que le bateau n'a pas quitté la rade de Gênes. Peut-être que tout va bien se passer, puisque nous savons maintenant qu'ils risquent plus que nous. L'unique danger sera de se retrouver seuls en Argentine, si jamais Léon disparaît dès que ses nazis seront en sécurité. Mais nous sommes un cirque, n'est-ce pas ? Nous allons nous débrouiller.

— Il faudra malgré tout se procurer trois ou quatre pistolets militaires, ajoute Gandalf. Ce ne sera pas difficile de les introduire à bord, cachés dans les roulottes. Uniquement au cas où la guerre ne serait pas tout à fait terminée...

— Dis, Alberti, demande Maroussia, qu'est-ce que tu ressens face à toutes ces nouvelles ?

— Je ne sais pas au juste, ma chère. Il faut attendre d'autres développements. Je cherche partout pour trouver l'arnaque et je ne trouve rien. Mais je continue à me méfier. Je ne me méfie pas des nazis, non. S'ils sont seulement seize, même avec l'aide de l'équipage ils ne seront pas de taille à nous menacer. Et pourquoi nous menaceraient-ils donc ? Ce sont eux, les fuyards. Je me méfie de Léon. Un artiste qui se change en homme d'affaires est capable de vendre le cul de sa propre mère au démon. C'est d'ailleurs ce qu'il est en train de faire en ce moment, sous prétexte d'aider le cirque. Alors, j'ai peur ; non pas pour le cirque mais pour mon âme. Et vous feriez mieux d'avoir peur aussi, tout au moins d'être sur vos gardes. Mais je crois que nous pouvons jouer leur jeu en attendant Makarius, et aussi les fameux documents. Cela dit, nous gardons toute cette histoire pour nous uniquement, et nous faisons semblant d'avoir gagné le gros lot.

6

Tous les forains se mettent à l'ouvrage pour repeindre les roulottes, et le campement est pratiquement transformé en chantier. Ce n'est pas un travail difficile, loin de là, mais il exige un minimum d'organisation pour éviter que tout ne sorte trop bariolé. Après avoir gratté la peinture écaillée, il faut étaler des couches de pâte pour égaliser les surfaces, du mastic pour boucher les fissures les plus apparentes de ce bois exposé depuis des années aux éléments. Pendant ce temps, les nains essaient tant bien que mal de goudronner les toitures, sans toucher aux cheminées trop rouillées pour qu'elles ne se cassent pas. Si la peinture et le goudron sont faciles à obtenir, il n'y a pas un ferblantier en ville capable de fournir des tuyaux pour réparer les poêles à bois. Heureusement la saison est déjà avancée et les nuits ne sont plus très froides ; cela fait du bien de pouvoir dormir sans les fumées âcres qui se dégagent des planches pourries récupérées dans la vieille usine en ruine.

Les forains peignent tout ce qui peut être peint, les roulottes, les escaliers, les socles, les batoudes, tous les poteaux, la voiture-cage des ours et les voiturettes où Pitagore et Anise gardent leurs chiens. La cantine roulante sera aussi rafraîchie, mais elle exige auparavant un énorme travail pour enlever l'épaisse couche de graisse qui dégouline du toit et des fenêtres. Il ne sera pas aisé de la peindre, puisque son bois est à tel point imprégné de suif qu'il devient mou par endroits. Ils se demandent s'il ne serait pas mieux de la goudronner entièrement, au risque de la faire ressembler à un corbillard. Pour l'instant, ils continuent à gratter, et la graisse brune qu'ils récupèrent ainsi sert à huiler les essieux et les pièces mobiles des équipements.

Les cuisinières interdisent expressément l'entrée de la cantine à quiconque risquerait de contaminer la nourriture avec de la graisse rance. Elles s'efforcent par ailleurs de continuer à fournir les repas aux heures fixes, surtout que cette activité de peinture donne une soif de café et une faim intenses à tous les travailleurs.

Larsen et Larissa, occupés avec les chevaux, ne participent pas à la corvée générale. Mais tous les autres ont abandonné leur propre entraînement pour que le cirque gagne une apparence de réalité. Pendant que les couches d'apprêt sèchent, ils commencent déjà à creuser aux quatre angles d'un vaste carré pour planter les poteaux qui soutiennent la toile du chapiteau. Les forains ont décidé de ne pas examiner la toile, ni même de la déplier tout de suite, de peur que son apparence moisie ne les décourage dans leur travail de maquillage des roulottes. Une fois tout bien colorié autour, il ne restera qu'à huiler ou peindre le chapiteau.

Alberti et Fuank ont choisi le vert comme couleur de base pour une raison bien pratique. Avec la fin de la guerre, il reste des stocks importants de peinture militaire vert olive un peu grise, dont les marchands acceptent de se débarrasser pour presque rien. Mélangé à beaucoup de céruse, à de l'ocre et à ce qu'ils ont pu acquérir de jaune, le vert militaire prend une teinte pastel plus acceptable, même si elle tire un peu sur le caca de poule. Les rebords et les cadres, les fenêtres, les portes et les escaliers sont en oxyde de fer, d'un rouge sang assez vif contrastant joyeusement avec les fonds. Quand les images et les lettres seront enfin redessinées et repeintes sur les côtés de chaque caravane, on ne se souviendra plus du vert olive à l'origine de tant de prépotence et de souffrances. Les touches finales exigeront beaucoup de patience et de doigté, car les couleurs brillantes sont en très petites quantités ; et peu de forains sont assez habiles avec les pinceaux de soie pour tenter de faire revivre les images presque effacées de clowns, de fauves, d'éléphants et de belles acrobates en maillots à paillettes. Ces images-là sont essentielles, puisqu'elles feront rêver les spectateurs, en les préparant à oublier la pauvreté du cirque réel sous le chapiteau.

Les gens travaillent dans la joie, et c'est presque comme s'ils peignaient à neuf le bateau même qui les emmènera en voyage. Ils ont compris que l'apparence du cirque comptera davantage que leurs propres numéros pour obtenir la permission de partir. Alberti n'a pas révélé tout ce qu'il sait, mais il en a dit suffisamment pour qu'ils se mettent à l'ouvrage avec entrain. Finalement, chacun d'eux est habitué à l'art du maquillage, et le blanc de céruse est souvent leur dernier compagnon à la fin de chaque journée de spectacles.

— Il faut que les gens croient que nous sommes un cirque très important, leur a dit Alberti le lendemain de sa rencontre avec Léon. Ils ne viendront pas fouiller dans nos chambres ni dans nos culottes pour vérifier notre valeur. Ils ne connaissent rien au cirque. Donc, jouez la comédie des artistes le mieux que vous pouvez, pavanez-vous comme des gitans riches et comme des prima donna si jamais ils viennent regarder de près. Faites des cabrioles, riez, jouez de la musique, soyez pourris d'orgueil; et que les femmes se montrent provocantes et méprisantes à la fois. S'ils viennent ici, faites en sorte qu'ils repartent frissonnants devant tant de mépris face à leur vie bourgeoise. Tout ce qu'ils croient savoir sur l'art, c'est que les artistes sont des névrosés magnifiques et épeurants. Ils croiront alors que nous sommes tous des artistes importants, et ne se méfieront pas de nos habits peu présentables. Si les roulottes sont plus belles, si le chapiteau est levé, je crois que tout se passera bien. Mais n'oubliez pas d'épater les bourgeois si vous en avez l'occasion; cela marche mieux qu'un spectacle réussi parce que vous toucherez alors leurs frustrations d'adulte et pas seulement leur âme d'enfant. Gardez cela en tête: on donne maintenant le spectacle d'un cirque et non pas un spectacle de cirque.

— Des paroles pleines de sagesse, lui a dit Oleg, alors que tous deux s'éloignaient du groupe pour discuter en toute discrétion.

— J'ai appris cela d'un ami peintre, a répliqué Alberti, dans les années vingt, quand j'avais encore mes illusions sur ceux qui se disent amateurs d'art. C'était un peintre sérieux, un homme passionné de son art et qui devait se cacher depuis 33 pour ne pas être arrêté. C'est lui qui m'a fait comprendre la place réservée aux artistes dans la société. Je me souviendrai toujours de ses paroles. « Tu seras étonné mon ami, m'a-t-il dit, de savoir que les acheteurs d'un tableau passent beaucoup plus de temps à choisir le cadre chez l'encadreur qu'à choisir le tableau chez le peintre ; ils ne marchandent jamais chez l'encadreur comme ils le font chez le peintre, et ils acceptent souvent de payer davantage pour le cadre que pour la peinture. »

— C'est étonnant, a répondu Oleg. Et pourquoi ?

— Pour le simple motif qu'ils respectent plus le travail de l'encadreur que celui du peintre. Ils savent que l'encadreur est un bourgeois comme eux, sérieux et préoccupé des convenances de la décoration intérieure. Mais ils voient l'artiste comme un pauvre type ; un illuminé peut-être, mais un pauvre type qui ne mérite que des aumônes pour ce qu'il fait. Ensuite, une fois encadré, le tableau acquiert une vie propre dépouillée de la crasse de l'atelier du peintre, et il devient alors un objet d'art. C'est donc l'encadreur et non pas le peintre qui fait l'œuvre comme telle... Tout comme c'est le critique, incapable de jouer du piano ni de répéter un passage, et ayant peur du vide, qui se vante de pouvoir mieux juger un spectacle que les pauvres artistes sur scène. Le public respecte l'opinion du critique, puisqu'il a peur de ses propres jugements, de ses propres émotions. Le public craint de s'émouvoir ou de se divertir avec des choses qui ne mériteraient pas de déclencher des émotions ou des rires. C'est donc la même chose pour un cirque, mon cher Oleg : il faut des apparences et le public croira que c'est un spectacle. Tu dois le savoir avec tes ours, n'est-ce pas ?

Leur conversation a duré peu de temps, et Alberti n'a pas eu besoin d'entrer dans tous les détails. Oleg a compris, ou Bello l'a mis au courant, et il se fiche qu'il y ait ou non des nazis dans le bateau. Tant que ce ne sont pas des Soviétiques, le Russe est prêt à tout accepter pour pouvoir partir avec le cirque. Mais il n'a pas dit pourquoi lui-même veut tant partir, surtout qu'il a candidement avoué avoir tout ce qu'il faut pour continuer à vivre tranquillement en France.

— Je veux voir du pays, a été sa seule explication.

Et pour compliquer davantage l'énigme, il a ajouté en souriant :

— Tu sais, Alberti, je viens d'une famille de la noblesse déchue de Russie. Je n'ai rien à perdre et j'adore la vie libre d'un cirque. À Paris, j'avais mon travail au Cirque d'Hiver, mais je retournais chaque soir à la maison comme un pauvre Français. Avec toi, au contraire, je m'amuse beaucoup ; ça me rajeunit de ne plus fréquenter les cercles d'exilés parisiens, avec leurs samovars, leurs vieux tapis et leurs femmes maniérées. Je crois que j'ai toujours eu une âme de vagabond. As-tu déjà lu *Bas-Fonds* de Maxime Gorki ? Non ? Lis-la, c'est une pièce de théâtre. Si Gorki était parti avec un cirque au lieu de faire des courbettes à Staline, il serait devenu aussi grand que Dostoïevski. Voilà. Moi, je pars avec ton cirque, comme l'a fait Pinocchio... C'est une raison comme une autre, non ? Ne t'en fais pas ; si ces nazis nous causent des soucis, on pourra se divertir comme si on était en croisière. À propos d'une autre affaire, si tu me permets de changer de sujet : est-ce que Martha, la cuisinière, je veux dire : est-ce qu'elle va aussi partir avec la troupe ?

— Martha ? Je ne sais pas, a rétorqué Alberti, surpris. Pourquoi ?

— Si tu l'emmènes, je pars plus content. Si elle doit rester, ce serait dommage de la laisser toute seule ici. Tu vois ? On aura toujours besoin de ses services là-bas.

— Tu veux dire que tu auras besoin des services de Martha, a répliqué Alberti avec un sourire amusé.

— Non, tu te trompes, a répondu Oleg avec sa voix profonde de basse malgré son expression presque enfantine et ses yeux rêveurs. Je n'ai jamais eu besoin des services de personne ; jusqu'à présent, en tout cas. C'est simplement que l'idée de mariage commence à me paraître intéressante. C'était l'erreur de Pinocchio, d'avoir laissé derrière lui la fée quand il est parti avec le cirque. Moi, je veux emmener la fée avec moi, pour faire durer le voyage.

— Et que dit la fée ? a demandé Alberti, soudainement ému en pensant à la pauvre Martha, si triste et courageuse à la fois.

— Elle ne sait pas encore qu'elle peut être une fée... J'aime l'idée de longues fiançailles. Ça aussi, ça fera d'elle une fée. Je te l'ai dit, l'histoire de Pinocchio me plaît beaucoup. Lis Gorki si tu en as l'occasion. Pas tout, les bons morceaux seulement. Tu comprendras alors mieux mes lubies. Nous nous marierons peut-être en Argentine, comme dans les belles fictions. Pourquoi pas ? Si ton cirque a la chance d'aller en Amérique, tout devient possible, même de longues fiançailles entre un dompteur d'ours et une cuisinière. Je commence à cultiver mon imagination depuis que j'ai décidé de partir vagabonder sur la route. Autrefois, j'étais plutôt nostalgique sans savoir au juste de quoi. Voilà.

Depuis cette conversation, le comique et le sérieux de l'histoire d'Oleg ne cessent d'émerveiller Alberti. Que le Russe se compare à Pinocchio lui paraît d'un excellent augure, et il se promet de discuter de cela avec Maroussia ce soir même, pendant qu'elle lira son sort. « On est bien le 15 de mars, pense-t-il ; c'est donc l'occasion de connaître enfin le sens caché de toutes ces nouveautés. » Il n'a pas consulté la voyante depuis la nuit de leur rencontre, comme si lui-même, Maroussia, Gandalf et Fuank s'étaient donné le mot pour se taire, histoire de ne pas casser le charme de la visite de Léon.

Tout en pensant à ce formidable Pinocchio et aux mensonges qu'il ne veut pas révéler, Alberti se souvient que Léon l'a invité à se servir de sa chambre d'hôtel pendant qu'il serait en Suisse. Il a même averti le gérant que le directeur viendrait parfois s'occuper de travaux de secrétariat dans sa suite, et qu'il faudrait alors lui laisser libre accès. En homme du monde, et plein aux as, Léon a jugé plus pratique de ne pas libérer la chambre, puisqu'il comptait revenir bientôt, et il y a laissé une partie de ses bagages. Donc, peut-être motivé par le même esprit adolescent qu'Oleg, Herr Direktor pense qu'il serait très agréable de se prélasser dans l'énorme baignoire en marbre en compagnie de Maroussia. C'est un plaisir qu'il ne s'est plus offert depuis au moins une décennie, même si autrefois reposer son dos couché dans l'eau très chaude était une de ses habitudes nocturnes les plus chères. Léon ne se fâchera pas s'il fait aussi venir une bonne bouteille pour faciliter les présages les plus exigeants, songe Alberti.

Il a fallu ensuite insister beaucoup pour que Maroussia accepte une proposition si inusitée ; elle craignait aussi que ce privilège ne constitue une sorte de trahison envers les autres membres de la troupe, tant cette soirée promettait d'être somptueuse. En fait, la femme en elle avait peur d'entrer dans des lieux si chic. Autrefois, elle n'aurait pas hésité à le faire, et maintes fois elle avait été reçue comme une reine à Hambourg ou à Berlin par des hommes très amoureux et influents. Mais la vie a suivi son cours et maintenant elle a peur. Alberti a dû lui promettre qu'ils resteraient très discrets, enfermés dans la chambre, et qu'ils partiraient de très bonne heure le matin pour ne pas se faire remarquer par qui que ce soit. Il a tout promis à regret, car il aurait bien voulu prendre au moins un petit-déjeuner dans cette fameuse salle à manger où sa redingote avait été refusée.

Et les voilà qui partent en fin d'après-midi, après avoir menti en disant qu'ils ont rendez-vous en ville avec un émissaire de Léon. Alberti porte fièrement un costume en laine argentine, trop serré pour sa stature imposante mais de bonne longueur, avec une chemise blanche et une lavallière coquettement dénouée. Les bottes sont les mêmes que d'habitude parce que ce sont les seules chaussures qu'il possède ; mais elles ont été lustrées avec du charbon de poêle et, cachées sous le pantalon, on dirait des souliers. Maroussia est enveloppée dans un très vaste châle qui protège presque entièrement sa robe des regards indiscrets, et ses cheveux sont noués en chignon avec un ruban de satin brillant. Ses gros souliers à semelles épaisses fuient sous la robe longue sans trahir leur véritable nature. Le directeur et la voyante ont ainsi l'air d'un beau couple respectable, d'un de ces couples où le veuf riche aura choisi une jeune femme, tout en exigeant que cette dernière s'habille avec les vêtements de la défunte.

Ils font à pied le long chemin jusqu'en ville, silencieux, chacun se laissant bercer par des souvenirs si anciens qu'ils pourraient aussi bien n'être que des illusions. Ils pensent à Buenos Aires en se laissant guider par des souvenirs allemands. C'est que même pour tenter d'imaginer quelque chose il faut un minimum de connaissances ; et si cette ville-là est aussi belle qu'on le dit, elle doit alors ressembler à Berlin vers la fin des années vingt, avant la peste brune.

Une fois à l'hôtel, Maroussia doit subir le regard mi-étonné mi-méprisant des larbins pendant qu'Alberti parlemente avec le gérant de service. Il faut du temps pour retrouver le bon gérant, celui qui est au courant des consignes de *signore* Felmont, et c'est un temps de supplices pour la voyante, car elle sait bien ce que pensent d'elle tous ces gens chiquement habillés qui vont et viennent dans le hall illuminé. Le physique, la prestance et l'accent étranger d'Alberti finissent par prévaloir, et ils obtiennent la clé. L'ordre de faire monter deux bouteilles de champagne est enregistré par toutes les personnes présentes avec des mines sérieuses, presque consternées devant un événement si peu habituel. Maroussia sent dans son dos le sourire grivois de ceux qui se prélassent dans les fauteuils du hall. Elle croit déjà que c'était une erreur de vouloir jouer les grands de ce monde.

— On n'aurait pas dû venir ici, Alberti, lui dit-elle après le départ du garçon d'étage, quand la porte est déjà bien fermée à clé. Je ne me sens pas bien.

— Moi non plus, ma chère, réplique le directeur avec un long soupir. Mais au moins nous sommes là incognito, et personne ne viendra nous déranger. Je n'en peux plus dans cette veste serrée, Mara ; aide-moi à m'en débarrasser. Mets-toi à l'aise et viens voir ensuite l'épaisseur de ce matelas. De quoi rembourrer toutes les couches de la troupe. Vise ces rideaux... Tu t'imagines les redingotes et les capes qu'on pourrait tailler là-dedans, si jamais on les volait ? Du vrai brocart d'avant la guerre, Mara. Ce sont des snobs, ces gens, mais ils savent vivre. Allez, ma chère, mettons-nous à l'aise ; finies les craintes puisque nous sommes les associés de Leandro Felmont, juif renégat et capitaliste sud-américain. As-tu vu comment ils n'ont pas rué lorsque j'ai commandé le champagne ? Ils sont habitués aux ordres. On commande d'un ton mondain et ils obéissent. Tout à l'heure je commanderai un repas complet ; Léon me doit bien ça, ou alors il ne pourra rien dire. *Vitello alla parmiggiana* pour moi, comme l'autre fois. Et pour toi ?

Maroussia n'est pas aussi rassurée et préfère inspecter la suite dans les moindres recoins, ouvrant chaque armoire et chaque tiroir à la recherche de dangers cachés. Elle ne trouve rien cependant. Les valises de Léon sont toutes fermées à clé et la chambre est par ailleurs prête à recevoir les clients. La salle de bains est abondamment fournie en serviettes éponge de toutes les tailles, en savons et en sels de bain colorés. Son image reflétée par les nombreux miroirs ne la rassure pas du tout, et elle pense aussitôt que les chandeliers de l'antichambre seront plus propices pour illuminer la baignade dans la baignoire en marbre. Toutes ces lumières et ces reflets blessent son corps de femme en lui rappelant la jeune fille svelte aux chairs fermes disparue à jamais. Alberti, au contraire, se fiche de son propre corps tel qu'il est, et il trouve que Maroussia est très appétissante telle qu'elle est. Mais il faudra accepter les chandelles parce que la voyante ne se dénudera pas devant cette impudeur de miroirs étincelants.

Ils font couler l'eau chaude, et la salle de bains est envahie au fur et à mesure par une épaisse buée.

— Des sels de bain, Mara, insiste Alberti en vidant un pot entier dans l'eau. Cela fait détendre les muscles, et le champagne sera encore plus délicieux.

— Pas autant, Alberti, on va sentir la pute en sortant d'ici. Qu'est-ce que les gens vont dire demain matin, en nous voyant arriver puants de la sorte ? On va croire que nous avons passé la nuit au bordel. Arrête…

Mais Alberti trouve que la baignoire est trop grande, et il insiste pour y verser encore du sel d'autres couleurs et quelques boules de savon transparent.

— La crasse, Mara, la crasse. Ça va nous délivrer de la crasse de la guerre, ma chérie. Tout à l'heure, ta chatte va avoir un goût de *gelato tutti-frutti* ; mais ce n'est pas grave puisque la crasse va partir. Nous remplirons ensuite la baignoire de nouveau pour nous laver avec des savons moins parfumés. La crasse, Mara, on commence à s'en sortir. Bientôt, ce seront tous nos camarades qui vont se baigner ainsi, pour se décrasser à leur tour. Allez, viens, on donne l'exemple. J'apporte le champagne pendant que tu te mets dans l'eau. Il y a bien de la place pour nous deux là-dedans.

À la lumière des bougies, Maroussia se déshabille enfin rapidement. Mais l'envie de pisser est trop grande ; elle s'assoit sur le siège, la tête baissée pour ne pas voir sa propre silhouette reproduite des dizaines de fois. C'est alors qu'elle se met à pleurer sans savoir pourquoi, pendant que son urine s'écoule doucement dans une sorte de plaisir exquis, immensément reposant.

Alberti la croit d'abord malade, assise là à pleurer. Mais elle le rassure :

— Ce n'est rien, Alberti, ce n'est rien. C'est parce que c'est trop bon de pisser assise. Je pourrais m'endormir ici, tellement que c'est bon. Attends, pose les bouteilles là et viens pisser à ton tour. Mais assis, Alberti, comme moi. Allez ! Déshabille-toi et viens pisser assis, comme une vraie femme. Tu sauras alors pourquoi je pleure.

Alberti rit mais il sait de quoi elle parle. Les latrines du cirque ne sont pas plus confortables que celles d'un camp de concentration, comme le lui a déjà signalé Makarius. Mais le directeur l'avait oublié. À la vue des larmes de plaisir sur les joues de Maroussia, il se souvient aussi combien cette femme est précieuse. Elle a par ailleurs complètement oublié son image dans les miroirs, tant le plaisir de pisser assise était envoûtant, et elle marche maintenant de son pas de féline pour entrer dans la baignoire, frissonnant comme si elle avait de la fièvre.

Son corps immergé dans l'eau chaude, elle gémit dans une sorte d'orgasme et, les yeux fermés, le monde entier autour d'elle disparaît. Elle entend au loin le bruit musical de l'urine d'Alberti sur la faïence de la cuvette, suivi de sa voix d'homme qui chantonne une berceuse ancienne. L'énorme masse de son corps d'hercule trouve place dans la vaste baignoire, mais fait déborder une bonne quantité d'eau. Il gémit à son tour, il ferme les yeux et ne pense à rien. La crasse…

Les heures passent paisiblement. Il leur faut seulement se verser encore à boire et rouvrir le robinet d'eau chaude pour toujours garder la chaleur bienfaisante. Ou ils se savonnent en se frottant à l'aide d'éponges, ils se rincent, ils laissent couler l'eau et recommencent avec de nouveaux sels de bain colorés et d'autres verres de champagne. La crasse... Par moments, ils ont un brin de désir, la verge de l'homme faisant semblant de se réveiller lorsqu'il est temps de bien savonner le sexe de la femme, ses fesses, ou quand il tente de garder des bouts de mousse sur la crête des mamelons pendant qu'elle tient ses seins comme des îles. Elle aussi ressent un soupçon d'envie en savonnant le ventre d'Alberti, en frottant bien fort son anus et ses testicules, tout en commentant la crasse. Mais l'eau chaude est davantage orgasme et pénétration pour ces deux corps fatigués, plus enveloppante que des bras et des cuisses. Le champagne frappé descendant vers le ventre provoque des frissons plus exquis que des caresses, plus apaisants.

— En Argentine..., balbutie Alberti comme s'il parlait tout seul. Là-bas, mon cirque aura une salle de bains énorme, comme celles qui existent en Hongrie et en Russie, avec des bains de vapeur et des bassins thermaux. J'aurai des masseurs turcs et des saunas finlandais. Toute la troupe viendra s'y prélasser après les spectacles, pour reposer les muscles endoloris. Les artistes ont besoin de ça pour continuer à travailler. Ce sera très chaud, très bon, et je saurai que j'ai été un bon père quand j'entendrai tous mes artistes gémir de plaisir en plongeant dans l'eau chaude. Tout le monde, les cuisinières, les hommes à tout faire aussi. En Argentine ou en Amérique du Nord... Ça doit pouvoir se faire, de monter à New York depuis Buenos Aires. Il n'y a pas de frontières là-bas, ni d'océan à traverser. Tu verras, Mara chérie, on construira un cirque avec des salles de bains. Non pas en bois, non ; en dur, avec des bains thermaux. Ce sont les meilleurs, les bains thermaux. Et beaucoup de sels odorants pour panser les gerçures, les ecchymoses, les écorchures et le mal de vivre... Du champagne aussi, et les vins qu'ils boivent là-bas. Les artistes méritent ça, tu n'es pas d'accord ?

— Oui, Alberti, beaucoup de champagne. Et des toilettes assises pour tout le monde, des bidets confortables et de ces douches qu'on peut déplacer à volonté pour s'asperger le cul.

— Oui, plein de ces douches spéciales, aussi de celles qui frappent fort pour masser les muscles, comme il y en avait dans le Palais des sports à Berlin. Chaudes et froides, en alternance.

— Des bidets, Alberti, n'oublie pas les bidets. De ceux où l'eau monte en jet juste là où une femme aime être caressée. J'en ai vu une fois en Suisse et je m'en souviendrai toujours. Sur un bidet comme ça, aucune femme ne se plaint plus que son homme est malhabile. C'est mieux qu'une langue…

— Oui, Mara, des bidets-langues comme tu dis. Ça doit être bon même pour les hommes, ce fameux jet qui sait lécher. Tu l'auras, ma chère, ton bidet-langue. On aura même des doubles, pour couples, et on s'assoira bien sages comme quand on était enfants et qu'on nous emmenait en poney. Des bidets-langues… Quelle idée ! Fallait seulement y penser. Pourquoi pas des bidets-bites, tant qu'à y être ? Faudrait inventer ça, des bidets-bites. Tu vois le succès ?

— Ne te moque pas, Alberti. C'est bon, des bidets. Nous, les femmes, on a besoin de certaines choses, de petits conforts de rien parce que la nature nous a faites comme nous sommes. Il ne suffit pas d'avoir des trous par terre. Il faut des sièges pour que ce soit confortable, et on aime se laver. C'est comme pour faire l'amour, Alberti. Le hommes se contentent souvent de n'importe quel trou. C'est vrai… Nous, non. Les femmes ont besoin de confort et de temps pour rêver, de se sentir en sécurité, de savoir qu'on ne rit pas de nos corps qui prennent des plis.

— Tu auras tout ça, Mara. En Argentine nous aurons des choses qui rendent la vie plus douce. Mes artistes vont avoir ces récompenses pour reposer leur corps meurtri. Tu verras, Mara ; là-bas, ce n'est pas comme ici. Les artistes sont respectés, et les cirques ont trois pistes simultanées. Moi aussi, j'aurai trois pistes.

— C'est trop bon d'être ici dans l'eau chaude, dit Maroussia avec une pointe de crainte dans la voix. Ce n'est peut-être pas pour des gens comme nous. Je veux bien que tu rêves de l'Argentine, mais nous sommes encore en Italie. Ça va nous porter malheur d'être ici, d'avoir du plaisir sans les autres, tu ne trouves pas ?

— Non, ma chère, nous ne volons rien à personne. Et ce serait impossible que tous les autres viennent ici. Tu t'imagines la tête des employés de l'hôtel s'ils voyaient arriver Gandalf, Oleg, Fuank... Ils appelleraient la police.

— Je ne sais pas. Viens, on se sèche vite et on se met sous les couvertures.

— Nous finirons le champagne au lit et je ferai venir le souper. Qu'est-ce que tu veux manger ?

— La même chose que toi.

Ils s'épongent et frottent leur peau rougie, devenue tendre par la longue immersion, et courent ensuite se mettre au chaud dans le lit. Ils boivent encore, plongés dans les rêves, et ne se rendent pas compte du sommeil qui vient. Fini, le souper, l'amour qu'ils comptaient faire et même les cartes pour connaître les intentions de la fatalité. Quand ils rouvrent les yeux, c'est à cause de la lumière du matin qui filtre par les persiennes.

« La crasse était plus importante », pense Alberti un peu surpris, se rhabillant à la hâte pendant que Maroussia tente de mettre un semblant d'ordre dans sa chevelure qui a séché pendant le sommeil.

— Cela va nous apporter du malheur, Alberti, dit-elle depuis la salle de bains, sans trop savoir si elle se réfère au plaisir de l'eau chaude ou à l'épais cerne de saleté et de graisse qui s'est déposé sur les parois de la baignoire.

— C'était la crasse de la guerre, répond Alberti en regardant la baignoire vide. Ne t'en fais pas, Mara, ce n'était que de la crasse. Nos corps et nos âmes sont restés purs malgré tout. Et ça, dit-il en pointant la saleté, c'est le meilleur augure de la journée. Avant d'embarquer, je vais envoyer tout le monde qui le veut à un hôtel ou à une maison de bains en ville. Pour qu'ils se débarrassent aussi de leur crasse. Nous serons tous comme des nouveau-nés en montant sur le navire. C'est cette saleté-là qui porte malheur. Je me sens très léger, pas toi ?

❑

Durant cette nuit qui vient de passer, alors que Herr Direktor et la voyante rêvaient, plongés dans l'eau chaude, deux autres personnes tout aussi dépareillées rêvaient elles aussi, blotties l'une contre l'autre dans le lit étroit de la chambre minuscule d'un clown. C'étaient Durin et Lioubov l'idiote. Grâce aux leçons de Maroussia, la fille est devenue moins maladroite avec son corps et elle ne laisse plus entendre à tout bout de champ des rires nerveux comme avant. Elle demande maintenant des caresses et sait en donner à son tour. Ils avaient déjà passé des nuits ensemble, mais cette fois Durin a eu la nette impression que Lioubov n'est pas aussi idiote qu'elle en a l'air. Auparavant, elle se contentait d'ouvrir ses cuisses bien rondes, attendant patiemment qu'il lui caresse les seins, qu'il embrasse ses lèvres et qu'il la pénètre enfin avant de réagir. Ensuite, elle gémissait d'une façon mélodieuse, tout comme si elle murmurait une chanson. Hier soir, au contraire, à la grande surprise du clown, elle l'a embrassé la première, doucement et en lui mordillant les lèvres, et elle a frotté ses seins contre sa poitrine. Durin a même cru percevoir une expression espiègle sur le visage de la fille pendant qu'elle jouait avec sa verge. Envahi par le désir, il l'a pénétrée en jouissant presque aussitôt. Mais les mains de Lioubov ont alors retenu les fesses de l'homme pour qu'il ne se retire pas, pour qu'il reste dans son sexe pendant qu'elle continuait à l'embrasser.

— Est-ce que tu m'aimes ? a-t-elle demandé d'une voix presque éteinte, de peur d'être entendue à travers les minces parois de la chambre.

Ça aussi, c'était nouveau. Lioubov ne parlait presque pas, ou elle se contentait de nommer des choses extérieures, comme le feu, un chien, un cheval, la pluie, réservant ses longues phrases uniquement pour les chansons. « Est-ce que tu m'aimes ? » est une question, et Lioubov n'avait jamais posé de question.

— Oui, ma chatte, je t'aime, a-t-il répondu après un instant de surprise. Et toi, est-ce que tu aimes Durin ?

— J'aime quand on joue ensemble, a-t-elle dit. Ça chatouille…

Ils ont alors continué à se caresser, l'un dans l'autre, et se sont aimés encore, passionnément, car Lioubov retenait et tourmentait l'homme avec son sexe. Durin avait l'impression que le corps de cette fille se réveillait d'un long sommeil, assoiffé d'amour, mais que son esprit était resté un peu ailleurs. Ensuite, alors qu'ils étaient couchés l'un contre l'autre, elle l'a étonné de nouveau avec une deuxième question :

— C'est comment, l'Argentine ?

— Je ne sais pas très bien, ma chatte. Je n'y suis jamais allé. On dit que c'est beau, que c'est plein de forêts ; et qu'il y a là-bas un fleuve très brillant et si blanc qu'on l'appelle le « fleuve d'argent ». Le pays s'appelle l'Argentine à cause de ce fleuve, ou bien parce qu'il y a beaucoup de mines d'argent dans les montagnes. Peut-être les deux... Larsen dit que c'est un pays de chevaux, où il y a même des chevaux sauvages qui n'appartiennent à personne. Il suffit de les attraper et de les dompter, et ils sont à toi.

— Qu'est-ce qu'ils mangent là-bas ?

— Ils mangent de bonnes choses, sans doute ; beaucoup de viande, des gâteaux aussi... Je crois que le chocolat vient de l'Argentine ou tout près de là. Tu vois ? Du chocolat aussi.

— Est-ce qu'il y a des Indiens en Argentine ?

— Peut-être, s'il y a des chevaux sauvages... Mais ils ne doivent pas être des Indiens méchants. Larsen dit qu'on peut avoir une ferme avec des terres à perte de vue, et que cela ne coûte pour ainsi dire rien du tout. C'est comme les chevaux. Des fermes de moutons aussi.

— Et ils n'ont pas de cirque là-bas ?

— Non, il ne semble pas y en avoir. Ils vont être contents de nous voir arriver, surtout de nous voir tous les deux jouer de la musique sur la piste, avec les autres clowns.

— Katia dit qu'elle va se marier en Argentine. C'est vrai ?

— C'est possible, je ne sais pas. Elle va sans doute trouver quelqu'un là-bas, et ensuite se marier.

— Et moi ?

— Tu veux aussi te marier ?

— Tu m'épouses en Argentine ?

— Oui, si ça te fait plaisir, ma chatte. Nous nous marierons là-bas. Dès l'arrivée du bateau si tu veux. Nous ferons un mariage au cirque, avec tous nos amis.

— Tu m'aimes donc vraiment ?

— Oui, je t'aime. Je t'aime encore plus quand tu me parles, comme en ce moment. D'habitude tu ne dis rien. Et toi ? M'aimes-tu vraiment ?

— Oui, et tu me fais des bébés... Katia a dit qu'elle va avoir des bébés en Argentine. Moi aussi, j'en veux, des bébés.

— Tout est possible en Argentine, Lioubov. C'est un pays extraordinaire. Et nous deviendrons tous riches. Alors, des bébés, le mariage, plein de chevaux sauvages et un fleuve couleur d'argent. Tout ce que tu voudras.

— Et des moutons.

— Beaucoup de moutons pour moutonner les cheveux bouclés de ma moutonne..., a dit Durin en lui caressant les cheveux.

— Il n'y a pas de soldats là-bas, n'est-ce pas ?

— Je ne crois pas. Les guerres, c'est surtout ici où les gens ne peuvent pas avoir de grandes fermes, où les gens vivent pauvres et entassés. En Argentine, ils n'ont pas besoin de se battre parce qu'il y en a assez pour tout le monde. Et c'est si loin que personne ne veut y aller.

— Moi, je veux y aller. Katia a dit que peut-être je ne pourrais pas, qu'ils ne me laisseront pas partir avec le cirque. Je ne sais pas monter à cheval, ni faire des pirouettes comme Fanny.

— Mais non, Lioubov, elle se trompe. Tu feras le clown avec moi, avec Fuank et Cotshi. Makarius ne te laissera pas ici toute seule. Tu viendras avec moi. Ta mère non plus ne te laisserait pas derrière.

— Ma mère aussi va se marier en Argentine, comme Katia. Elle me l'a dit. Et elle va avoir peut-être des bébés. Elle ne voudra plus de moi.

— Ça ne fait rien, ma chatte. Je t'emmène avec moi, on se marie et je te fais plein de bébés. C'est ce que tu veux ?

— Oui.

— Voilà. Tu peux dormir tranquille maintenant. Nous allons tous les deux en Argentine. Tu diras ça à Katia si elle se moque de toi.

— Avec les moutons qui moutonnent...

Durin est ensuite resté réveillé une bonne partie de la nuit, à penser à cette drôle de conversation avec Lioubov. « Elle est certes simple d'esprit, se disait-il, mais cela ressemble davantage à quelqu'un qui serait tombé à l'intérieur d'un conte de fées pour fuir la réalité. » Et il n'a pas tort puisque tantôt elle est vraiment idiote, faisant des grimaces avec les yeux dans le vague ; d'autres fois, comme hier soir, c'est une jeune femme pleine de désir, qui sait demander ce qu'elle veut avec finesse et fermeté, tout en jouant avec plaisir aux jeux de l'amour. Mais elle redevient aussitôt une fillette, comme si elle ne savait pas se comporter en femme, ou craignait de le faire, après s'être donnée avec tant de fougue. Elle change selon les circonstances. La transformation la plus curieuse a lieu lorsqu'elle chante en jouant de l'accordéon dans le numéro qu'ils sont justement en train de répéter. Lioubov devient alors une autre personne, plus mûre, plus intense, sans rien de l'idiote ni de la petite fille, au point de paraître presque tragique. C'est de cette Lioubov-là que Durin est amoureux même s'il doit se contenter de faire l'amour avec l'idiote. Hier soir, c'était différent malgré le fait que la fillette a ensuite pris la parole. Comment faire pour garder en vie uniquement la Lioubov aux accents mélancoliques, celle qui chante en cherchant son amant disparu ? Durin a alors caressé son ventre, ses seins, mais elle dormait profondément dans son sommeil d'enfant.

❑

Le directeur et la voyante sont encore essoufflés de la longue marche depuis l'hôtel, mais ils accélèrent le pas à la vue du campement. Même de très loin ils se rendent compte que quelque chose d'inhabituel se passe dans le cirque. C'est encore très tôt mais les forains s'agitent déjà. Alberti croit à une bonne nouvelle quelconque, tandis que Maroussia est plutôt anxieuse car elle sait que c'est plutôt le contraire. Elle n'a pas tiré les cartes mais elle le sait ; c'est la première fois de sa vie que le sommeil l'empêche de consulter les oracles, et c'est la première fois qu'elle dort dans le lit d'un homme sans être possédée. Ça surtout, c'est un très mauvais présage. « Peut-être qu'avec la crasse partira aussi le bonheur », a-t-elle pensé dans la salle de bains, sans toutefois oser le dire à Alberti.

Quand les forains aperçoivent le directeur, plusieurs courent pour l'accueillir, dont Anise en larmes suivie de Pitagore dans tous ses états, et sans les chiens. Elle crie, il gesticule, pendant que les autres tentent de les apaiser. Un peu plus loin, un autre groupe se tient silencieux, comme en attente d'une sentence. Il faut du temps pour que tous s'expliquent, pour qu'ils se plaignent et qu'ils s'accusent, mais il n'y a rien qui puisse être fait.

— Un lamentable accident, répète le lutin Janus sans trop de conviction, pendant que Kosta regarde la scène tout en continuant à jongler avec son jeu de cartes.

Kropotkine dit n'avoir rien vu, mais il est d'avis que les chiens laissés en liberté sont l'entière responsabilité de leurs maîtres. C'est peut-être pour ça qu'il ne perd jamais de vue Virginie, justement pour qu'il n'y ait pas d'accidents. Sven et Wlacek font comme si rien ne s'était passé, et ils montent leurs barres d'entraînement avec Fanny et Marco. Mais il y a deux clans distincts, chacun avec sa propre version de l'incident, et Alberti n'a pas trop de difficulté à tout comprendre.

En fait, pendant que Pitagore et Anise s'en allaient à leur promenade matinale avec leur meute d'hystériques, l'un des chiens se serait mis à courir dans tous les sens d'une curieuse façon, en aboyant après les gens, les roulottes et les poteaux. Peut-être qu'il avait simplement mal dormi, qu'il était nerveux à cause de mauvais rêves ou de jalousies, comme le prétendent certains, et non pas devenu fou comme l'affirment les autres. L'animal se serait même attaqué à Beria endormi, et l'aurait mordu si le chien de garde ne l'avait pas envoyé valdinguer d'un coup de museau. Le petit chien a continué sa course folle, poursuivi désormais par plusieurs forains à peine réveillés ; il courait à la ronde et en zigzag, ameutant les autres chiens dans une confusion spectaculaire. Tout le cirque s'est réveillé, y compris Korvus qui est un homme nocturne et qui apprécie la grasse matinée peut-être plus que tout autre. Son corbeau Munin, irrité par la chasse et le scandale matinal, n'aurait pas demandé la permission de son maître — ce que ceux du clan de Pitagore et d'Anise contestent bruyamment — et serait allé de son propre gré cueillir un œil du chien fugitif. D'un vol plané il a visé la proie et, d'un unique coup de bec sur l'orbite, il lui a fait sauter la cervelle. Ensuite, il est revenu chercher l'épaule de Korvus, et tous les deux sont retournés à leur roulotte pour tenter de récupérer le sommeil interrompu.

Pitagore et Anise voulaient mettre le feu à la roulotte du maître des corbeaux, mais ils n'avaient pas le courage de le faire et se contentaient de vociférer. Fuank se serait mis à rire et aurait évoqué la création d'un nouveau numéro, entre chiens et corbeaux cette fois, ce qui aurait fait redoubler les larmes de la pauvre Anise. Pitagore, sans doute obnubilé par la rage et la frustration, s'en serait alors pris au nain Kosta qui riait lui aussi. Ni une, ni deux : d'un saut d'acrobate Kosta se serait élevé en l'air et aurait appliqué une bonne gifle au maître des chiens. Les gens commentaient ensuite que le nain n'avait pas laissé tomber une seule carte de son jeu pendant l'exploit ; Fuank disait que Kosta devrait lui aussi faire partie du nouveau numéro des corbeaux chasseurs de chiens. Oleg, de son côté, trouvait que tout cela n'était qu'une vétille, un accroc de rien à la paix matinale, et que Pitagore aurait dû agir plus vite, soit en calmant, soit en tuant lui-même le chien fou.

— Si un de mes ours devient hors de contrôle, dit-il à Alberti, c'est à moi de l'assommer. On devrait tous être reconnaissants à la présence d'esprit de ce corbeau. Je les ai obligés à enfermer les chiens, en attendant de voir s'il n'y a pas d'autres hydrophobes parmi eux.

Il faut toute la matinée pour calmer les esprits de la troupe, même si la rancune larvaire est désormais exprimée ouvertement. C'est vrai que Pitagore et Anise ont toujours fait chier tout le monde avec leurs chiens, et qu'ils sont des orgueilleux, disent certains, mais de là à passer à un formidable coup de bec qui fait craquer un crâne, il y a des limites. D'autres pensent que Korvus a fait exprès même s'il s'en défend avec ardeur, alléguant que les corbeaux nordiques ne deviennent prédateurs que face aux renards et aux blaireaux enragés. Selon lui, c'est d'ailleurs là une façon qu'ont les habitants des forêts lapones pour reconnaître la présence de la rage dans leur secteur.

— Munin n'a fait que son devoir, dit-il, et il le fera de nouveau si la menace se reproduit.

La jalousie et la mésentente sont des dangers trop grands pour une troupe, et Alberti doit alors agir en directeur même si on se moque du fait qu'il sent l'eau de pute. Il ne le remarque peut-être plus mais quand les gens s'approchent de lui, c'est comme s'ils s'approchaient d'une parfumerie. Maroussia, après avoir constaté que le scandale n'était pas si grave, s'est empressée de regagner sa chambre, en se promettant de brûler autant d'encens et de cigares brésiliens qu'il faudrait pour tenter de camoufler son odeur.

Pitagore et Anise doivent alors se résigner à garder leurs chiens enfermés et isolés autant que possible durant une période de quarantaine. Dix jours au moins, ordonne Larsen, et cela s'il n'y a pas d'autres cas semblables.

Le sérieux avec lequel Alberti aborde le problème permet d'apaiser les esprits en donnant un peu de poids à l'hypothèse de l'accès de rage ; cela aidera aussi Pitagore et Anise à sauver un peu la face. Les forains sourient enfin à l'idée qu'ils auront au moins dix matinées paisibles, sans aboiements ni cris hystériques, cela grâce à Korvus et peut-être aussi à Fuank.

Le travail de peinture et d'érection des mâts se poursuit l'après-midi là où il a été interrompu la veille. « Le bon côté de la chose, pense Alberti, c'est que le scandale a couvert passablement le comique de mon arôme de poule de luxe. » Mais il ne regrette pas la soirée dans le bain, et se promet de demander à Fuank de trouver une bonne maison de bains à Gênes pour que toute la troupe se lave avant le départ.

Maroussia, de son côté, reste très inquiète à cause des événements de la journée ; peut-être aussi un peu mélancolique à cause du souvenir de son corps mûr reflété dans les glaces de la salle de bains. Maintenant, de nouveau protégée dans sa chambre, elle sent le désir sensuel l'assaillir, accompagné d'un doute étrange, d'une insécurité de femme au sujet de sa chair, mais qu'elle confond volontiers avec des présages du sort. « Makarius, où est-il en ce moment ? se demande-t-elle. Serait-il en danger ou simplement dans les bras d'une jeune femme, à caresser des seins fermes, des fesses rondes et un joli visage ? Pourquoi n'a-t-il pas envoyé des nouvelles depuis qu'il est parti ? Est-ce qu'il va revenir comme avant ou sera-t-il nostalgique d'un souvenir qu'il tentera de retrouver ? »

Le soir, les forains se retirent de bonne heure pour ne pas aviver la tension provoquée par les incidents de la matinée. Maroussia s'attendait à ce que Lioubov vienne la rejoindre ; elle avait besoin de la chaleur et du corps jeune à côté du sien pour chasser la mélancolie. Mais elle l'a vue toute souriante en compagnie de Durin et s'est résignée. Après tout, elle a pris la jeune fille comme élève justement pour que Lioubov et Durin puissent être plus heureux. Voilà qui est fait, et bien fait. Maroussia ne pense pas que la fillette soit complètement idiote ; elle la croit plutôt possédée par quelque esprit maléfique qui l'attire malgré sa volonté dans un monde parallèle de douce folie et de souvenirs pénibles. « C'est donc une bonne chose que Durin puisse la défendre contre ces spectres, se dit la voyante. N'empêche que cela me laisse seule dans mon lit cette nuit, sans personne pour me protéger des spectres tristes... Est-ce que Makarius pense à moi en ce moment ? Est-ce qu'il pense jamais à moi comme je pense à lui, comme lui-même pense à la mort ? »

Maroussia est très triste dans son corps de femme. Mais comment peut-elle être jalouse, puisque la Mort est la seule autre femme dans la vie de Makarius ? Et elle préfère penser à la mort que d'imaginer le mime dans le lit d'une jeune fille. Elles ont la chair si ferme, leur sexe devient si moite dès qu'on les touche, et leur sourire est si enivrant... Elle tente alors de tirer les tarots pour passer le temps. Mais les cartes des Étoiles et du Démon s'imposent sans cesse sur les autres, même face à celles de la Mort et du Bateleur. La voyante ne sait plus si elle fait ce qu'il faut ou si elle triche ; sa seule certitude est qu'elle s'endormira avec les deux mains entre ses cuisses, seule et nostalgique de quelque chose qui n'a peut-être jamais existé.

7

Lever le chapiteau à quatre mâts de corniche est un travail très dur pour chacun des artistes. Planter les poteaux est au contraire un travail de précision, qui doit respecter tant la géométrie que la nature du terrain. Il n'y a pas d'instrument plus parfait pour juger de l'angle exact d'inclinaison de ces poteaux que l'œil et le flair des gens expérimentés. Ils ne sont pas à la verticale du sol mais légèrement penchés vers l'extérieur, dans l'axe imaginaire qui part du centre de la piste et suit la ligne bissectrice de chacun des angles du carré. La toile reposera d'elle-même presque sur le sommet des quatre mâts et, si ceux-ci ont été érigés selon les méthodes ancestrales utilisées pour monter les tentes mongoles et turkmènes, son propre poids et toute sa surface garantiront la sécurité de l'ouvrage même contre des vents assez forts. Qui plus est, c'est aussi aux quatre poteaux du chapiteau de supporter la tension des divers appareils, dont les trapèzes en premier lieu, mais aussi le fil suspendu, le filet de sécurité et tout autre accessoire nécessaire aux acrobaties aériennes.

C'est donc la fixation des poteaux qui prend le plus de temps ; cela exige aussi beaucoup de palabres et de consultations, chaque acrobate devant donner son accord ou demander des changements avant qu'on commence à dénouer les divers pans de la gigantesque toile. Il faut que chacun exerce son coup d'œil de toutes les perspectives possibles, y compris Maroussia avec ses cartes au centre géométrique de l'enceinte. Une fois que tous ont donné leur approbation, on enfonce les dernières éclisses pour solidifier les points d'ancrage, tout en corrigeant encore et encore les mystérieuses inclinaisons. Lorsque les mâts sont plantés, au contentement général, Sven, Wlacek, Fuank et tous ceux qui n'ont pas peur du vide jouent les singes sur cocotier pour installer les poulies aux quatre sommets.

Quand vient le moment de dérouler par terre les nombreux pans de la toile, les forains se sentent de nouveau des artistes de cirque. Elle a beau être zébrée de tâches de moisissure, usée par endroits au point d'être transparente ou carrément déchirée, c'est tout de même une toile de chapiteau contenant l'écho d'applaudissements, de rires et de larmes, d'amour et de mort, ainsi que les illusions et les déceptions de milliers d'êtres humains. La toile est en quelque sorte vivante, presque comme un corps de femme sur le point de se réveiller d'un sommeil rempli de rêves et de cauchemars ; la caresser et la humer fait partie du moment solennel, pour qu'elle sache que, quoi qu'il arrive, elle sera encore désirable et désirée. Son ventre deviendra un lieu de jouissances aussitôt que son sexe, redevenu vierge par le long sommeil, sera à nouveau pénétré par la cohue des spectateurs avides de magie sensuelle. La toile est l'amante qu'il s'agit de rassurer et de fustiger en même temps, pour qu'elle oublie la réalité et se déploie encore en offrant ses humeurs aux célébrations de la passion. Les artistes ont besoin de ses fluides, c'est pourquoi ils manipulent cette vaste masse d'épais tissus de la même façon délicate qu'on déshabille une fillette pudique, histoire de bien tisser l'énorme toile d'araignée qui les gardera captifs ou qui les engloutira dans la mort. Tendre ou cruelle, cette incestueuse putain est l'unique mère dont ils disposent.

La toile est alors entièrement montée par terre, morceau par morceau autour des quatre mâts. C'est aussi le moment de réparer ce qui peut être réparé, de rapiécer s'il le faut et de remplacer les cordages trop pourris ou effilés. Les quatre anneaux d'acier sont refermés autour de chaque poteau en guise de bagues de fiançailles, pour recevoir les quatre trous de la toile et y être rattachés. Ensuite, les anneaux sont liés aux longues cordes glissant à travers les poulies là-haut. Voilà, tout est prêt pour commencer à hisser la formidable crinoline. Les hommes s'attellent en file autour de la première longue corde, par ordre décroissant de taille, depuis les plus grands jusqu'aux nains au bout de la ligne. Au rythme du tambour, ils lèvent alors coup par coup la première des quatre mamelles. C'est un moment délicat et dangereux ; la corde ne doit pas glisser des mains malgré le poids qu'elle supporte, puisqu'un grimpeur s'est faufilé à l'intérieur de la toile et monte sur le poteau au fur et à mesure que celle-ci se lève. C'est lui qui accrochera l'anneau d'acier à la bonne hauteur, et c'est lui aussi qui sera écrasé par terre si la toile tombe.

L'opération se fait lentement, chacune des quatre mamelles grandissant de moitié pour ensuite atteindre sa taille adulte. La première mamelle est la plus longue, la plus ardue à conquérir cependant, comme cela se passe lorsqu'un jeune homme embrasse et tente de caresser une pucelle trop chaste. Une fois bien accroché, le premier anneau supporte déjà une partie du poids de l'ensemble, dans une sorte de vertu légèrement entamée. Les autres mamelles cèdent alors, une à une, la dernière sans même aucun vestige de pudeur. Les hommes peuvent ensuite, déjà dans l'enceinte, s'occuper d'intimités plus délicates pour couronner le formidable ventre. Des câbles extérieurs liés aux extrémités des poteaux supporteront le cône surplombant le centre de la piste ; c'est la couronne centrale, qui joue le rôle de clé de voûte en forme de combles.

Quand tout est en place et qu'elle ne veut ni ne peut plus se refermer sur elle-même, on renforce la toile avec d'autres câbles en diagonale pour qu'elle se tienne coquette. Il reste seulement à bien attacher les rabats à godets aux haubans et à fixer les ourlets tout autour de la vaste jupe avec des tendeurs et des piquets. La belle est prête pour le bal.

Herr Direktor, essoufflé, commande du vin pour célébrer le chapiteau, pour oindre la garce, comme ils disent, mais aussi pour conjurer la mort qui est toujours tapie dans les plis du plaisir. Ils sont contents de voir que la vieille peau se porte bien malgré ses taches et ses raccommodages ; aucun dégât majeur n'a été constaté. Une maigre couche d'huile de lin teintée de minium et de céruse suffira pour la maquiller d'un rose pâle. Ainsi bien tendue, sans cuvettes ni plis, elle sera aussi étanche, puisque l'eau de pluie coulera facilement sur la surface des fibres.

Les gradins viendront plus tard, si jamais le cirque doit absolument donner des spectacles avant de s'embarquer. Mais la piste est indispensable pour rendre son âme au chapiteau. Alberti détermine le centre en suivant les diagonales du carré, et il y dessine une croix par terre. Tous sortent alors de l'enceinte, en laissant sur place la plus jeune des femmes, seule et dans le noir ; l'honneur revient à Fanny qui, toute nerveuse, les regarde partir, mi-gênée, mi-rieuse. On l'a auparavant bien avertie de l'importance de son rôle pour le bien-être du cirque, et la Fanny se promet d'invoquer très fort tous les noms illustres appris par cœur pendant qu'elle pissera son urine de fillette sur la marque laissée par terre : Antonio Franconi, Jules Léotard, Pickelherring, le créateur de l'auguste, Debureau, le père de Pierrot, Grimaldi, l'inventeur du clown Joey, mais aussi saint Cyriaque, le magicien. Saint Siméon le Stylite, patron des acrobates et des équilibristes, et saint Vite, le patron des danseurs et de tous les artistes de la scène.

Pendant qu'elle urine accroupie, les genoux écartés, sans qu'elle sache pourquoi, les images de Wlacek et de Sven viennent à son esprit d'une manière troublante. Ce sont eux, il n'y a pas de doute ; mais ils sont comme des démons impudiques qui la lancent et qui l'attrapent avec fermeté, en riant et en se moquant de la mort malgré le fait qu'elle entend au loin des gémissements d'enfant et des plaintes de pleureuses. Toujours absorbée par ces images, elle est ensuite si surprise par l'arrivée en trombe de toute la troupe qu'elle tombe à la renverse. Les forains s'emparent de son corps et la portent haut levée, à bout de bras, pour faire trois fois le tour de la piste avant de la déposer par terre.

La tache humide de son urine devient alors le centre du cirque. À l'aide d'une corde réservée expressément à cet usage, Alberti trace le cercle magique de ce qui sera le manège. Les banquettes sont disposées autour et ils s'affairent ensuite à lisser la surface du sol et à y étendre de la paille. Il ne reste qu'à monter les trapèzes et les autres appareils, et ils sont redevenus un cirque. Qu'il y ait ou non des spectateurs n'a aucune importance, puisque les vrais entraînements peuvent recommencer.

Vu de loin, c'est tout à fait un cirque. Le chapiteau n'est pas très grand et il a une couleur grise, sale, comme rouillée aux extrémités, mais les roulottes repeintes à neuf donnent malgré tout une allure de fête au campement. Seule la cantine roulante garde l'aspect d'une ruine incendiée, ce qui est accentué par sa cheminée d'où s'échappe une fumée blanchâtre. Il faudra peut-être se résigner à la goudronner, quitte à diluer beaucoup le goudron avec de la gazoline pour tenter d'obtenir un semblant de vernis ancien.

Après le repas du soir, tous sont réunis dans l'enceinte du chapiteau à la lumière des torches, et ils assistent au premier vrai spectacle de la nouvelle vie du Circus Alberti. C'est une pantomime à la fois triste, très drôle et inquiétante qui commence par un pas de deux romantique entre le clown Durin et Lioubov l'idiote. Le clown joue des accords plaintifs sur son petit violon rouge, la tête en l'air à la manière d'un aveugle, comme s'il cherchait dans son souvenir l'image de l'amoureuse disparue. Lioubov répond au loin avec son accordéon qui gémit tel un enfant égaré, tentant d'orienter le clown dans sa direction ; mais elle le perd continuellement, puisqu'elle ne peut s'empêcher d'être aussi attirée à la ronde par les plaintes du violon. Ils s'approchent uniquement pour se perdre davantage car ils ne se voient pas ; chacun est seulement dans l'imagination de l'autre, et leurs regards égarés ajoutent ici et là une pointe de grotesque à ce qui autrement serait d'une mélancolie infinie. Durin trébuche sur l'accordéon que Lioubov a posé par terre pour mieux tendre l'oreille ; confondu, il joue de son corps et du violon une danse d'amour à l'instrument de l'idiote.

C'est un mélange de mime, de danse et de jeux musicaux attendrissants qui prépare le public au jeu comique de Fuank et du nain Kosta, ce dernier prenant ce soir la place de Cotshi. Fuank aussi est attiré par la musique, et il échange avec Kosta des gestes suggestifs sur l'image qu'il se fait de la femme secrète. Mais quand il trébuche sur l'accordéon, cela se passe bien autrement que dans le jeu de Durin, pour le malheur de

Kosta d'ailleurs, qu'il tient pour responsable de sa chute. Ce qui était une poursuite amoureuse devient ensuite une course folle ponctuée de baffes et de coups de pied, avec des tapes sonores et des pets, chacun tiraillé entre les plaintes de Lioubov et les sonorités provocantes du violon. La jeune femme tente de se cacher tant bien que mal, s'esquivant pour faire en sorte que les baisers de Fuank atteignent plutôt Kosta, avec des conséquences fâcheuses. C'est ensuite Kosta qui s'empare de l'accordéon pour produire des bruits de pets et de rots contre son assaillant, pendant que Lioubov et Durin se cachent l'un derrière l'autre. La scène continue sous la forme d'une poursuite de Durin par les deux autres clowns, ces derniers trouvant de plus en plus insupportables les accords de violon avec lesquels il les tourmente. Ils cherchent à le faire taire avec des coups de pied et de gourdin, avec des acrobaties et des revirements aussi drôles qu'inattendus. Le violon de Durin continue malgré tout à les provoquer même si cela lui coûte des bottées surprenantes. Ils lui arrachent enfin l'instrument et cherchent alors une longue scie pour le détruire. Lioubov les distrait alors l'espace d'un instant avec des accords grivois d'accordéon, permettant à Durin de prendre la scie. À l'aide de son arc, il fait faire à la scie les mêmes prouesses que plus tôt au violon ; mais cette fois, les nouvelles sonorités et le duo avec l'accordéon de Lioubov sont si pathétiques que Fuank et Kosta s'affolent littéralement dans une poursuite aussi méchante que trébuchante, qui imite d'une manière comique le pas de deux du début du numéro. Le tout finit par des acrobaties et des courses drôles, pendant que de faux violons et de faux accordéons sont utilisés en guise de gourdins et de projectiles, à la grande surprise du public.

Le spectacle plaît à tous les forains, et chacun s'imagine ce qui se passera lorsque Cotshi sera là pour faire l'auguste et subir les foudres de Fuank, le clown blanc. Le numéro est en fait bien plus vaste que ce qu'ils viennent de voir. Kosta, Loki et Fili se joindront également à l'ensemble pour déranger non seulement les musiciens, mais aussi le numéro de Gandalf en hercule. Ce dernier joue d'ailleurs de la trompette, et il est un maître dans les bruits de pets et autres sonorités incongrues.

Les possibilités sont multiples puisque les numéros des clowns et des nains sont interchangeables, qu'ils peuvent s'associer ou se disloquer au besoin, selon l'ambiance de la salle, le programme de la journée ou leurs dispositions créatrices du moment. Des jongleries, des exercices d'équilibre et des acrobaties avec la bascule peuvent être inclus à un moment ou à un autre. Les clowns et les nains sont en fait comme le fil qui lie chacun des numéros du cirque pour en faire le collier du spectacle global. Même les accidents sont cachés, détournés de la vue du public par l'irruption des clowns accompagnés des nains, et c'est pourquoi l'improvisation joue pour eux un rôle essentiel.

Les artistes vont se coucher fatigués, mais très satisfaits de cette journée importante de travail, la tête pleine de vrais spectacles et d'applaudissements réels.

La jeune fille qui a marqué le centre de la piste avec son urine doit dormir cette nuit sous le chapiteau, pour que son démon à elle porte chance à toute la troupe. Sven et Wlacek lui tiennent compagnie. Ils sont là, tous les trois enroulés dans d'épaisses couvertures, à écouter le claquement de la brise nocturne sur la surface de la toile. Il fait d'abord froid et la terre est dure malgré la paille. Leurs corps finissent par s'enlacer, au grand plaisir de Fanny qui se colle comme un serpent aux muscles durs de Wlacek, face contre face, pendant que Sven dans son dos l'écrase encore contre l'homme qu'elle aime. Dans cette position, feignant un peu mais avide, la fillette découvre que le timide Wlacek n'est pas en mesure de se dérober à son contact, que leurs lèvres se touchent au moindre mouvement et que, l'enlaçant de ses jambes ouvertes, elle l'oblige à répondre par un émoi corporel correspondant à sa propre ivresse. Elle sent bien en arrière le corps solide de Sven, sa respiration sur sa nuque, et il paraît à la fois la protéger et la pousser vers Wlacek. Ce dernier ne se défend plus, acceptant les lèvres de Fanny sur son visage comme une bonne douche fraîche. Mais il désire plutôt son amant, dont il sait qu'il est en train d'éveiller la fillette au désir sans qu'elle s'en aperçoive.

Wlacek rêve d'une Fanny éternellement jeune, sa petite sœur ou même sa fille, laquelle ne serait jamais un obstacle entre lui et Sven. Il sait bien ce qui arrivera tôt ou tard ; même si ce n'est pas facile de l'accepter, il préférerait beaucoup que ce soit ainsi. Il ne sera pas jaloux de Fanny quand Sven la possédera enfin ; tant pis s'il faut cela pour garder son homme un peu moins infidèle. Ils seront un couple à trois et Fanny restera sa petite compagne. C'est bien mieux que ce Marco sorti de nulle part, auquel Sven aurait prodigué des caresses qui lui appartiennent en droit. Heureusement que Fuank a bien compris et a écarté le danger. C'est donc bon de penser que ces baisers venant des lèvres de la jeune fille sont en fait des messages du désir que Sven est en train d'insuffler dans la nuque, les fesses et le dos de Fanny. « Pourvu qu'il sache doser son envie, mon homme, pense Wlacek, car il ne faudrait pas la dépuceler ici sous le chapiteau vide. Le sang de sa virginité porterait sans doute malheur à toute la troupe. »

Le malheur n'est cependant pas de garde en cette nuit de printemps, bien au contraire. Les trois amoureux, déjà détendus dans la chaleur des couvertures, échangent maintenant des caresses mutuelles. Voyant comment Wlacek embrasse Sven, Fanny se laisse aussi baiser sur la bouche par ce dernier, d'abord en jouant mais ensuite de plus en plus étonnée de l'effet troublant qu'ont la langue et les mains de Sven sur son propre corps. Elle est fascinée de voir comment les deux compagnons aiment se caresser, et elle cherche à son tour à y participer comme elle participe déjà à leurs acrobaties sur la barre. Le toucher de Sven sur sa peau, tendre et impudique, est si différent de la façon qu'il a de la prendre pendant l'entraînement qu'elle a le souffle presque coupé en embrassant Wlacek.

C'est alors qu'ils sont interrompus par les grognements sinistres du chien Beria. La nuit est déjà bien avancée pourtant, sans doute que tous les autres dorment déjà, y compris Maroussia qui n'avait pas prévu d'événement important. Peut-être qu'elle était trop fatiguée ou que les astres se sont voilés à la vue du chapiteau déployé. Ils n'attendaient donc personne, ne se doutant pas que Makarius, Cotshi et leur suite étaient si près du campement. Épuisés, ces derniers voyagent depuis l'aube et se disent qu'il vaut mieux arriver tard et éreintés mais dormir au chaud, quitte à faire la grasse matinée le lendemain.

Beria a aussitôt reconnu Makarius et Cotshi, mais il grogne parce qu'ils sont accompagnés par trois inconnus. Le mime rassure le chien, Beria renifle les visiteurs et repart ensuite en balade pour continuer à surveiller ce qu'il considère comme le vaste périmètre de l'enceinte du cirque. Sven sort du chapiteau et les accueille chaleureusement. La pêche a été bonne : ils reviennent avec deux jeunes acrobates spécialisés dans des numéros d'équilibre au sol, Jaccobo et Angelo. Le troisième, Gorz, est un ami de Makarius ; Sven ne comprend pas très bien ce qu'il sait faire au juste, mais puisqu'il s'agit d'un ami du mime, il est aussi le bienvenu.

À la cantine roulante il reste toujours quelque chose de froid à manger, même si c'est souvent des pommes de terre cuites. Avec des boîtes de ration K et un verre de vin, du pain et des oignons trempés dans l'huile d'olive, qui donc a besoin d'un repas chaud à cette heure tardive ? Ils mangent de bon appétit pendant que Sven leur raconte les bonnes nouvelles et l'érection du chapiteau.

Cotshi et Makarius se réjouissent de savoir que Léon n'était pas une illusion. Quant à leur propre voyage, il y a peu à dire : beaucoup de misère partout dans les campagnes, des agitations syndicales à Turin et à Milan, un marché noir florissant, des soldats démobilisés qui errent et des légions de jeunes gens qui s'offrent aux soldats étrangers. Les usines Fiat reprendront bientôt leurs activités, mais la reconversion des productions militaires en productions civiles sera longue ; cela dépendra de la bonne volonté des politiciens, puisqu'il n'y a pas d'argent pour acheter quoi que ce soit. On parle partout des procès de guerre, de la chasse aux nazis et aux fascistes rescapés, même si beaucoup d'anciens notables compromis réapparaissent en politique sous l'étiquette de chrétiens-démocrates. Les communistes ne peuvent rien faire puisqu'ils sont encore dans d'éternelles querelles avec la social-démocratie. Rien de bien différent en somme de ce qui se passait sous Mussolini.

Sven organise ensuite le gîte pour les nouveaux arrivants. Makarius va surprendre Maroussia en pensant se moquer de son manque de clairvoyance. Mais elle l'attend déjà avec les bougies allumées et la bouteille de grappa ; quelque chose l'a tirée du sommeil, et elle a entendu la voix du mime. Elle ne savait cependant pas qu'il viendrait de lui-même, sans se faire inviter, car il est toujours difficile de départager ce qu'on désire et ce qu'on cherche à prévoir. Il est là et c'est bon. Makarius sent la route et la fatigue, tandis que Maroussia sent le corps endormi et la bonne odeur de paille fraîche, avec laquelle ils ont garni la piste. Ils n'ont pas besoin de se parler, puisque tout va bien et que tout ira mieux encore dorénavant. Deux corps qui se connaissent, qui se désirent sans inhibition et qui ne cherchent pas à se transformer n'ont d'ailleurs pas besoin de commenter les nouvelles du jour.

Sven retrouve Fanny et Wlacek endormis, enlacés comme deux enfants. Il sourit et s'en va se coucher dans sa propre chambre pour ne pas casser la magie des deux camarades. Le chapiteau portera bonheur.

❑

L'ami de Makarius reste un mystère, puisqu'il voyagera avec le cirque comme homme à tout faire, de la même façon que Paco et Negerkuss. Alberti a donné son accord car il le connaissait aussi avant la guerre. Ce Gorz est un homme qui a besoin de partir même s'il n'est pas nazi ; besoin ou envie, un peu comme Oleg. Mais tout comme Negerkuss, il n'a pas l'apparence d'un homme à tout faire. Quarante ans tout au plus, costaud mais qui semble avoir souffert de la faim, et avec de longs cheveux qui donnent à son visage anguleux une allure romantique. Sans doute un intellectuel malgré sa curieuse machine à tatouer ; peut-être un peintre puisqu'il dessine bien. Il se fait d'ailleurs vite des amis en montrant les qualités de sa machine et le tracé sûr de ses dessins. C'est une drôle de bricole, sa *tatoueuse* portative, comme il l'appelle ; un mélange de vieille fraiseuse à pédale de dentiste et de machine à coudre Singer manuelle. Petit et léger, l'étrange engin fonctionne aussitôt qu'on le fixe sur une table ou un banc. Selon Gorz, le va-et-vient de l'aiguille creuse permet un tracé parfait, avec juste ce qu'il faut d'encre pour créer un tatouage, et les lignes restent minces et délicates, au contraire de celles qui sont faites à l'aide de poinçons manuels. Est-ce qu'il l'a trouvée ou bricolée lui-même en assemblant des pièces hétéroclites ? Il se contente de sourire au lieu de répondre à cette question et promet de tatouer chacun des artistes qui le désirera.

Jaccobo et Angelo, les deux équilibristes, sont jeunes mais leur numéro est bien au point. Ils travaillent seuls ; Angelo, plus costaud, porte Jaccobo sur ses épaules ou sur sa tête, pendant que ce dernier fait des exercices d'équilibre et de contrôle corporel. Un numéro sur une échelle libre s'ajoute à leur répertoire, et cela tombe bien, puisque les clowns ont aussi un numéro semblable ; ils pourront donc les combiner au besoin. Jaccobo et Angelo seraient par ailleurs habiles au trampoline, mais il faudrait encore pouvoir en trouver un. Fuank croit que Marco pourra s'entraîner avec eux, tout en continuant à s'exercer aux poids et haltères. Il faudra cependant qu'il les surveille de près pour éviter toute jalousie, même si Marco a encore un monde à parcourir avant d'atteindre la finesse des deux acrobates.

L'arrivée de ces deux équilibristes ouvre de nouvelles possibilités. Maintenant que les trapèzes sont montés, Sven et Wlacek n'ont plus besoin des barres ni de la bascule. Ces appareils sont relativement faciles à apprendre pour des débutants et, avec l'aide de Jaccobo et d'Angelo, il suffira de trouver quelques garçons et filles le moindrement habiles pour que le numéro des équilibristes gagne des dimensions plus spectaculaires. L'ajout d'un trampoline à Buenos Aires complétera l'ensemble.

— Voilà, nous sommes pratiquement au complet, dit Fuank au directeur. Si nous trouvons des petits, nous pourrons les entraîner à faire de bons figurants, et cela même pendant le voyage. Ils n'ont pas besoin d'avoir des corps d'acrobates ni de contorsionnistes ; de jolies bouilles feront l'affaire, plusieurs si possible, et le numéro des deux nouveaux deviendra un numéro majeur.

— Cette idée me plaît beaucoup ; ça fait toujours de l'effet, un numéro avec plein de figurants, ça met de la vie et ça n'a pas besoin d'être très compliqué. Je commence à avoir une meilleure idée du spectacle global et je crois maintenant qu'on a un cirque. Dommage qu'il n'y ait pas de fauves. Ou un éléphant ; même vieux et malhabile, un éléphant ajoute toujours du panache au cirque. Dommage... Il faut qu'on se procure des fauves là-bas. Des fauves ou un éléphant ; on ne peut pas se passer des deux.

— Nous avons un numéro de clowns déguisés en chevaux, répond Fuank pour le provoquer. Si tu veux, on pourrait coudre un costume d'éléphant pour faire semblant.

— Non, pas question, réplique Alberti très sérieusement. Nous ne pouvons pas nous permettre de rappeler au public que nous n'avons pas de bêtes sauvages à lui montrer. Ce numéro de clowns ne peut exister que quand le cirque a des fauves et des éléphants, et en bonne santé. Sinon ça fait parodie ou pis-aller, ce qui est très mauvais pour notre réputation. Nous aurons des fauves en Argentine, j'en suis persuadé.

❏

Malgré ses efforts, Maroussia n'a pas beaucoup de succès dans sa quête de filles et de garçons pour le nouveau numéro d'acrobaties au sol. Après plus d'une semaine de recherches, elle n'a trouvé que Rita, une fillette de quatorze ans maigre comme un épouvantail, dont une tante avait la charge et voulait se débarrasser. La petite faisait un peu la pute et pouvait rapporter quelque chose à la maison, mais la femme avait un jour surpris son mari et la nièce orpheline en train de faire quelque chose de pas trop chrétien. Il fallait donc que la petite Rita parte, et la tante n'a pas demandé très cher pour la vendre à Maroussia. D'autres familles ayant recueilli des orphelins, au contraire, soit se réjouissaient des gains apportés par les bouches inutiles, soit demandaient des sommes exorbitantes pour des enfants au demeurant peu présentables. Et les gamins qu'on lui amène gratuitement pour s'en débarrasser sont bien trop jeunes pour entreprendre des entraînements physiques. Maroussia continue cependant à chercher tout en promettant à ceux qui se joindront au cirque un avenir fabuleux en Amérique. Mais la rue rapporte en ce moment davantage car l'Amérique est déjà là, sur place, avec ses dollars, ses cigarettes et sa maudite gomme à mâcher.

Même toute maigre, la petite Rita est pleine d'énergie et elle paraît trouver formidable cette chance qui se présente à elle de devenir artiste. Son physique ne lui permet pas encore de se tenir aux barres par la simple force de ses bras ; par contre, pendue par le poignet à la longe, elle se laisse tourner avec une certaine élégance, en criant de plaisir et sans en être trop ébranlée. Jaccobo et Angelo sont décidés à lui apprendre à sauter sur la bascule et à retomber sur Marco. Ce n'est pas encore très beau à voir, mais ça progresse, d'autant plus que Rita est extrêmement fluette. Si jamais elle profite de la nourriture du cirque, ce sera une autre histoire. Bien qu'elle ait déjà fait le trottoir, curieusement, Rita n'a pas encore de signes de puberté ; son visage un peu effilé, son nez camus et ses yeux trop rapprochés lui donnent presque l'allure d'une lutine en dépit de sa bonne taille. « Pourvu qu'elle reste comme ça ! » pense Fuank, tout en sachant que la présence des mâles et le fait d'être constamment touchée finiront par déclencher ses cycles et augmenter sa masse.

Ils mettent aussi à l'essai plusieurs enfants des environs, qui maintenant traînent en permanence autour du campement, attirés par l'apparence désormais plus rassurante du cirque. Quelques-uns d'entre eux pourraient devenir des sujets intéressants si leurs parents acceptaient de s'en défaire. Maroussia, accompagnée de Martha et de Fanny, rend visite à diverses familles pour tenter de les convaincre, et certains parents sont même venus regarder de près les entraînements de la troupe. Mais jusqu'à présent elles cherchent toujours. L'Amérique attire les gens et fait scintiller les yeux ; les coffres du cirque ne sont cependant pas suffisamment remplis pour les amener à se décider.

Le numéro des trapèzes volants sera fin prêt à temps, et Fanny fera jolie figure en costume à paillettes. Le spectacle de Larsen et de Larissa est aussi bien rodé. Depuis que le maître de manège a retrouvé la vraie piste et qu'il peut se servir de la longe centrale, ses chevaux se sentent de nouveau bien encadrés et ils obéissent aux ordres comme si l'entraînement n'avait jamais été interrompu. Katia fait aussi des progrès ; elle ne sera jamais à la hauteur des voltiges de Larissa, mais le simple fait qu'elle puisse se tenir debout sur la croupe d'un cheval au pas ajoute déjà quelque chose à l'ensemble. Arcadi passe plus de temps à aider Larsen qu'à s'entraîner pour jouer l'hercule, et il semble avoir un bonne influence sur Katia ; ses sourires et ses encouragements paraissent inciter la jeune femme à prendre chaque jour de petits risques. Par ailleurs, elle fait belle figure sur la piste quand vient le moment de faire semblant de commander au groupe de chevaux d'exécuter la levade, les courbettes et les sauts d'obstacles. Katia se comporte alors tout à fait comme si elle avait elle-même dressé les animaux, et c'est bon pour le spectacle de voir les bêtes obéir à une jolie femme.

Oleg et ses ours seront toujours prêts, étant donné que Vania est à lui seul tout un numéro. Bobi garde une certaine timidité depuis qu'il a perdu ses couilles, mais il peut déjà partager la cage commune pendant la nuit, puisque Bola n'a d'yeux que pour le grand ours. Celui-ci la lèche, la mordille, il lui permet de se coucher contre son ventre et d'y dormir confortablement. Mais rien de plus, bien sûr. Cela paraît suffisant pour tenir Bobi à distance, jaloux et boudeur mais craintif. Quand ils sont sur la piste, Vania prend l'initiative de les guider dans les courses à la ronde, se baissant pour qu'ils lui sautent dessus et les conduisant correctement à la glissade. Il est trop gros pour les vélocipèdes qu'on a dans le cirque ; ses tentatives pour monter sur les engins sont par ailleurs très drôles, et le laissent aussi satisfait que s'il avait bien fait son numéro. Bobi et Bola, par contre, peuvent de nouveau rouler sur leurs tricycles et ils apprennent maintenant à jouer au football avec Vania. Le plus difficile a été de leur montrer comment faire des passes ; les deux petits ours avaient tendance à s'accaparer du ballon et à fuir en tournant sur la piste comme des chiens avec un os. Plus légers et agiles, ils arrivaient parfois à déjouer le gros Vania et à l'irriter. Si c'était très drôle, c'était aussi dangereux pour l'équilibre du spectacle, et Oleg a dû mettre un frein à ces excès. Maintenant, ils commencent déjà à se comporter comme de vrais joueurs disciplinés, et ils arrivent tous à mettre le ballon dans les buts gardés par Loki et par Fili.

Seul dans son coin, le pauvre Spivac déprime chaque jour un peu plus. C'est peut-être uniquement l'oisiveté ou la privation du jeu pour le joueur compulsif, mais cela inquiète les autres membres de la troupe. Plus grave encore, lui qui aimait tant les femmes — les putes en particulier — semble voué à la chasteté depuis qu'il est revenu au campement. Il n'est pas allé une seule fois en ville pour baiser ni pour jouer, et il se tient souvent reclus dans sa chambre à penser à sa gloire menacée. Sachant qu'il ne dédaigne pas non plus les garçons, Fuank et Makarius avaient même pensé lui envoyer Marco pour lui tenir compagnie. Mais le magicien a refusé net. Fuank s'est résigné en pensant que la masturbation est, après tout, un aussi bon exercice pour ses doigts, même si une seule des mains est mise à profit dans son exécution ; il hésite toujours à conseiller au magicien d'alterner pour exercer aussi la main gauche, de peur de le froisser. La vraie raison de l'angoisse de Spivac vient du fait que ses mains répondent peu au temps et aux exercices ; il a beau travailler sérieusement selon les conseils de Fuank, si le mouvement revient de plus en plus facilement, l'ancienne dextérité et l'élégance des gestes se font toujours attendre. Il peut déjà jouer aux cartes comme un joueur ordinaire, et la sensibilité de ses doigts est tout à fait suffisante pour qu'il puisse tricher avec des cartes marquées. Mais Spivac se souvient de mieux, et ce souvenir est en train de le ronger.

— Ce n'est pas le moment de lui mettre une pute ou un jeune homme entre les pattes, conseille sagement Maroussia. Ça va peut-être aggraver sa douleur et risquer d'ajouter l'impuissance à l'invalidité. Spivac est un puits de vanité, et même au lit ça le fait bander quand il peut surprendre les femmes avec des tours de magie.

— Comment le sais-tu ? demande Makarius avec son meilleur sourire cynique. Est-ce qu'il t'a déjà surprise ?

— Pff ! s'exclame la voyante. Si tu crois qu'un homme peut me surprendre avec des cabrioles... Non, je le sais parce qu'il me l'a raconté. Voir des pièces de monnaie apparaître entre des cuisses et des seins ravit le public des bordels, et les filles croient que cela porte chance. Le pauvre bandait de plaisir lorsqu'il était admiré, et il en profitait pour baiser vite en faisant croire qu'il était capable de plus. Maintenant… Sa magie n'est que des trucs ; pour faire lever la crête d'un coq triste, il faut plutôt de la sorcellerie.

— Réfléchissons encore, insiste Alberti. Il doit y avoir un moyen de lui remonter le moral. Nous avons uniquement besoin de quelques petits tours de magie, d'un peu de prestance avec les mouchoirs, et il serait déjà capable de les faire s'il en avait envie. Lentement peut-être, à l'aide de chapeaux plus profonds s'il le faut, mais assez pour dire que nous avons aussi un magicien. C'est plus important que des fauves dans notre cas. Qu'est-ce qu'on lui a dit à l'hôpital ?

— Je ne sais pas, répond Fuank. Il a refusé d'en parler. Peut-être qu'il boude plus qu'il ne faut, et que tout seul dans sa chambre il s'entraîne quand même. Attendons encore un peu avant de le coincer. Quand on lui présentera un balai pour nettoyer la cage des ours, on aura alors sans doute de bonnes nouvelles au sujet de sa magie. Spivac a toujours été une nature délicate, il adore jouer les souffreteux. C'est un artiste, ajoute-t-il en riant. Le moment venu, il préférera spontanément le spectacle au balai.

— Espérons-le, fait Alberti avec un soupir. Et tes petits protégés, les deux funambules espagnols ? Sont-ils aussi bien que tu le croyais ?

— Oui, dit Fuank. Isabel et Pancho n'ont jamais cessé de vivre de leur numéro. Léon a eu du flair de les amener ici. Nous pouvons compter sur eux. Le seul problème sera l'escale à Málaga. J'en ai parlé avec Paco, et lui aussi est préoccupé. À toi de jouer avec Léon. Si jamais cela cause problème, nous ne pourrons pas y aller, Alberti ; ce serait trop dangereux.

— Pas question, réplique Makarius. Soit nous partons tous ensemble, soit nous restons ici. Tu n'as pas besoin d'évoquer cette possibilité, Fuank. Nous sommes en position de force maintenant.

— Nous n'avons pas le droit de circuler..., fait Alberti, pensif. Notre statut ici est celui de réfugiés, et certains n'ont même aucun statut du tout.

— Mais rien ne nous empêche de rester où nous sommes et de donner des spectacles. Ils vont devoir nous tolérer, surtout que nous gagnerons notre croûte, au contraire de tous les autres qui attendent dans les camps de réfugiés sans rien faire. Rien n'a changé en Italie, Alberti. Si nous gagnons un peu d'argent, les gendarmes vont nous laisser tranquilles pour recevoir leur part du butin.

— L'Amérique...

— Je commence à en avoir ras le cul de cette Amérique, Alberti, rétorque Maroussia. Cette Amérique finira par nous coûter cher si nous commençons à nous disputer. Ou Léon accepte tout le monde, ou nous restons ici. Et puis, ce n'est même pas l'Amérique, tu le sais bien. Cette Argentine peut très bien être un endroit de sauvages ; on ne peut pas se fier à ce qu'en dit Léon.

Ces discussions deviennent plus fréquentes à mesure que les artistes retrouvent leur fierté. Ce n'est pas uniquement la crainte que le voyage soit un échec ou qu'ils se fassent rouler ; c'est aussi la crainte de l'inconnu. Le rêve peut être très beau lorsqu'il est inaccessible, mais il devient un motif d'angoisse quand il risque de se réaliser. Ces saltimbanques ont tellement attendu la fin de la guerre, la libération et le mythe de l'Amérique que soudain ils ont peur de regarder la réalité en face et de devoir s'avouer que leurs rêves n'étaient qu'illusions. Ils ont aussi vieilli pendant ce temps, ils ont dû abandonner tant et tant de choses que parfois il leur semble préférable de mettre la faute sur le hasard pour justifier leurs échecs, sans assumer leur part de responsabilité. Si cette Amérique redevenait inaccessible, leur vie ne changerait pas, il ne faudrait plus se dépasser ni considérer de nouveaux obstacles. Il suffirait de blâmer la guerre et la fatalité, tout en continuant à se répéter comme le font la plupart des artistes au tournant de l'âge. Se reposer sur son propre académisme et vivre de rancune est souvent plus facile que de devoir affronter la nouveauté. Tous le savent pertinemment. Dans leur for intérieur, pour se donner du courage, ils se disent qu'ils doivent aller en Argentine pour le bien des plus jeunes. C'est une façon comme une autre de faire face à la peur. Ils croient que Spivac joue en cachette avec le désir de ne pas partir parce que chacun d'eux a déjà considéré cette possibilité pour sa propre personne.

❑

Cette fois, Léon n'a même pas jugé bon de venir en personne au cirque. Il a fait savoir à Alberti par un messager qu'il était revenu à l'hôtel et qu'il voulait le voir. Après une discussion au sommet, les forains décident que la rencontre se fera aussi en présence de Gandalf et de Makarius.

L'arrivée du trio à l'hôtel surprend les clients qui attendent oisivement dans le hall. Moins timide que l'autre fois, Alberti a quand même décidé de porter un des complets reçus en cadeau. Mais Gandalf et Makarius sont pratiquement en habits de travail ; malgré la différence de taille, leur physique imposant et leur allure peu bourgeoise détonnent beaucoup dans cet hôtel luxueux.

Léon remarque aussi le changement de ton, et il s'empresse de jouer les hommes du monde et de clarifier les choses autant qu'il le peut. Il se souvient maintenant de Gandalf et également de Makarius ; il s'en souvient même très bien et ne tente pas de les impressionner avec ses manières d'homme d'affaires. Ils restent dans sa chambre, encore sous le prétexte qu'il faut être discrets et qu'ils seront ainsi plus à l'aise. Mais il fait venir du vin et tente de diriger la conversation vers les bons souvenirs du temps où il était encore Léon et où ils étaient tous de vrais copains.

— Rien n'a changé, mes amis, je suis toujours le même Léon. Vous me faisiez alors confiance, n'est-ce pas, Makarius ? Continuez donc à me croire. C'est une occasion d'affaires, rien d'autre. Pour vous, qui avez subi la guerre, cela peut avoir des implications morales, et je le comprends. Mais si on regarde depuis l'autre côté du globe, ce n'est qu'une bonne occasion à ne pas manquer.

— Notre question, dit Gandalf, concerne le prix à payer. Ton voyage paraît intéressant, et chacun de nous souhaite avoir des documents en ordre pour pouvoir travailler. Ce que tu dis de Buenos Aires est aussi intéressant, et nous désirons partir pendant quelque temps pour faire un peu d'argent, en attendant que la situation ici s'améliore. Mais c'est trop bon, n'est-ce pas ? Cela doit coûter quelque chose.

— Tu peux être rassuré, mon cher, répond Léon, magnanime. Ça ne coûtera rien. Moi et tous ceux qui ont préparé le coup, nous en retirerons suffisamment de bénéfices. Mais il faut maintenant le cirque pour servir d'alibi, pour qu'on n'y regarde pas de trop près. Voilà le prix que vous payez : vous déplacer en Argentine et y donner des spectacles. On ne vous demandera rien d'autre. Les passagers en question ne se mêleront pas de vos affaires, le commandant gardera tous les documents jusqu'au débarquement là-bas, et c'est fini. Je vous garantis que vous ferez assez d'argent en trois mois pour pouvoir revenir ici, si vous le désirez. Mais je suis persuadé que vous continuerez plus longtemps en tournée. L'Argentine est un pays fabuleux, les possibilités sont infinies, et votre cirque est attendu. Je ne crois d'ailleurs pas que vous reviendrez ici ; la plupart d'entre vous désireront s'établir là-bas pour de bon. Si tu veux, Alberti, tu reviendras ici en Europe pour y faire des tournées avec ton cirque américain. Je ne comprends pas votre méfiance.

Eux non plus ne comprennent pas, mais tout a l'air trop beau pour que ce soit aussi simple et ils ont besoin de détails pour se rassurer.

— Les documents, demande Makarius, comment seront-ils ?

— Bello est en train de tout arranger avec l'ambassade argentine. Ce ne seront pas des passeports, bien sûr, mais des titres de séjour italiens provisoires, accompagnés d'un permis de voyage et d'un visa officiel du gouvernement argentin. Ce dernier est renouvelable là-bas ; et si vous décidez de rester, au bout de quelques années vous aurez la nationalité argentine. Sinon, vous reviendrez ici et vous serez encore dans la même situation que celle où vous êtes maintenant. Les Italiens nous facilitent l'obtention de ces papiers parce qu'ils savent qu'une fois là-bas, vous n'aurez aucune envie de revenir ici pour reprendre le statut de réfugiés. Les visas argentins sont en fait le plus difficile de l'histoire, mais nous sommes couverts de ce côté-là.

— Nous sommes plus nombreux que les trente dont nous avons parlé, ajoute Alberti timidement.

— Combien en tout ?

— Une cinquantaine... Il faut que toute la troupe parte, Léon. Nous ne pouvons laisser personne en arrière. C'est un cirque maintenant, et je suis responsable de mes gens.

— D'accord, fait Léon après un moment d'hésitation. Mais il faudra vous débrouiller avec les quartiers à bord. Je te l'ai dit, c'est un cargo, et pas très grand. Je me débrouillerai avec les documents. Mais c'est vous qui voyagerez serrés comme des sardines. Il y aura assez à manger ; ce n'est pas ça, le problème. Il faudra aussi être patient pour les heures des repas. Je verrai à ce que le capitaine ait des aides pour la cuisine.

— Il y a aussi des réfugiés espagnols avec nous. Cette escale à Málaga est trop dangereuse.

— Cela ne posera aucun problème, répond Léon. Vous voyagerez tous avec des documents italiens, et vous n'aurez pas de visa espagnol. L'escale sert uniquement à embarquer des marchandises et non pas à débarquer quoi que ce soit. Donc, pas de douanes ni de contrôles. Pas question non plus pour vous de visiter la ville. Vous sortirez du bateau seulement à Buenos Aires ; les Espagnols ne s'intéresseront pas à vous. Les documents porteront des noms fictifs, des lieux de naissance fantaisistes mais sans danger, c'est tout. Tu me donnes le nombre de voyageurs, leur âge approximatif et leur sexe ; pour les mineurs, on les couplera avec les adultes pour en faire des familles. J'envoie le photographe demain pour photographier tout le monde. Tu m'as dit que tu attendais encore d'autres enfants ; bon, on photographiera ceux que vous avez déjà en plusieurs exemplaires, assez flous pour qu'ils puissent servir à ceux qui viendront par la suite. Quand les papiers seront prêts, le capitaine du bateau se chargera en personne de recueillir les empreintes digitales quelques jours avant que vous montiez à bord. Il devra présenter les documents à l'embarquement, et les douaniers italiens vont tamponner le tout en comptant uniquement combien de personnes seront du voyage. Ils s'en fichent puisque vous partez. C'est tout. Les seize passagers seront déjà dans le bateau, vous ne les croiserez pas. Voilà, la situation me paraît claire. Si vous décidez de ne pas y aller, votre ami Léon sera le plus grand perdant, puisqu'il a tout préparé là-bas pour vous accueillir.

Les trois camarades se regardent avec le sourire, déjà complètement détendus, chacun rêvant de Buenos Aires et incapable de formuler d'autres questions. Léon sert encore à boire pour sceller leur association tout en reprenant son assurance de Leandro Felmont sans qu'ils s'en aperçoivent :

— Nous sommes le 5 avril, et il est prévu que le bateau arrive le 22 juin.

— Le 22 ? s'exclame Alberti.

— Oui, au plus tard. Tout s'est déroulé si bien que nous n'avons pas besoin d'attendre davantage. Les documents seront prêts, ton cirque est prêt. Nous partons en vacances, mon cher. Le *Nadeshda* larguera les amarres le 29 juin. Donc, vous embarquerez les roulottes le 28 au matin, et déjà vous dormirez à bord, en toute sécurité. Tu seras prêt, n'est-ce pas ? Notre prochaine rencontre aura lieu sur le quai nord du Rio de la Plata, presque au centre-ville de Buenos Aires. Je serai là avec les journalistes pour vous accueillir. Nous donnerons une conférence de presse la même journée dans un grand restaurant.

— Oui, Léon, nous serons prêts. Allez, à la santé du grand Circus Alberti et de ses artistes !

Ils boivent, encouragés par le nom du bateau qui est de bon augure. Seul Makarius tente d'effacer les mauvais souvenirs de son esprit, en se disant que c'est là une pure coïncidence : le baraquement où il logeait dans le camp de concentration de Börgermoor s'appelait aussi « espoir ».

8

Negerkuss a besoin de parler à Makarius parce qu'il se prépare à retourner en Allemagne. La lumière qui filtre par la minuscule fenêtre de la chambre du mime le décide à frapper à la porte de la roulotte. Makarius ouvre aussitôt. Gorz est déjà là, et Negerkuss s'excuse, décidé à ne pas interrompre leur conversation. Makarius, au contraire, insiste pour qu'il entre et se joigne à eux :

— Reste, je t'en prie, Richard ; vous deux, dit-il, vous êtes dans une situation trop semblable pour que ce soit uniquement l'effet du hasard. Voici Otto Gorz, un ami d'enfance. Otto, Richard von Hornweiss, spécialiste en philologie et en langues anciennes. Nous avons partagé l'exil en Turquie.

Les deux hommes se saluent, et si Gorz ne montre pas de surprise, c'est parce que Makarius lui a déjà parlé de Negerkuss. Mais c'est la première fois qu'il rencontre un intellectuel allemand noir, et il ne peut s'empêcher d'être impressionné par la qualité du langage de son interlocuteur. Le contraste est trop grand, puisque Richard pourrait très bien être un pur Africain.

— C'est bien que tu sois là, Richard. Nous étions justement en train de parler de toi. Ce qu'Otto m'a raconté peut t'intéresser. Tu peux parler sans crainte. Otto est un artiste, peintre, et je l'ai retrouvé par hasard à Milan. Il n'a pas de papiers parce qu'il s'est échappé d'un camp de prisonniers de guerre tenu par les Français. Otto avait fait la bêtise de rester en Allemagne et il a fini soldat. Comme tu vois, notre Turquie était quand même mieux que les bataillons disciplinaires.

Makarius leur sert à boire et brosse un tableau succinct de chacun des deux visiteurs pour les mettre à l'aise. En fait, la ressemblance de leurs situations est réelle, et cela aide à fraterniser. Otto Gorz a séjourné dans le même camp de concentration que lui en 33. Ensuite, croyant pouvoir passer inaperçu à l'aide de contacts influents et de collectionneurs bienveillants, il s'est retiré à la campagne, en Poméranie, pour continuer à peindre. Cet isolement a bien tenu pendant des années, puisque le peintre s'est tourné vers un style de peinture mélangé de classicisme gothique et de nouveau réalisme. L'armée a fini par se souvenir de lui, et il a terminé la guerre dans une sorte de bataillon disciplinaire ennobli pour les besoins de la défense de Berlin. Ses tableaux, gravures et dessins, l'œuvre de toute une moitié de vie d'homme, ont soit été confisqués par les nazis, soit détruits par les bombardements alliés. Il est vivant mais n'a pas de passé. Même ses documents militaires portaient un autre nom ; un ami avait offert de le protéger ainsi, en lui procurant une identité d'emprunt. De toute façon, son genre de peinture n'était prisé ni par les nazis ni par les communistes ; trop réaliste pour les uns et trop critique pour pouvoir passer pour socialiste. Et il ne veut pas retourner en Allemagne pour contempler les décombres de sa vie, y compris de son mariage.

— Un homme libre, quoi, ajoute Makarius. Comme toi, Richard, comme moi aussi. Prêt à se dépayser dans les mers du sud.

— Comme Gauguin, dit Otto avec le sourire, même si je suis une sorte de Gauguin plutôt amer et pas très sensuel. Un Gauguin devenu tatoueur.

— C'est aussi bien que d'être Negerkuss, répond Richard, c'est un déguisement comme un autre. Quand on perd tout, on se contente de peu. Je suis même jaloux de ton métier de tatoueur ; avec le latin et le grec ancien, on ne se déguise pas facilement.

— Pourquoi donc ? demande Gorz. Le poète Makarius s'est pourtant dépouillé de ses vers et n'a gardé que le mime. Tu pourrais très bien devenir traducteur et passer plus inaperçu encore. Il semble que tu parles aussi des langues vivantes, non ? L'avenir est aux simples d'esprit, mon vieux. Tout au moins en attendant de voir ce qu'il adviendra de ce vieux monde. Dis-toi bien que c'est provisoire. Tu es plus jeune et tu as moins perdu en chemin ; il faut rester optimiste. Non pas en Allemagne, naturellement, mais le monde est vaste.

— C'est loin, l'Argentine, rétorque Negerkuss avec un sourire amer.

— Loin de quoi ? demande Makarius. Peut-on savoir ? Le centre du monde a disparu, il n'y a plus ni loin ni près. À moins que tu regrettes toujours les salles étouffantes des universités teutonnes…

— Non, je ne regrette pas, mais c'est à elles que je rêve puisque je n'ai pas connu autre chose. Moi aussi, j'ai tout perdu. Mais je pense à rentrer à Munich pour réclamer la maison de mon père, ou ce qu'il en reste. Ce sera peut-être un début.

— Richard, Gorz a vu plus l'Allemagne que nous pendant ces dernières années, et il n'a pas envie d'y retourner. Crois-tu vraiment qu'il y ait quoi que ce soit de changé là-bas ? Si tu étais ingénieur, bureaucrate ou ancien nazi, peut-être que les Américains pourraient te trouver quelque chose. Mais… tu sais bien qu'un Noir n'entrera jamais dans une université allemande, sinon pour y balayer le plancher.

— Oui, Makar, nous avons déjà parlé de tout ça. Mais c'est plus fort que moi, je continue d'y penser. Peut-être uniquement comme une sorte de vengeance, mais j'y pense. Maintenant que ce voyage se précise, j'ai peur de tout laisser en arrière sans même avoir tenté de revenir… C'est seulement l'immensité de la tâche qui me retient. Je n'ai pas de copie de mes diplômes allemands et je n'ai que ce passeport turc maquillé ; je ne connais personne qui se souvienne de moi, et ma couleur rendra mon histoire tout à fait absurde. Mais merde ! c'est mon pays, c'est ma langue, ma culture ! Et qu'est-ce que je ferai en Amérique du Sud avec la philologie ? Vous vous imaginez le genre d'universités qu'ils doivent avoir là-bas ?

— Ou le genre de peinture qu'ils doivent aimer là-bas, ajoute Gorz. Il faudra y aller pour le savoir. Autrefois,

Richard, j'ai raté ma chance de partir et j'ai failli mourir pour la gloire du nazisme, uniquement parce que je tenais à tous mes tableaux. Impossible de tout transporter, les centaines de tableaux, les milliers de dessins et de gravures, sans compter les gens qui admiraient mon œuvre. Je ne pouvais pas laisser tout cela en arrière, n'est-ce pas ? Voilà l'identité ; nos regrets et nos nostalgies, tout ce qui finit par nous accrocher au ici et au maintenant et nous rapprocher de la sépulture. Ça peut te paraître absurde, mais je suis soulagé de penser que tout a brûlé sans que j'y laisse ma peau. C'était très lourd à porter.

— Tu te contenteras dorénavant de faire des tatouages ?

— Pour le moment. Après tout, ce n'est pas moi qui porte les tatouages, mais d'autres êtres humains. Ces petites œuvres-là ne constituent pas un poids qui m'écrase et elles ont plus d'âme que les tableaux, tu en conviendras... C'est une boutade, bien sûr. Je ferai peut-être d'autres tableaux, même si cela ne me paraît pas évident. Mais je ne m'attacherai plus à mes œuvres comme autrefois. Je sais maintenant que seul reste le plaisir que j'ai ressenti en les réalisant. Je suis un artiste uniquement pendant que j'exécute mes œuvres. En dehors de ces moments, je ne suis qu'un collectionneur de mes propres vestiges. L'artiste est la part de liberté, tandis que le collectionneur est la part bourgeoise, celle qui tente de me construire une réputation comme d'autres construisent des portefeuilles financiers. L'artiste en moi n'a que faire de la réputation, il cherche uniquement à réaliser d'autres œuvres, pour son propre plaisir. La réputation, l'identité, la mère patrie ou la postérité sont des choses trop lourdes à porter pour l'artiste ; ça l'encombre quand vient le moment de commencer une nouvelle peinture. Chaque nouvelle œuvre d'art se doit d'être un recommencement.

— Est-ce vraiment si simple que ça ou tu crânes? demande Negerkuss avec une légère irritation dans la voix.

— C'est si simple que ça et je crâne quand même, pour tenter de survivre. Je tente de crâner, mon cher, pour ne pas disparaître comme mon œuvre. C'est tout ce qu'il me reste à faire, puisque je n'ai pas suffisamment envie de me suicider. Donc, je crâne, en me répétant ces paroles que je sais vraies, même s'il est extrêmement ardu de les mettre en pratique dans la vie de tous les jours. La liberté est un risque, comme une sorte de vertige, et moi aussi j'ai besoin de m'accrocher à des bribes de significations passées devant l'absence de choses ou de documents qui témoigneraient d'un certain Otto Gorz. Mais ce que j'ai vécu est réel, palpable. Tout le reste s'est envolé en fumée et m'a laissé seul avec l'unique part de plaisir que j'ai retirée du travail artistique : le plaisir de l'avoir fait. Cela pourrait me pousser à recommencer. Tu as raison, je crâne. Crâner est en quelque sorte continuer à protester. Mais je ne mens pas.

— J'ai déjà réfléchi à ce que tu dis là, reprend Makarius au bout d'un moment. Et je suis persuadé qu'il est plus facile de tout recommencer pour un artiste de la scène. Le spectacle ne laisse pas de traces, il est sa propre fin. Le monde peut disparaître avec ses livres, ses tableaux et les monuments ; l'artiste de la scène se sent moins touché par cette possibilité, puisque chaque soir tout son art disparaît à jamais dans la conscience des spectateurs. L'artiste de la scène est habitué à recommencer à partir de rien. Nous n'avons pas été choyés comme vous par la vanité de la permanence. Même mes poèmes, je crois être en mesure de les retrouver dans mon esprit ; ceux qui en valent la peine tout au moins. Mes spectacles avaient déjà disparu avant qu'il y ait la guerre. En ce qui me concerne, seule la perte de la langue allemande me causera un quelconque souci ; mais comme je me suis réfugié dans le mime, je suis malgré tout assez abrité. En t'écoutant, Otto, je constate combien cela peut être confortable de ne pas laisser de traces une fois le travail artistique accompli. Tandis que, toi, tu es déchiré par cette masse de tableaux disparus que tu croyais être une partie de toi, même s'ils n'étaient qu'une sorte d'illusion. Dis-toi bien que chaque acteur vit sans aucune émotion le fait que personne ne verra plus ses performances passées. Quant à toi, Richard, tu ne pourras pas nier que les classiques existent toujours, un peu partout dans les bibliothèques du monde, et que des hommes comme toi existent aussi. Si c'est vrai que tu aimais fréquenter ces classiques et t'entretenir avec ces hommes-là, que tes propres études étaient vraiment motivées par l'amour de la connaissance, alors tu n'as rien perdu. Tu pourras continuer à nourrir ta passion en Argentine comme tu le faisais en Turquie ; tu pourras même refaire ta thèse de doctorat disparue, rien que pour impressionner les professeurs sous-développés de l'Amérique du Sud. Tu deviendras une vedette universitaire en moins de deux.

— Vous avez raison tous les deux, répond Negerkuss. Mais vous avez aussi tort, comme Otto tout à l'heure avec sa crânerie et sa vérité. Dans mon cas, substituez crâner par provoquer, ou se venger, ou demander justice rien que pour faire chier ; n'importe quoi, pourvu que je puisse avoir l'impression de m'être battu. Mais aussi pour que l'amour de mes parents ne reste pas bafoué sans protestation. Sinon, mon père n'aurait été qu'un irresponsable, de mettre au monde un enfant métis tout en tenant à rester en sol allemand. C'est vrai qu'il était très naïf, j'en conviens. Si je me bats, il restera naïf mais pas entièrement irresponsable, puisque j'aurai assumé une part de son amour, de son combat donc. C'est ça... C'est très intellectuel, presque abstrait, mais je suis un philologue et pas un artiste comme vous. Chacun doit faire face aux exigences de sa propre nature ; rien ne sert de vouloir s'y dérober. Et en ce sens, je suis aussi naïf et aussi têtu que mon père. Il était peut-être beaucoup plus provocateur et délinquant dans l'âme que son apparence rangée ne le laissait soupçonner.

— Il y a des provocations motivées par l'amour, reprend Makarius, et d'autres motivées par un désir de se détruire. Ce n'est pas qu'une simple question d'intention, il s'agit aussi d'évaluer correctement la situation où l'on se trouve. Tu ne crois pas que ce serait préférable d'attendre un peu et de profiter de ce saut en Argentine pour laisser les choses s'arranger ? Otto sait comment est l'Allemagne en ce moment.

— Oui, le pays est en ruine. Tout y est rancune, tristesse amère et révolte, délations, mesquineries. Les soldats alliés punissent le pays à l'aide de ceux-là mêmes qui nous punissaient pendant le nazisme. L'homme du commun est traqué, les trafiquants font la loi, et les patrons redeviennent patrons, plus cyniques et fats que jamais. Je ne crois pas qu'ils te recevront à bras ouverts, Richard, bien au contraire. Ils risquent de penser que c'est à cause d'hommes comme toi qu'ils ont dû suivre Hitler ; donc, que la merde actuelle est de ta faute. Le raisonnement paralogique, mythique, a toujours été une des vertus du nationalisme ; tu le sais bien. L'essence du nationalisme n'a jamais été ni la race ni la nation, mais la peur de la différence. La race et la nation sont des raisons secondaires qui apparaissent après la découverte de la différence, après l'arrivée de l'étranger. En tant qu'Allemand, Richard, laisse-moi te dire que tu leur paraîtras plus pestiféré que les juifs ou les gitans, qui n'ont jamais été considérés comme des Allemands. S'ils étaient des infections étrangères à leurs yeux, tu leur paraîtras plutôt comme un cancer obscène et un traître à abattre.

— Tu pars donc en Argentine ? demande Negerkuss. Tu pourrais simplement rentrer, te procurer des papiers et recommencer à travailler. Alors, pourquoi tu pars ?

— Je ne sais pas, répond Gorz. Une sorte d'intuition. Quand Makar est parti en Espagne, il m'a demandé de l'accompagner. J'ai eu alors la même sorte d'intuition, mais j'ai préféré ne pas l'écouter à cause de mes tableaux. Je croyais qu'ils me protégeraient, même si je disais plutôt que je restais pour les protéger. Voilà, j'ai raté ma première chance et je ne veux pas rater la deuxième. Par simple souci d'équilibre, si tu veux. En Allemagne, je serais trop tenté de récupérer mon passé, de refaire en partie mon œuvre ancienne ; comme toi, peut-être, pour protester de mon identité et revendiquer ce qui m'est dû. Ce serait une perte de temps et sans doute ma destruction comme artiste ; ce serait prendre le parti du bureaucrate collectionneur qui habite en moi malgré tout. Partir, au contraire, c'est donner la chance à l'artiste que je crois encore pouvoir être. Tu as raison, je peux revenir en arrière, et plus facilement que toi. Mais je dois un voyage à l'artiste, quitte à le payer en faisant le tatoueur. Après tout, un simple tatoueur peut faire les tableaux qu'il a envie de faire, sans rendre de comptes à l'histoire de l'art. C'est quelque chose comme la fable de la femme de Lot dans la Bible ou, si tu préfères moins sémite, plutôt comme Orphée qui tient à sortir vivant du Hadès ce qu'il lui reste encore d'Eurydice.

Ils boivent et évoquent d'autres souvenirs, mais sans revenir sur la question du voyage. Makarius sait que Negerkuss veut rentrer en Allemagne, qu'il l'a toujours voulu, et toutes leurs discussions ne semblent pas l'avoir fait changer d'avis.

Deux jours plus tard, Negerkuss est parti. Gorz et Cotshi l'ont renseigné sur la façon de passer en Suisse, et de là en Allemagne. Alberti lui a donné de l'argent, des cigarettes pour pouvoir trafiquer et des contacts pour se retrouver à Munich. Makarius lui a promis de garder les documents de voyage à son nom et de l'attendre jusqu'à la dernière minute, mais sans aucun espoir de jamais le revoir.

❑

Maroussia a réussi enfin à trouver deux autres enfants que les parents étaient prêts à laisser partir vers une vie de saltimbanques. Gina, onze ans, et Lucas, douze ans, tous les deux en assez bonne santé et qui n'ont pas encore fait le trottoir. D'ailleurs, leur père, un ancien acteur de variétés devenu aveugle, s'est laissé facilement convaincre justement parce que Gina commençait à vouloir suivre sa sœur de quinze ans dans ses incursions à la caserne. Deux autres grandes sœurs, l'une de seize ans et l'autre de dix-sept, ne rentrent plus à la maison pour protester contre ce départ des petits. Elles avaient déjà promis le pucelage de Gina à leur tenancière et avaient même, semble-t-il, touché des avances.

Gina est une fillette timide ; elle tente de faire ce qu'on lui dit d'une façon sérieuse et elle se prête aux exercices de souplesse avec Angelo et Jaccobo comme s'il s'agissait de travaux d'école. Lucas, au contraire, est plein de vie et un peu étourdi : il faut continuellement le rappeler à l'ordre ou envoyer quelqu'un le chercher du côté de la cage des ours ou des chiens de Pitagore et d'Anise. Il s'est aussitôt attiré la sympathie de tous, y compris celle de Martha qui doit le nourrir sans cesse tant l'appétit du garçon est vorace. Ces deux nouveaux ainsi que Rita ont d'ailleurs été entassés dans la roulotte où habitent la cuisinière et ses aides, pour qu'elles puissent les avoir à l'œil. Oleg paraît très content de cette présence enfantine dans le cirque. Il se moque tendrement de Martha en l'appelant la mère supérieure du couvent, et il l'aide à surveiller les petits.

Maroussia parlemente avec le père aveugle et sa femme pour tenter de convaincre Elvira, la sœur de quinze ans, de se joindre à eux elle aussi. C'est une fillette intelligente et au corps souple, très habile même pour une enfant de son âge. Quand elle vient rendre visite à Gina et à Lucas, elle ne se fait pas prier pour faire des exercices, et elle impressionne fortement Fuank par ses aptitudes pour les acrobaties. Sauf qu'elle se croit déjà une femme du monde, puisqu'elle a des clients adultes qui la payent bien et lui font des cadeaux. Aussitôt les exercices finis, elle reprend ses allures et se rit des enfantillages des gens du cirque. Même l'Argentine ne semble pas l'impressionner, vu qu'elle fréquente un sergent américain et ne manque jamais de cigarettes ni de bas nylon. Les parents ne font pas trop de pressions sur elle, car ils se sont un peu habitués à ce qu'elle rapporte de l'argent ; ils ont encore un autre enfant, un garçon paralysé, et la mère est de nouveau enceinte.

Bartolo, l'ancien disloqué du cirque devenu rhumatisant et qui habite Florence, a fait savoir qu'il a une jeune nièce de douze ans douée pour la contorsion. Il aimerait bien voir sa Mariangela apprendre son métier, mais son frère Ilario hésite à envoyer la petite seule et demande à partir lui aussi en Argentine. Il ne veut pas être payé pour Mariangela et dit qu'il servira le cirque comme homme à tout faire pendant le voyage, dans le seul but d'émigrer pour pouvoir envoyer de l'argent à sa famille. Bartolo fait savoir que cet Ilario est cependant de constitution fragile, qu'il ne faudrait pas le faire travailler trop fort. Alberti et Fuank attendent sa visite pour déterminer si la fameuse Mariangela vaut le poids mort de son père.

Maintenant que le chapiteau abrite de nouveau les artistes et qu'ils peuvent tous s'entraîner adéquatement, de plus en plus de gens des environs viennent les regarder. Il leur arrive aussi de donner de courts spectacles, souvent même improvisés, et qui permettent de redorer leur réputation auprès de la population locale. Le fait de voir des jeunes gens au travail encouragera peut-être des parents à mieux considérer la vie d'artiste pour leurs enfants.

Ces courtes présentations servent aussi à mettre au point les chorégraphies et à faire l'inventaire des vêtements et des accessoires. Celles qui savent coudre sont très affairées en ce moment à repriser et à tailler de nouveaux costumes de scène. Sous la direction de Lidia et de Martha, elles revoient toute la garde-robe du cirque — un immense fatras accumulé au fil des ans et jalousement conservé — pour l'adapter aux besoins actuels des membres de la troupe. Il faut changer des paillettes de place, récupérer des brocarts et des broderies, agrandir ou raccourcir des maillots de corps et recouvrir à neuf des espadrilles. Il est impossible de trouver en ville les tissus élastiques dont se servent les acrobates ; les couturières doivent donc les raccommoder avec des pièces anciennes et les décorer à nouveau pour que les lumières de la piste ne montrent pas trop les défauts les plus voyants. Avec de vieux rideaux, des lamés et de vieilles plumes, elles fabriquent des capes et des coiffes, elles rafistolent en variant les couleurs les costumes des clowns, ou encore les décorations que portent les chevaux et les chiens. Tout doit servir dans ce véritable rebut de fripier, que ce soit le tulle, la gaze, les velours décatis, les satins râpés, les crêpes, la dentelle effilochée ou des enfilades de perles de verre coloré. Chacune d'elles sait que l'important dans ce travail est que cela paraisse bien, tout en étant confortable à porter. Peu importe l'intérieur des vêtements, si les doublures sont en toile rêche ou en coton, ou si certains rembourrages et empiètements tiennent en place à l'aide de papier mâché et de paille. Ce qui compte, c'est l'apparence finale sur la piste, puisque l'art de la scène est basé sur l'illusion fugitive de l'instant qui passe. Les déguisements sont ainsi le plus souvent d'un aspect hybride, ressemblant à peine à l'idée originale et se transformant au gré des bouts de chiffon qu'elles récupèrent en cours de travail et selon la fantaisie de celle qui les agence. Les artistes savent qu'aucune exigence particulière n'est de mise dans un cirque modeste, sinon ils doivent eux-mêmes se procurer les matériaux nécessaires. La couture publique est comme la popote commune; on y vient par besoin et on se laisse ravir par ce qui se présente. Mais ces femmes mettent malgré tout beaucoup d'amour dans leur travail, et c'est un régal de les voir transformer les lutines en poupées, les fillettes en petits anges ou en femmes fatales. Le costume de scène que portera Fanny, à la demande expresse de Wlacek, est fait pour arracher des soupirs de désir à tous les mâles présents sur les gradins. Lidia, qui veut tellement mettre en valeur la grande Katia lorsque celle-ci sera sur la croupe d'un cheval, lui a taillé de ses propres mains un joli panty échancré, accompagné d'un bustier et d'une jupette tutu.

Trop contente de sa propre image transformée par le costume, Katia réalise comme il sera long d'attendre de pouvoir enfin se montrer à Arcadi parée de tous ses attributs de femme. Il a toujours l'air de la prendre pour une fillette même si ses mains puissantes ne cessent de laisser une empreinte brûlante sur les fesses et les cuisses de la jeune femme chaque fois qu'il l'aide à monter à cheval. Comme s'il ne savait pas ce qu'elle ressent, ni ce qu'elle fait parfois quand le sommeil est long à venir. Voilà pourquoi, presque d'une façon trop gamine à son propre goût, elle se décide enfin à lui parler du costume, rien que pour qu'il la voie avant les autres, et qu'il rêve à son tour lorsqu'il sera seul dans son lit. C'est comment, un homme?...

— Maman m'a fait un joli costume, lui dit-elle en passant. Voudrais-tu le voir? Je veux dire: pour voir si ce sera beau, s'il me va bien?

Arcadi sourit et la regarde de ses yeux bleus qui la fascinent tant. Il est si proche qu'elle en a un frisson.

— Tu le mettras pour moi?

— Oui, soupire Katia. Il ne faut pas que les autres le sachent. Ce sera une surprise pour le premier spectacle.

— Ça ne dérange pas si je le vois? demande l'homme, les yeux plissés pour mieux la fixer.

— Non, pas toi. Mais tu ne diras à personne, d'accord? Viens ce soir, je le mettrai pour toi.

— Ce soir...

« Il n'y a pas de mal là », pense Katia. Arcadi est un copain. Il a toujours été gentil. Et depuis le temps qu'elle pense à lui, que leurs regards se croisent parmi les sourires, ce n'est pas grave s'ils partagent un petit secret. Elle a tellement envie qu'il la voie comme une belle femme. Et cela tombe bien puisque maman Lidia est souvent chez monsieur Gandalf, et que Lioubov et Fanny restent avec leurs copains. Personne ne saura, et peut-être qu'elle et Arcadi pourront échanger des propos mignons, comme font les amoureux. Dommage qu'il n'ait pas un uniforme de capitaine de bateau, mais uniquement son affreux costume de gladiateur ; ce serait joli s'ils pouvaient tous les deux entrer en scène comme le font Larsen et Larissa, sa main sur sa taille, frôlant son bustier.

La nuit tombée, quand les forains se retirent, fatigués, dans leurs chambres, Arcadi surveille Lidia et Gandalf pour être certain que le champ est libre.

« La vache et l'avorton font exprès pour laisser Katia seule, pense-t-il. Ils n'attendent que ça pour caser celle qui reste. Saloperie de juifs ! »

Il attend dans sa chambre, la lumière éteinte, sans savoir au juste ce qu'il peut ou doit faire. Le risque est grand si c'est un piège. Pendant ce temps, habillée de son costume, Katia attend dans la clarté blafarde d'une chandelle. Il avait pourtant dit qu'il allait venir… Le temps passe. Le campement est plongé dans le silence et Katia est au bord des larmes lorsqu'elle entend frapper, doucement.

— Oui ?

— Katia ?

Elle ouvre la porte et il est là, le doigt sur la bouche pour lui indiquer de se taire. Katia est bouleversée puisque maintenant il n'est plus simplement question d'un costume neuf. Tout le monde dort et elle reçoit Arcadi en cachette, exactement comme dans ses rêveries.

Il prend soin de tourner le loquet avant de la regarder. « C'est vrai qu'elle est jolie, cette peste de juive aguicheuse », pense-t-il avec le sourire pendant que ses mains examinent le costume serré.

— C'est beau, Katia, tu es ravissante. Tourne un peu pour que je te voie.

Elle obéit à la pression des mains de l'homme sur sa taille, sur ses fesses et ses cuisses dénudées. Quand elle lui fait face de nouveau, Arcadi la retient par les seins et l'embrasse sur la bouche. Livide, avec une mollesse étrange dans les jambes, elle se laisse supporter par ses mains, la bouche entrouverte jusqu'à ce qu'il cesse de la baiser.

— Enlève-le maintenant, il ne faut pas le froisser.

Elle tente de se raidir, elle veut dire qu'elle n'a rien d'autre et qu'elle sera nue, mais il déboutonne déjà le dos du bustier et dégage ses bras. Ensuite le tutu et enfin le panty qu'il arrache presque d'un geste ferme. « C'est comme dans certains rêves », pense Katia dans la plus totale des confusions, incapable de bouger.

Lorsqu'elle se retourne, les yeux baissés, les bras croisés sur ses seins et les deux mains tentant de cacher son sexe, c'est une autre vision qui assaille l'homme. C'est le souvenir de tant et tant de scènes semblables, où d'autres juives tentaient de fuir nues sur la neige, protégeant leurs corps du regard et des sarcasmes d'hommes en uniforme. Elles allaient d'elles-mêmes vers la fosse commune, tant leur honte était intense et le froid mordant. « Tout à fait pareil, pense-t-il, les mêmes cheveux noirs bouclés et la même peau blanche. » Mais non pas frémissantes comme celle-ci ; terrorisées, sanglotantes et sales, avec des yeux brillants d'une fièvre d'horreur à la vue des amoncellements de cadavres ensanglantés. Salve après salve, sans répit, les unes après les autres, jeunes et vieilles, maigres et grosses, l'odeur de la poudre mélangée à celle du sang, de l'urine, des excréments et des corps trop longtemps enfermés. Les valises et les baluchons éparpillés sentaient parfois la naphtaline des vêtements entreposés, et cette odeur pénétrante se confondait avec le mordant du vent froid sur les narines et avec la brûlure des rasades de vodka qu'on distribuait aux commandos chargés des exécutions collectives. L'odeur de vomissures aussi, puisque parfois le corps de certains soldats se révoltait dans un sursaut d'humanité à la vue des cervelles éclatées et suintantes, des fragments de chair et des giclées de sang qui parvenaient jusqu'à eux lorsque la fosse était trop pleine. D'autres lampées de vodka pour noyer la nausée et continuer à tirer sur ces spectres nus qui criaient des choses dans des langues barbares avant de plonger, cousus de balles et avec des grimaces vers les autres corps qui se convulsaient encore de douleur. Un enchevêtrement de membres, de têtes, de sexes, bariolé de viscères rouges et de merde, telle une vision d'enfer rendue floue par la fumée des détonations et par la vapeur sortant d'intestins béants dans l'air de l'hiver.

Cela vient à l'esprit de l'homme tout à coup et le paralyse dans un mélange de frayeur et de répugnance animale, accompagné de la honte de sentir quand même une pointe de désir inavouable à la vue de certaines jeunes victimes. Le souvenir aussi de redoubler d'ardeur dans la cruauté pour noyer ce même désir sale, interdit, envers ces femelles dégénérées. La rage et une peur étrange paralysent ses gestes pendant que ses mains suintent de sueur et que ses poumons s'étouffent à nouveau avec la fumée acre des chairs calcinées.

Les yeux fermés, avec une expression que Katia pense être celle de la douleur du désir mélangée à celle d'une tendre passion, l'homme reste immobile, les mains crispées. La femme en elle réveillée oublie sa nudité et s'approche de lui pour toucher son visage. Les yeux qui s'ouvrent alors ont un éclat de larmes à la lumière de la chandelle, mais ils ne pleurent pas. Au contraire, ils sont perçants, froids, et un pli sinistre marque les pommettes et met en relief la mâchoire crampée. Sur la pointe des pieds elle lui offre alors sa bouche ; au lieu d'un baiser, elle n'obtient qu'un sourire sarcastique qui la fait hésiter.

L'homme déboucle sa ceinture, il déboutonne son pantalon et, calmement, il se défait de son sous-vêtement pour dégager sa verge.

C'est comment un homme ?...

Ses mains puissantes la tirent par les cheveux et l'obligent à se baisser. Ses doigts forcent les dents de la femme à s'ouvrir pour le recevoir. Elle ne sait pas quoi faire de ce sexe d'homme gonflé dans sa bouche et attend, paralysée, puisque cela n'a plus rien à voir avec ses rêves. Arcadi la renverse sur le lit et, écartant ses jambes comme s'il voulait la rompre, il l'investit violemment. Katia serre ses dents en pensant à la verge du cheval qu'elle est habituée de soigner. Ça déchire ses chairs et ça brûle les entrailles comme une torche, mais elle ne crie pas. Gentille Katia, la brave grande fille sérieuse qui tente de faire aussi bien que la jument lorsque l'étalon la monte en hennissant.

« C'est donc ça, un homme... », pense la jeune femme quand il se retire enfin après l'avoir perforée de la sorte. « Mon Dieu, que ça fait mal, l'amour... »

L'homme se couche à côté d'elle, sa respiration bruyante et sans le moindre geste de tendresse. Katia reste là, les jambes serrées, en tentant toujours d'avaler les sanglots pour ne pas avoir l'air d'une idiote aux yeux de l'homme qu'elle aime. Elle a aussi très peur de lui en ce moment.

Plus tard, il se lève pour chercher une cigarette dans la poche de son pantalon et revient se coucher, en fumant sans rien dire. Elle ferme ses yeux et tente de penser au bal des officiers sur le bateau, avec Arcadi en uniforme et elle-même dans son joli costume de scène.

Les caresses de l'homme sur son corps, d'abord très tendres, frôlant à peine sa chair, lui font penser qu'il la suit dans sa rêverie ou qu'il lui demande pardon. L'homme rêve aussi, mais ce sont des fantasmes interdits qu'il ose enfin aborder après avoir cédé à cette femme impure. Il est aussi en uniforme mais non pas sur un bateau ; plutôt au bord d'une fosse commune. Le corps qu'il caresse est celui d'une Katia constituée de tant d'autres Katia exécutées, toutes terrorisées et qui se soumettent comme il l'ordonne dans l'espoir d'échapper à la mort. Ses caresses deviennent alors plus rudes, intenses et sauvages, mais Katia obéit à ses désirs car ses mains sont trop fortes et que c'est peut-être comme ça, l'amour d'un homme. Lorsqu'il l'investit une seconde fois, elle ne peut s'empêcher de sangloter et de gémir tout bas. Il répond à ses plaintes par des cruautés sur ses mamelons, sur son ventre, et finit par la gifler. Il la pénètre avec des secousses sèches comme s'il voulait transpercer son bassin. Il prend tout le temps qu'il faut pour la tourmenter, alternant les baisers tendres avec les coups, dans un crescendo de violence qui la laisse complètement exsangue.

« La sale juive ! » pense l'homme en éjaculant dans le sexe ensanglanté d'une Katia baignée de larmes.

— Ça reste entre nous, Katia, dit-il au moment de partir. Nous le dirons aux autres quand nous serons en Argentine, d'accord ? D'accord !

— Oui, murmure Katia, effrayée.

— Bonne Katia… Tu feras une bonne épouse.

Elle tente en vain d'esquisser un sourire timide, mais il est déjà parti. Se marier en Argentine, quel rêve si blessant et si lointain…

La vie du cirque continue le lendemain comme si de rien n'était. Katia reste indisposée dans la chambre toute la journée, peut-être avec un début de rhume, ou à cause de règles douloureuses. Arcadi, au contraire, paraît en pleine forme et met un élan spécial à aider Larsen à s'occuper des chevaux. Il est persuadé qu'un simple sourire ou une caresse en passant suffira pour consoler la jeune femme quand elle sera de retour. Katia et les autres n'ont aucun moyen de savoir ce qui se passe réellement dans son esprit.

Les forains continuent leur routine habituelle. Sven et Wlacek ont droit les premiers à la piste et étendent leur filet de sécurité. Tôt le matin, les muscles encore quelque peu engourdis par le sommeil, ils préfèrent exécuter des exercices de souplesse qui ressemblent plutôt à un divertissement d'enfants. Fanny adore ces moments de détente où les trapèzes servent davantage de balançoires géantes, quand elle peut se lancer dans le vide pour rebondir sur le filet. Ses pirouettes lui paraissent alors d'une perfection absolue, puisqu'il n'y a pas l'obligation d'atteindre le receveur, mais simplement le plaisir de voler. Sven et Wlacek font aussi des cabrioles, ils discutent de nouvelles formules ou se balancent sur les trapèzes à basse altitude pour essayer d'autres enchaînements. C'est sans danger et cela ne cause aucune tension, uniquement des rires et une agréable sensation de détente. Parfois, avant de passer aux exercices plus rigoureux et encore pour préparer les muscles, les deux hommes, pendus par les jambes aux trapèzes, s'amusent à se lancer Fanny l'un à l'autre, en la faisant tournoyer comme une poupée de chiffon; ils la rattrapent en alternance par les poignets et par les mollets, histoire de l'habituer à la sensation du vide. Elle n'a aucun effort à faire, seulement se laisser ballotter en tentant de rester le plus détendue possible. Le filet de sécurité est tout près, la matinée est chaude, et elle se délecte de subir ce jeu tendre où parfois c'est sa bouche, parfois la plante de ses pieds qui reçoit un baiser ou une petite morsure pour la chatouiller. Fanny se sent si bien qu'elle commence à penser qu'elle aime les deux compagnons à la fois et non plus uniquement Wlacek. C'est que Sven aussi a un charme bien à lui, même lorsqu'il se fâche parce qu'elle n'est pas assez attentive et risque de tomber. Parfois elle répond: «Oui, papa» pour le taquiner, mais ce qu'elle ressent alors dans son corps est quelque chose de plus nerveux. Avec Wlacek, par contre, il n'y a jamais de disputes et elle ne pense même pas à le taquiner, puisqu'il est si doux et attentionné. Il la maquille maintenant comme il maquille Sven, et c'est très bon de sentir ses mains sur son visage et sa tête juste à côté de la sienne. Aux trapèzes cependant, c'est Sven le receveur parce qu'il est le plus costaud. Quand elles l'attrapent, les mains de Sven n'ont pas l'air de jouer; ce sont de vrais étaux sans tendresse, mais si fermes qu'elles conjurent toujours la peur.

Tard dans l'après-midi, une fois que les ours, les chiens et enfin les chevaux ont quitté la piste, les trapézistes reviennent pour exécuter quelques numéros en hauteur, comme dans un vrai spectacle. Ils répètent un peu, sans jamais exagérer, juste ce qu'il faut pour faire deux fois de suite le saut parfait; et ils changent de saut jusqu'à repasser tout leur répertoire. Ce ne sont pas des choses compliquées mais cela fait un bel effet là-haut; il y a toujours d'autres artistes pour leur tenir compagnie et apprécier ce qu'ils font. Fanny aime qu'on la regarde, surtout maintenant qu'elle a un saut où elle partage le trapèze d'envol avec Wlacek, alternant avec lui pour sauter dans les mains de Sven. Wlacek fait le *salto mortale* pour aller et pour revenir, et Fanny se contente d'une petite vrille d'avant en arrière, se laissant attraper par les jambes, pour ensuite revenir tout droit rejoindre Wlacek au trapèze. Son rôle est facile mais elle sait que cela paraît compliqué vu d'en bas, puisqu'elle et Wlacek se croisent en l'air. Et c'est bon d'être si proche de lui.

Ils finissent tous les trois trempés de sueur. C'est bon aussi d'aller ensuite se laver sous le robinet de la fabrique, comme trois copains. Ils jouent avec l'eau, Sven frotte le corps de Fanny avec ses mains rudes, pendant que la fille savonne celui qu'elle aime le plus.

Les autres acrobates n'ont pas besoin de la piste et montent leurs appareils à la place des gradins. Jaccobo, Angelo et Marco se relayent ainsi la journée durant, surtout depuis qu'il y a les enfants à entraîner. Pancho et Isabel ne s'exercent pas sur la corde raide en hauteur, mais à peine à un mètre et demi du sol. La hauteur n'a pas d'importance pour eux ; ce sont uniquement la façon de poser le pied sur le fil et les jeux du corps et du balancier qui comptent pour bien marcher sur la corde. Ils pourraient être sur la lune ou à un pouce du sol, leurs exercices seraient les mêmes. C'est pourquoi ils peuvent se passer du filet de sécurité en dehors des vrais spectacles.

Les clowns occupent la piste en soirée. Quand ils ont envie de s'exercer le reste de la journée, ce qui est très rare, ils le font au grand jour. Makarius s'exerce seul dans sa chambre devant un miroir. Jeremiah et Mandarine le font aussi à la place des gradins, au fond du chapiteau pour ne pas être dérangés. Korvus entraîne ses corbeaux n'importe où et à tout moment, parfois même très loin du campement ; on dit alors qu'il va à la chasse. C'est que les chats et les poulets du voisinage disparaissent aussitôt qu'il s'approche avec ses oiseaux bavards. Seul Spivac ne s'entraîne pas, se contentant de regarder les autres d'un air boudeur ; il passe parfois ses soirées en ville, mais on ne sait pas s'il s'est remis à jouer pour de vrai.

Le chapiteau est donc désert après que Sven, Wlacek et Fanny sont partis. Le filet de sécurité est démonté et bien rangé pour ne pas encombrer ceux qui viennent utiliser la piste en soirée. Voilà pourquoi les gens n'ont rien vu ni entendu et n'ont pas accouru tout de suite lorsque le petit Lucas est tombé du haut du trapèze pour s'écraser sur la piste. Personne ne l'avait vu grimper l'échelle de corde, et seul le trapèze d'envol se balançant tout seul leur a permis de reconstituer la scène. C'est Paco qui l'a trouvé le premier en allant balayer la piste, et il a crié à l'aide en voyant le corps inerte de l'enfant, le sang sortant par la bouche et les oreilles. Il n'y avait plus rien à faire ; la mort avait dû être instantanée.

Le petit Lucas paraissait fasciné par les trapèzes comme il était fasciné par les ours, et ce, beaucoup plus que par les exercices préliminaires que Jaccobo et Angelo tentaient de lui enseigner. Et puis, le trapèze paraît si facile, Fanny a l'air de tant s'amuser la-haut, qu'il avait dû croire que c'était semblable à la barre fixe. Il s'était peut-être dit qu'il se balancerait un peu et qu'il descendrait ensuite, sans rien faire de dangereux et sans que personne le sache. Sa sœur Gina ne l'aurait pas fait, puisqu'elle est plus obéissante et certainement moins étourdie ; peut-être même plus intelligente. Mais Lucas aimait plutôt courir et explorer le cirque, non sans une certaine maladresse corporelle quand venait le temps de s'exercer à la barre fixe. Il avait les bras assez solides pour bien se tenir, et aussi pour commencer à hisser son corps, ce qui est rare à son âge. Au trapèze volant cependant, ce qui compte n'est pas la force des bras ou des poignets, mais bien celle des muscles du dos, du ventre et des jambes, puisque le corps danse en l'air au lieu de se tenir pendu. Lucas avait dû monter l'échelle de corde, il avait dégagé le trapèze et fixé la barre, et s'était sans doute laissé aller en croyant qu'il allait revenir tout seul au point de départ. Lorsque le poids de son corps distendu avait dépassé l'axe de la verticale, plutôt que de continuer le cercle, il avait alors entamé une parabole ; après l'instant d'équilibre immobile au sommet de la trajectoire, au lieu de faire le trajet inverse comme prévu, son corps a chuté et ses petites mains ont lâché la barre. Surpris, il ne s'est sans doute pas rendu compte qu'il tombait.

Maintenant il est étendu sur des planches, déjà lavé, et paraît simplement dormir. Gina et Rita sont avec Martha dans leur chambre et prient. Maroussia et Cotshi sont allés en ville avertir la police et communiquer la nouvelle aux parents. Ce ne sera pas facile, même s'il est vrai que la mère paraissait aimer Gina et détester le petit Lucas ; elle disait que c'était un démon et non pas un enfant. Mais une fois morts, tous les enfants redeviennent des anges, surtout ceux que les parents donnent à des étrangers pour s'en débarrasser.

Au cirque, les gens commentent l'accident avec plus de déception que de souffrance. On ne connaissait presque pas le petit Lucas, même si chacun le trouvait très sympathique. Avec le temps, sans doute, il se serait intégré à la troupe, il aurait aussi partagé les espoirs des autres. Mais il est mort si vite qu'on ne peut pas se dire qu'on perd un vrai copain. C'était un enfant par ailleurs, et la mort d'un enfant est toujours un mauvais signe pour les gens, plus encore que la mort d'un adulte. Et un enfant si actif, qui aimait tant manger ; peut-être qu'il serait devenu quelqu'un de respectable plus tard, quand son étourderie se serait transformée en audace. Impossible à dire puisqu'il n'est plus là.

Un mauvais augure, en effet, qui rappelle d'autres morts sur la piste. Tous se souviennent de copains disparus et se racontent des décès dont ils ont entendu parler, des accidents et aussi des suicides, quitte à les embellir pour que cela fasse davantage histoire à raconter. La mort d'un artiste, si humble soit-il, a toujours une saveur spéciale aux yeux des autres, une saveur que la mort de l'homme du commun n'a presque jamais. Après tout, avec si peu de récompenses réelles de son vivant, l'artiste peut bien garder un certain panache lorsqu'il s'en va. Ce n'est qu'une question de justice.

Martha pleure parce qu'elle aimait ce petit espiègle ; il ressemblait un peu à l'idiot qui l'avait transformée en femme à soldats. Et quand on donne à manger à un enfant, on se rapproche de lui d'une façon très spéciale. Oleg tente de la consoler sans rien dire, en touchant tendrement ses cheveux. Que faire enfin s'il ne peut pas lui offrir de lui faire un bébé ? D'autres forains tentent d'oublier l'incident parce qu'ils sont davantage préoccupés par leur propre vie et ne peuvent pas s'encombrer d'un autre mort. Katia pense à sa propre mort même si elle n'aurait jamais le courage de monter sur un trapèze. Elle se pense plutôt morte, très jolie dans son nouveau costume, et dans les bras d'un Arcadi repenti et infiniment triste. Fanny pense à Wlacek et à ses sauts périlleux, à son insouciance face au danger qui frôle la provocation. Lioubov pense que Lucas est au ciel et elle regarde les étoiles pour tenter de le revoir. Lidia pense aux dangers que court la petite Fanny, même si elle n'y pense pas très fort ou pas aussi fort qu'elle le devrait. C'est que ce démon de Gandalf est devenu si présent dans sa vie de femme, ce qu'il lui fait est devenu tellement essentiel que Lidia préfère se dire que tout ira très bien, que Fanny est en bonnes mains et que l'Argentine sera le paradis sur terre. Alberti, quant à lui, réfléchit au fait qu'il faudra graisser la patte aux *carabinieri* pour qu'ils ne fassent pas des histoires, sans compter le coût des funérailles qui seront à la charge du cirque. Makarius insulte la mort devant son miroir et la défie une fois de plus de venir le chercher. Mais Fuank est beaucoup plus réaliste et tente de se concentrer sur ce qui pourrait être le bon côté de la tragédie du petit Lucas. « En effet, se dit-il, si la petite Gina ne retourne pas effrayée chez ses parents et veut rester au cirque, peut-être que sa sœur de quinze ans qui fait la pute, Elvira, se décidera à joindre la troupe pour tenir compagnie à Gina. Elvira a tout ce qu'il faut pour devenir une vraie artiste ; elle n'a qu'à oublier ses clients et ses airs snobs. Pourvu, pense encore le clown avec le sourire, pourvu qu'un de ces jeunes garçons soit tombé dans l'œil de la petite Gina. Qui sait si ça ne pourrait pas changer la donne pour la jolie Elvira ? »

9

L'enterrement du petit Lucas paraît déjà si loin qu'on se demande parfois s'il a vraiment eu lieu. Maintenant qu'Elvira est entrée dans la troupe pour tenir compagnie à Gina, que la petite Mariangela et le jeune Pietro sont aussi là, la présence des enfants est devenue très réelle et personne ne parle plus de l'accident.

La mort de son frère a eu un effet de conversion sur la jolie Elvira ; elle était sans doute attirée par le cirque mais hésitait, pensant que faire la pute était plus distingué qu'être saltimbanque. Puis, juste le lendemain de la mort du petit garçon, en plein deuil, elle a fait une très mauvaise rencontre : des soldats ivres l'ont prise tous ensemble et n'ont pas jugé bon de la payer. Ce dernier incident surtout a dû faire pencher sa décision ; le jour de l'enterrement elle avait encore le visage tuméfié et boitait légèrement. Quelques jours après, elle est venue prendre la place de Lucas, pour la plus grande joie de Gina.

Mariangela, la nièce du contorsionniste Bartolo, une fillette assez jolie, n'est pas aussi souple que Fuank et Alberti l'auraient souhaité, et elle ne pourra pas faire un numéro à elle seule avant très longtemps. Mais elle est débrouillarde et n'a pas peur des hauteurs, ce qui peut l'aider à jouer comme figurante dans le numéro des acrobates au sol. Son papa, Ilario, est encore jeune ; bien qu'il soit très maigre, il n'a pas l'air aussi fragile que le décrivait Bartolo, et semble plutôt du genre lambin. C'est pourquoi, suivant les conseils de son frère, il a aussi amené avec lui le jeune Pietro, un garçon de son village, dans l'espoir de réussir à payer son voyage pour l'Argentine. Pietro a quatorze ans à peine, mais il est bâti comme un jeune bœuf; très petit de taille, il a pourtant les muscles et l'ossature d'un homme mûr. Et sans qu'il soit tout à fait nain, son corps rappelle d'une certaine façon celui de Gandalf. C'est aussi un garçon très jovial et qui semble avoir travaillé dur depuis sa plus tendre enfance. Il s'offre d'ailleurs avec la meilleure volonté pour apprendre tout ce qu'on veut lui enseigner, que ce soit l'acrobatie, le ménage, l'entretien des ours ou la cuisine. Voilà pourquoi Ilario était si certain d'être accepté qu'il n'avait pas hésité à venir avec ses valises et les vêtements de Mariangela. Pietro, par contre, même si c'était lui qui allait faire la différence et permettre au paresseux Ilario d'aller en Argentine, n'avait que son linge de corps.

Pietro travaille déjà avec Marco et Arcadi pour s'entraîner aux poids et aux haltères, et il s'est mis aussi aux exercices de souplesse sur la barre fixe. C'est un garçon de la campagne, rustre et illettré, extrêmement gentil et timide avec les filles, surtout avec des filles comme Elvira qui savent tant de choses sur la vie. Elle a commencé à l'aguicher dès son arrivée. Fuank a dû rappeler à l'ordre la petite garce afin qu'elle fasse un effort pour bien se comporter et qu'elle laisse Pietro tranquille. Les enfants se disaient entre eux qu'Elvira s'était mis en tête de continuer à faire la pute au cirque, offrant ses services contre paiement ou petites faveurs. Si tel était le cas, cela risquait de créer des jalousies, sans compter que le va-et-vient dérangerait le sommeil des autres gamines dans la chambre minuscule. La petite a toujours le feu au cul et elle est bien trop consciente du pouvoir qu'ont ses jambes maigres sur les mâles quand elle les écarte. Ç'aurait été plus facile si elle était tombée amoureuse d'un des garçons de la troupe, mais elle semblait bien éloignée déjà des amourettes romantiques. Fanny et Isabel lui ont même collé des baffes parce qu'elle faisait de l'œil à Wlacek et à Pancho.

Il fallait donc un peu plus que simplement la rappeler à l'ordre. La menacer d'expulsion risquait de la décider une fois pour toutes à reprendre la vie de pute, ce qui aurait été dommage pour ses talents d'acrobate. Fuank s'est donc occupé de lui expliquer certaines choses de l'existence durant toute une nuit, et bien à sa façon. Elvira ne semblait pas habituée à la médecine du clown acrobate ; le lendemain de cette fameuse nuit pédagogique, elle filait tout doux, presque un peu craintive. Depuis lors, elle ne cause plus de soucis à personne ; elle obéit à Fuank et aux acrobates comme une bonne élève, soit de peur d'autres leçons, soit dans l'espoir d'en avoir encore. Et cela a profité en même temps à Rita, qui commençait aussi à jouer à l'aguicheuse.

Maintenant, Oleg et Martha disent que cela ressemble à un couvent ; et si les jeunes gens font l'amour entre eux, cela se passe aussi comme dans les couvents ou les séminaires, c'est-à-dire avec la plus stricte des discrétions. Mais si on se fie à la façon dont les filles et les garçons se regardent, on ne serait pas étonné qu'il y ait des ventres pointus une fois à Buenos Aires.

Uniquement des ventres pointus puisque le consul organise une visite médicale pour toute la troupe, histoire de ne pas importer de blennorragie ou de syphilis dans son pays. Il paraît que c'est plutôt une exigence du capitaine du bateau, qui craint une épidémie à bord à cause de tous ces vagabonds et de ces putes. Ce sera un long voyage ; et les conditions dans les soutes d'un cargo étant ce qu'elles sont, il s'agit peut-être d'une sage initiative.

Le médecin est là, accompagné de son infirmier et de son petit laboratoire portatif. C'est un vieux tout sec, avec barbiche, flottant dans ses vêtements très usés, et il n'a pas l'air de se souvenir très bien de la routine médicale. Il aurait d'ailleurs préféré remplir tous les certificats de bonne santé dans la chaleur de son propre cabinet, sans devoir se déplacer si loin et endurer la présence de cette racaille. Mais le consul a vraiment insisté pour qu'il se rende au campement, de façon que l'infirmier de la santé publique puisse aussi attester que les voyageurs sont sains, et qu'ils sont vraiment ceux que l'on décrit dans les documents d'embarquement et dans les visas. Cela fera plus officiel aux yeux de tous et facilitera l'embarquement.

Avec la file de patients qui attendent à l'entrée de la roulotte du directeur, il est compréhensible que la plupart des examens soient le plus sommaire possible. Des hommes, le médecin ne veut voir que la bite : chacun déballe la sienne et la presse de haut en bas pour montrer qu'il n'y a ni chancre ni écoulement. Les femmes mûres aussi sont vite libérées après un regard médical si proche qu'on dirait que le vieux docteur se fie plus à son nez qu'à ses yeux pour déceler la blennorragie. Il s'intéresse un peu plus cependant aux garçons, auxquels il fait aussi écarter les fesses ; à l'aide de son doigt ganté et vaseliné, il juge bon de vérifier aussi l'élasticité du sphincter anal. Peut-être garde-t-il le même gant pour tous dans le but de s'assurer d'un barème commun d'investigation, ou alors il n'en a apporté qu'un seul. Les jeunes filles retiennent plus longuement son intérêt : vagin, cuisses, fesses, anus, seins et même les aisselles sont scrutés, palpés et auscultés avec un soin infini, sans doute à la recherche aussi de ganglions suspects, de poux ou de frissons juvéniles. L'infirmier est souvent mis à profit durant ces investigations, comme c'est le cas avec Katia. Nue et pleine de honte, sans trop savoir comment expliquer la présence de certaines rougeurs et ecchymoses, elle subit aussi les doigts de l'infirmier pour que les deux cliniciens soient en mesure de discuter de son cas. Frottis et microscope sont alors utilisés pour vérifier les observations, avec d'autres palpations et examens si intimes qu'ils auraient fini en viol par l'infirmier si la patiente ne s'était pas mise à sangloter.

La minutie et les questions pertinentes des deux fonctionnaires de la santé municipale permettent de conclure que tous les forains sont en bonne santé, à l'exception malheureusement de la petite Gina, laquelle est par ailleurs médicalement certifiée comme étant la seule vierge de toute la troupe. Son hymen est intact, et cette curiosité a tellement surpris le médecin qu'il a jugé bon de pousser plus à fond son investigation. La chassie accumulée au bord des yeux de la petite a alors attiré son attention ; si l'on peut se fier au jugement du microscope, Gina est atteinte de gonorrhée oculaire.

Les poux et les puces dont le médecin et son aide ont trouvé des traces chez certains artistes ne causent pas trop d'émoi dans cette période d'après-guerre. Les autorités sanitaires exigent seulement que le directeur de la troupe se charge de procurer de la poudre DDT — qui est d'ailleurs distribuée gratuitement par la municipalité et les casernes —, et qu'il en supervise l'usage généralisé à la fois chez les humains, les bêtes et tout tissu ou objet rembourré dans le périmètre du cirque. Il faudra aussi qu'il en fasse provision pour le voyage, ce dernier point étant une exigence précise des responsables du port.

Le cas de la petite Gina est plus complexe à démêler, et il nécessite un paiement comptant ainsi que plusieurs cartouches de Lucky Strike. Alberti a beau assurer au médecin que les forains ont des amis chez les Américains, et qu'il sera facile d'obtenir cette drogue miraculeuse appelée pénicilline, il doit quand même payer. Tous les artistes doivent ensuite repasser devant le médecin pour que celui-ci examine leurs yeux. Il n'y a pas d'autre cas semblable, et le mystère de l'infection de la petite serait resté entier sans l'aide d'Elvira. Après avoir subi un nouvel examen qui s'avère négatif, Elvira se souvient en effet que ses deux grandes sœurs souffrent aussi d'écoulements. « Mais pas aux yeux..., ajoute-t-elle avec un petit sourire narquois. Plus bas... » Quand elles viennent chez les parents, elles se lavent et se frottent souvent pour ne pas trop salir leurs bas de nylon. Gina étant la cadette, les grandes sœurs lui font toujours la fête, avec plein de baisers et de caresses. C'est sans doute de là que vient la maladie.

Gina et curieusement aussi Katia doivent se présenter au cabinet du médecin dans deux semaines pour qu'il puisse signer leurs certificats. Gina devra être guérie et apporter avec elle ce qui lui reste de pénicilline pour prouver qu'elle a vraiment été traitée avec ce médicament. Le problème de Katia sera diagnostiqué après d'autres investigations cliniques, mais le médecin n'est pas d'avis qu'elle aura besoin elle aussi d'antibiotiques. Il réserve pour plus tard son jugement sur la grande et belle fille, préférant ne pas entrer dans le détail pour le moment.

Spivac se charge d'obtenir le médicament pour la fillette chez ses copains soldats. Selon ses propres paroles, ils lui doivent bien ça après avoir mis un terme à sa brillante carrière artistique. Il faut dire qu'il paraît moins mélancolique depuis qu'il a recommencé à jouer, mais toujours en prenant soin d'enrouler ses mains avec des gazes souples et d'une façon très complexe. Le sort paraît cependant s'acharner encore contre lui, puisqu'il revient de ces soirées avec à peine quelques dollars ou des paquets de cigarettes.

Le cas de Katia laisse tout le monde perplexe, d'autant plus que si elle est parfois tristounette, elle a l'air d'être en parfaite santé. Ses larmes à la sortie de la visite médicale ont intrigué Makarius et Gandalf, qui étaient déjà perplexes face aux amours de Katia et d'Arcadi. Le couple est très discret, mais les parois de la roulotte sont trop minces pour qu'on croie que les lendemains pénibles de la fille sont uniquement dus à des migraines ou à des règles douloureuses. Gandalf se sent d'une certaine façon responsable, puisqu'il est pratiquement devenu le beau-père de Katia. Makarius cherche uniquement une excuse pour s'en prendre à Arcadi.

« Mais il n'y a rien à dire, malheureusement », pense le mime à la suite de l'entrevue qu'ils imposent à Katia. Quand elle leur raconte comment s'est passé l'examen — sans parler, bien sûr, de ses rougeurs et de ses ecchymoses —, il devient évident que le médecin et l'infirmier veulent l'attirer dans l'intimité du cabinet en ville uniquement dans le but de la baiser. C'est vrai qu'elle est désirable, et si naïve et craintive qu'on se demande bien où elle a passé toute la guerre pour avoir conservé ainsi ses allures de novice de couvent. « Dommage que ce soit Arcadi qui en profite », pense encore Makarius. Mais il suffira que Gina et Katia se fassent bien accompagner le jour de l'examen de contrôle, et tout se passera sans problème. Pourvu que Spivac réussisse à trouver le médicament ; ce serait une grande injustice de laisser en arrière la petite Gina, entre les griffes de ses grandes sœurs maquerelles.

❏

Le *Nadeshda* est un petit cargo à deux mâts de charge et seulement deux grandes soutes. Rouillé et d'apparence négligé, il n'en est pas moins assez élégant. Oleg, Makarius,

Katia et Gina l'aperçoivent au loin, amarré au quai et en train de décharger, quand ils reviennent de la visite médicale. Il est là, tout pimpant et portant joliment son nom, entouré de cargos plus grands et de bâtiments de la marine américaine. Les quatre forains distinguent assez bien les grues du port qui plongent leurs câbles dans ses soutes pour soulever ensuite des fardeaux hétéroclites. Il paraît que c'est de la viande et de la laine, sans doute de la viande en conserve, puisque le navire a l'air trop vétuste pour disposer d'une installation frigorifique. Son petit pavillon flotte au vent et au soleil comme s'il faisait des signes à ses futurs voyageurs.

Comme prévu, tout s'est bien passé chez le médecin ; l'infirmier a même trouvé une excuse pour ne pas assister à l'examen après qu'Oleg s'est présenté comme étant l'oncle de Katia. Gina a été libérée aussitôt mais le médecin devait au moins faire semblant d'examiner la grande fille. Il fallait bien qu'il trouve quelque chose à dire au formidable oncle qui attendait dans le vestibule en parlant à Makarius de sa meilleure voix de basse. Et la chance lui est venue en aide puisqu'il y avait en effet quelque chose d'intéressant à rapporter. Avec le sérieux de mise en pareille situation, et de nouveau avec son air de clinicien concerné, le médecin a tenu à apprendre aussitôt à l'oncle la mauvaise nouvelle.

— J'avais douté lors de mon premier examen, et c'est à cause de ça que j'ai insisté pour qu'elle revienne, a-t-il commencé en nettoyant ses lunettes avec le bout de sa cravate. Maintenant, je suis certain de mon diagnostic. Hélas ! la jeune fille est célibataire, du moins c'est ce qu'elle m'a laissé comprendre. Alors, dans ces conditions, je n'ai pas de bonnes nouvelles à vous communiquer, monsieur Mindras. En tant qu'oncle et gardien de la jeune personne, vous jugerez vous-même des mesures à prendre. Mais en tant que médecin, c'est mon devoir de vous dire que la demoiselle est enceinte.

Face au large sourire d'Oleg, le médecin s'est détendu, soulagé, et il s'est empressé d'affirmer que tout se passait bien, qu'elle était en bonne santé. Et que s'il n'y avait pas danger de scandale, il y avait alors lieu de se réjouir. D'ailleurs, la demoiselle non plus ne paraissait pas prendre mal la nouvelle, bien au contraire. Le médecin trouvait même dommage de ne pas avoir la chance de connaître l'heureux futur papa, pour le féliciter de vive voix.

— Gandalf va être grand-père ! s'est exclamé Makarius en sortant du bureau du médecin. Il reste à savoir comment réagira notre nazi en apprenant que son bébé sera demi-juif.

— Pas demi, a protesté Oleg. Juif à cent pour cent puisque c'est la mère qui transmet l'appartenance juive. Et beau, costaud comme le père et timide comme la mère. Pourvu que ce soit un mâle, rien que pour le faire chier. Il va le prendre mal, Makar. Il faudra ouvrir l'œil pour qu'il ne fasse pas avorter la petite.

— Nous verrons comment il se comporte, a répondu Makarius, plein d'espoir.

Gina et Katia avancent main dans la main, suivies un peu plus loin du dompteur et du mime. C'est évident qu'elles sont heureuses, surtout que Gina vient juste d'apprendre qu'elle a failli ne pas partir avec les autres. Elles rient en se racontant des choses sans doute bien enfantines. Katia a maintenant une démarche plus assurée, plus féminine que d'habitude, car elle croit que ce bébé sera une garantie de bonheur conjugal. Arcadi s'adoucira certainement, puisqu'elle porte en elle sa semence. Il ne la traitera plus avec dédain ; on ne traite pas la mère de son enfant comme on traite une fille quelconque. Et c'est lui-même qui a promis de l'épouser en Argentine.

Oleg et Makarius aussi sont contents sous le soleil lumineux de l'été. L'arrivée du bateau a mis fin à une attente si longue et incertaine qu'elle commençait à paraître irréelle. Et ils ont hâte que le déchargement soit fini pour aller voir de près ces fameuses soutes où ils vont tous loger. Le long voyage commence à prendre des allures de vacances dans leur esprit, et cela s'accompagne de cette nonchalance un peu molle qu'on ressent lorsque ce sont d'autres personnes qui nous prennent en charge.

❑

Alberti revient tout excité de la visite au bateau ; Fuank et Makarius sont un peu moins enthousiastes, mais ils gardent pour eux ce qui leur semble problématique. Le directeur n'entre pas trop dans les détails, ce n'est pas nécessaire. Ce qui compte, c'est qu'ils pourront bientôt partir, qu'ils auront un minimum de confort et que, dans quelques semaines, ils seront en Amérique du Sud. Il a peut-être raison de penser ainsi ; le mime et le clown ont été simplement mal impressionnés par l'état encore provisoire du nettoyage des soutes. Le déchargement venait à peine de se terminer, et l'équipage était justement en train d'arroser les vastes chambres à l'aide de puissants boyaux. Les planchers étaient encore recouverts d'une espèce de boue malodorante. Sans compter que l'odeur de viande de mouton, de café et de blé était si forte qu'il était pénible pour les visiteurs de rester à l'intérieur, ne fut-ce qu'un moment, même avec les panneaux de chargement grands ouverts. Les trois compagnons du cirque venaient en outre de se rendre compte que les soutes d'un cargo n'ont pas de toilettes ni de douches, et qu'il faudra se relayer pour transporter en haut les seaux d'excréments accumulés jour et nuit. L'eau pour les ablutions sera prise à un énorme robinet d'où coule une eau rouillée, et il faudra faire bien attention pour ne pas inonder tout le plancher. Il n'y a pas de salle de repas pour un si grand nombre de voyageurs, et ceux des soutes devront aussi transporter la nourriture en bas, depuis la cuisine et la cambuse ; ils devront ensuite, bien sûr, rincer autant que possible leurs couverts et assiettes en fer blanc. Le capitaine a engagé des cuisiniers supplémentaires, mais, encore là, il faudra se contenter d'une alimentation très répétitive. Les roulottes seront arrimées dans une des soutes de façon à créer aussi une sorte d'enclos pour les chevaux ; les gens pourront dormir soit dans leurs chambres, soit dans des hamacs accrochés le long des parois de la soute. Mais les roulottes collées les unes aux autres rendront peut-être l'air irrespirable sous la chaleur du soleil. Les panneaux de chargement resteront ouverts durant tout le voyage pour assurer une aération convenable ; s'il pleut, cependant, il faudra s'abriter quelque part et pomper ensuite en cas de grande accumulation d'eau. Par contre, si la mer est très agitée, ceux qui voyagent en bas souffriront moins du mal de mer que les passagers des cabines du pont ; on sent moins le tangage lorsqu'on est plus proche de la quille que de la cheminée. Les gens auront toujours la permission de se promener sur le pont et de se prélasser au soleil sur le gaillard d'avant. Le petit gaillard d'arrière, derrière le château et la passerelle, sera réservé aux quelques voyageurs qu'ils ne doivent pas rencontrer. Il paraît que ce gaillard d'avant est très romantique et agréable la nuit, du moins tant qu'on n'a pas passé l'équateur.

Ce sont là des détails sans grande importance pour le moment, et chacun verra comment cela se passe une fois qu'on sera en mer. Ce qui compte, c'est que le bateau pourra recevoir le cirque au complet, y compris la cantine roulante même si en Argentine on s'en procurera aussitôt une neuve. Et puis, ils viennent de recevoir tant de cadeaux du capitaine Mavros qu'ils ont dû louer un petit camion pour revenir au campement : huit agneaux entiers qui dégèlent sous la chaleur du soleil, beaucoup de cigares brésiliens, et une caisse de bouteilles d'une eau-de-vie appelée *cañazo paraguayo*, bien plus brûlante que n'importe quelle grappa ou vodka qu'ils connaissent.

La nouvelle du méchoui réjouit tellement les forains qu'ils négligent de poser des questions sur l'état du navire. En plus, Alberti annonce avec fierté que le chapiteau sera démonté demain durant la journée, les roulottes seront chargées et tout le cirque se mettra en route à l'aube du jour suivant pour être dans les soutes du *Nadeshda* le soir, au plus tard. Ils dormiront tous à bord ; si tout se passe comme prévu, dans trois jours à la première heure, on larguera les amarres. Le capitaine Mavros et le consul argentin s'occuperont des formalités ; les quarante-sept forains inscrits ont été acceptés par les autorités.

Martha et ses aides s'affairent à piquer les agneaux d'ail et d'épices pendant que les hommes préparent les feux et les broches pour la grillade. La saison est déjà assez avancée pour que le basilic, les tomates et la ciboulette soient abondants ; les femmes farcissent le ventre des bêtes de ces ingrédients odorants, y ajoutant de l'ail, de l'oignon et des miettes de pain trempées dans l'huile d'olive. Dès que les braises sont à point, toute la viande est mise à rôtir sur les broches. En moins de deux, le parfum est tel que les ours et les chiens se mettent à gémir de désir, et les saltimbanques tournent autour des feux, proposant leur aide et salivant d'avance. Le fameux *cañazo paraguayo* passe alors de main en main ; les plus délicats le mélangent à de l'eau ou à du vin pour pouvoir l'avaler.

La boustifaille se poursuit jusque très tard dans la nuit, quand seules les carcasses bien sucées restent à brûler parmi les braises, avec de petites explosions. Ils ont tous les mains et le visage enduits de graisse et un peu noircis par la fumée des feux. Si cette soirée est représentative de l'Argentine, pensent plusieurs, toutes les difficultés seront oubliées dès qu'on arrivera là-bas. Sans compter que cette eau-de-vie en si grande quantité aide non seulement à bien digérer, mais aussi à voir la vie en rose.

Même Arcadi se sent d'humeur joyeuse, lui qui boudait Katia depuis la nouvelle de la venue d'un bébé juif. Il se sent débonnaire mais se retient pour ne pas se trahir en vantant les grillades monumentales, le vin et les belles femmes de son pays d'origine. Katia attribue son sourire et sa présence à côté d'elle à la joie de la fête, et elle pense qu'il commence à s'habituer à l'idée d'être papa. Peut-être qu'il sera plus gentil cette nuit, lorsqu'il aura la mère de son enfant entre ses bras. Elle se promet de ne pas faire la timide, de tenter de l'amadouer davantage, pourvu seulement qu'il montre un peu de tendresse, un peu moins de violence en investissant son corps. Peut-être aussi qu'après l'amour, pendant qu'il fume sa cigarette, elle pourrait lui demander ce qu'il pense d'appeler l'enfant Lucas, comme le petit garçon tombé du trapèze. Si c'est une fille, peut-être qu'il acceptera de l'appeler Gina…

Gandalf tentera de consoler Lidia qui accepte mal l'idée de devenir grand-mère si jeune. La nouvelle l'a secouée, non pas tant pour Katia puisque cet Arcadi est un homme d'allure assez distinguée ; mais pour elle-même, qui a eu l'impression de prendre au moins dix ans en apprenant qu'un petit-fils était en chemin. Mais aussi parce qu'elle a enfin réalisé que tous ses rêves de reprendre la musique avec ses filles n'était qu'une illusion. Il n'y aura jamais de quatuor Fisher, et ses filles ne se marieront pas avec de bons partis dans la communauté juive d'Argentine. Il n'a servi à rien de les surprotéger en leur cachant toutes les horreurs de la guerre. Tant que Katia paraissait la grande fille innocente de toujours, Lidia avait pu fermer les yeux et continuer à rêver que la vie reprendrait comme autrefois après l'interlude de la guerre. Maintenant, tout s'est effondré et elle se sent soudainement une autre femme, presque une vieille femme, celle qui ne peut plus se passer des caresses de Gandalf et qui suivra le nain en oubliant ses rêves de bonne société et de belle réputation. Pourvu que le vieux Fisher ne la voie pas depuis sa tombe, car il ne reconnaîtrait ni son épouse ni ses trois filles, tellement elles sont devenues des bohémiennes. Comment donc s'appellera cet enfant bâtard qui grandit dans le ventre de Katia, et dont le grand-père ne sera pas le musicien Fisher, si prude et distingué, mais Gandalf le nain, qui amène Lidia à s'offrir et à gémir avec tant d'impudeur ? Comment concilier tous ces changements, cette nouvelle identité absurde avec son monde rangé d'autrefois, où rien de nouveau ne se passait? C'est une sorte de vertige, le même vertige qui s'empare de ses sens quand le nain la guide vers le bord de l'abîme. Et maintenant Lidia Fisher va s'embarquer sur un cargo pour s'en aller comme une gitane sans morale ni dieu, la même Lidia Fisher qui s'est tant avilie pour ne pas s'embarquer dans les trains à bestiaux vers la Pologne. Est-ce que toute la peine, les humiliations et les défaites n'ont abouti qu'à cet échec, à cette débauche ?

Les mains de Gandalf sur son corps ont le même effet apaisant que celui de l'alcool. Après à peine un instant d'irritation, elle soupire et se colle au nain, en chassant les doutes de son esprit, puisqu'ils s'en vont vers la chambre. Cet homme est un démon… « Pourvu que les autres femmes ne le découvrent jamais », pense Lidia avec une pointe d'angoisse en voyant Maroussia qui s'éloigne en compagnie de Makarius.

Lioubov dort déjà dans les bras de Durin, bercée avec des chansons d'enfant. Fanny dort aussi ; elle a trop mangé et la boisson étrange cogne dur, même lorsqu'on la dilue avec beaucoup d'eau. Juste à côté, Sven et Wlacek se reposent après s'être aimés d'une tendre façon, peut-être ramollis par la douce senteur de graisse de mouton qui imprègne leurs corps. Quand ils sont ainsi ensemble, c'est un peu comme quand ils sont sur les trapèzes : il n'y a pas d'angoisse ni de peur du lendemain.

Katia, au contraire, vient de subir une autre défaite, une de plus qui s'ajoute à toutes celles qu'elle a connues depuis la nuit où Arcadi l'a prise comme une garce. La même chose vient de se passer, sans tendresse ni égards ; l'homme s'est contenté de la renverser sur le lit pour l'investir avec la même rudesse que d'habitude. Mais au contraire des autres fois où seule sa respiration accélérée annonçait son orgasme, il a enfin prononcé des mots ; une simple exclamation qui l'a brûlée plus que tous les viols du monde. Katia n'en saisit pas encore entièrement le sens. Ça s'est passé si vite, un simple chuchotement qu'elle a d'abord pris pour une caresse ; c'était la première fois qu'il la traitait en être humain et non pas uniquement comme un trou. Elle a failli enlacer son torse avant que la phrase n'atteigne son âme ; en ouvrant les yeux avec surprise, elle a vu la grimace de haine qui se dessinait sur le visage de l'homme. Et il la tenait plus fort que d'habitude, comme s'il avait peur qu'elle s'échappe :

— *Sau Jude*[1] *!*

Est-ce vraiment ça qu'il a dit, ou cette insulte est uniquement quelque chose qui revient à Katia du fond de sa mémoire pour accompagner les situations d'horreur ? Elle ne le sait plus. Arcadi n'a pas semblé se rendre compte qu'il avait dit quelque chose ; il a réagi comme d'habitude, se contentant de boucler sa ceinture et de repartir en la laissant là, couchée, les jambes ouvertes et sa jupe relevée, les yeux fermés de peur de le regarder et de recevoir des gifles. Pourtant, durant le jour, il est le plus adorable des hommes, attentionné et si tendre… Il a encore parlé de mariage quand elle lui a dit qu'elle attendait un bébé. Est-ce vraiment Arcadi qui a prononcé les

1. Littéralement : « Truie juive ». Mais aussi dans le sens de « Maudite juive ».

mots ou est-ce Katia elle-même qui se sent comme une *Sau Jude* chaque fois qu'il la possède? Impossible de savoir, puisque tout se trouble dans son esprit, l'enfant dans son ventre se confondant étrangement avec le paquet de chair ensanglantée qu'était le petit Lucas gisant sur la piste. Et si c'est une fille, et si jamais elle tombe entre les mains d'un homme comme son père? Si ce bébé pouvait seulement mourir dans son ventre, disparaître, ne jamais naître, qui sait si Arcadi ne montrerait pas alors une bribe de tristesse, un brin de tendresse parmi des larmes? Katia pourrait enfin le consoler, embrasser tendrement cet homme dur redevenu enfant, et il saurait qu'elle est là pour lui, qu'il suffit de l'aimer avec douceur et elle lui donnerait d'autres Lucas et d'autres Gina, tant qu'il en voudrait. Pauvre Katia...

Les autres couples dorment aussi, apaisés d'avoir assouvi en eux une faim si ancienne qu'elle leur paraissait normale. Jeremiah et Mandarine, Larsen et Larissa, même la petite Elvira qui a réussi à se faufiler dans le lit de Fuank sous prétexte qu'elle avait mal au dos et qu'il fallait qu'il la masse. Puisqu'elle venait de son propre gré, le clown n'a eu aucune réticence à lui répéter les mêmes leçons, en rêvant plutôt à Marco. « Ce n'est pas grave que cette petite sotte s'amourache de moi, pense Fuank avant de s'endormir. Ce sera toujours un problème de moins. Elle a vraiment le feu au cul, la peste, et cela ne passe qu'avec une bonne peine d'amour. Je vais lui apprendre à m'obéir pour faire d'elle une acrobate. »

Maroussia et Makarius veillent encore en buvant ce qui reste dans la bouteille d'eau-de-vie. Eux aussi se sont aimés, d'une façon bien lente et délicate pour que le corps de la femme se sente aussi aimé que son âme. La voyante est nostalgique sans trop savoir de quoi. Elle a peur du voyage; elle sent cette peur justement dans son corps de femme qui répond si bien aux présages sur ce que lui réserve la fatalité. Son corps ne lui a jamais menti. Mais il y a aussi la sentence des tarots tant et tant de fois répétée. Elle a beau tenter de tricher, la Maison de Dieu se faufile sans cesse entre ceux qu'elle aime pour contredire la Roue de fortune et pour troubler les intentions de la Papesse. Le Chariot et les Étoiles sont sans cesse à l'envers, et c'est de mauvais augure ; cela signifie que le cirque est livré au pouvoir d'autres puissances. Comme le Pendu, il sera un jouet entre des mains étrangères. Le Bateleur ne pourra pas facilement rééquilibrer la situation, ni par ses ruses ni par son métier, puisque le sort est contre lui. La Mort elle-même se laissera confondre. En outre, les constellations que la voyante connaît et auxquelles elle peut faire confiance, même ces étoiles seront différentes là-bas, dans l'hémisphère Sud. Les étoiles dessineront sans doute des êtres inconnus qui ne répondront pas de la même manière que les figures septentrionales. Comment fera-t-elle alors pour se guider dans ce monde si différent de l'Europe ? Et la Lune paraît sans cesse s'allier à la Maison de Dieu pour suggérer des tragédies aussi funestes qu'imprévisibles. Le Fou revient en trébuchant à chaque nouvelle main qu'elle étale, comme pour l'avertir qu'ils seront tous d'abord trompés, et qu'ils végéteront ensuite des années durant comme des vagabonds parmi les bêtes.

— J'ai peur, Makar. J'ai beau me dire que c'est ma peur de femme, que c'est Maroussia Grendel uniquement qui a peur, cela ne change rien. J'ai peur que ce voyage finisse mal, que nous finissions tous mal.

— Pauvre femme, répond Makarius en caressant ce ventre souple qu'il aime tant. Pauvre petit ventre moelleux… Regarde plutôt le joli nombril que tu as, comment il fait une chute adorable pour ensuite remonter la crête du ventre, comme s'il allait glisser en riant vers ton sexe. Ton nombril est plus important que les étoiles, ma chère. Nous nous aimons maintenant, nos corps sont à l'aise et savent s'amuser. Qu'est-ce que tu veux de plus ?

— Makar, j'ai peur, c'est tout. Je ne comprends pas, ce voyage absurde n'a pas de sens. C'est tout un cirque qui va à sa perte, voilà ce que je vois. Ça va finir mal, mon amour…

— Mara, ma belle garce, est-ce que tu as déjà vu une vie finir bien ? Finir bien ? Finir, ma chatte, c'est toujours mal finir, par définition. Tu t'en fais trop. La mort est l'unique forme de fin, il n'y en a pas d'autre. Et lorsqu'elle arrive, c'est vraiment fini, il ne reste plus rien. Si elle tarde, c'est à nous de hâter sa venue quand la peine est insupportable. Alors, je prends plutôt le pari de ton nombril, de ton petit bedon et de ton sexe poilu. C'est du moins un pari réel, actuel, palpitant de chair de femme. Et tu sens bon. Les étoiles sont trop froides, Mara.

— Je sais... Quand tu as tes mains sur moi, quand tu me prends, je vibre, la mort n'existe pas. Mais ensuite elle revient me hanter. Non pas mon corps ; je n'ai pas peur de me tuer s'il le faut. Ou toi tu me tueras pour que je ne souffre pas, n'est-ce pas ? Mais le cirque, un cirque tout entier qui disparaît dans la boue... Cette vision est trop horrible, c'est comme si le monde entier allait finir tout à coup, sans laisser de trace. Tout, Makar, tout ! Tous les artistes, la musique, les couleurs, tout ce qui est beau, même ton amour pour mon ventre.

— Si ça finit, c'est la fin du monde de toute façon. Lorsque quelqu'un meurt, Maroussia, même s'il meurt seul, c'est le monde entier qui disparaît pour lui. Et on meurt toujours seul, même quand on meurt à plusieurs. Tu t'en fais pour rien.

— Non, Makar, il y a peut-être encore moyen de tout arrêter, d'empêcher que cela arrive. Le petit Lucas est là pour nous le rappeler ; il voulait jouer, souviens-toi, rien que jouer. Comme nous, et nous tomberons comme lui. Souviens-toi de Spivac et de ses doigts cassés. Le corbeau Munin contre le petit chien, aussi. Et le diable, tel qu'il apparaît dans les cartes, ne ressemble-t-il pas à ce qu'est devenu Léon ? Sans compter le monstre dans le ventre de Katia ; elle ne le sait pas mais c'est un monstre qui tente de renaître. Ce que nous allons faire, camoufler la fuite de ces assassins, cela se retournera contre nous, Makar. Nous, les artistes, nous sommes le bateleur du tarot ; il peut tout renverser par la ruse quand il s'agit d'art et de ruse, dans un monde en ordre. Mais quand c'est la force brute qui mène le bal, l'argent et la soif du pouvoir pour le pouvoir... Alors, les artistes ne peuvent rien faire. Nous balançons au bout de la corde pendant qu'ils nous utilisent à leur gré ; ensuite, ils nous jettent en pâture aux chiens. Voilà ma peur.

— Je vois, ma petite, c'est une belle peur, très réaliste même. Sauf qu'il en a toujours été ainsi, n'est-ce pas ? Et nous sommes encore là, ne serait-ce que pour emmerder. Il n'y a donc rien de neuf sous le ciel et nous sommes habitués au risque. Ça fait partie de ce que nous avons choisi d'être ; je dirais même que c'est ce risque et cette provocation qui mettent du piquant dans nos vies. Pourquoi penses-tu que Sven et Wlacek prennent chaque jour de nouveaux risques, ou que je tente d'améliorer sans cesse mon art ? Ce n'est pas pour plaire au public, tu le sais bien. C'est pour moi. Mais un peu aussi pour défier les spectateurs, ces natures tièdes qui viennent chez nous pour tâter de loin les frissons que leur vie ne leur donne pas... Pour provoquer et me sentir vivant. Ce voyage est un risque, certes, mais pas si grand que tu le dis. Je le prends comme des vacances, des vacances après la guerre, des vacances loin de cette Europe exsangue. L'Argentine est pour moi comme un numéro que je n'ai jamais essayé sur scène ; il me donne le trac et m'attire plus que les choses auxquelles je suis habitué. Tente de ne pas regarder trop loin dans tes cartes, fais semblant que tu pars en vacances et attends. Il se peut que même des mauvaises expériences soient assez intéressantes, du simple fait qu'elles sont nouvelles. Pense au frisson de faire l'amour avec un corps que tu ne connais pas encore. C'est de cette forme de risque là que je parle. Pour le reste, l'unique risque serait qu'ils cherchent à nous jeter tous par-dessus bord, au milieu de l'océan. Ce serait une belle bagarre, surtout que Fuank et Cotshi se sont procuré des armes. Mais c'est trop improbable, Maroussia. Nous allons à notre perte du simple fait d'être vivants, de vieillir encore pendant que des millions d'autres sont déjà morts. Dis-toi bien que seuls les morts sont en sécurité.

— Makar... Tu as peut-être raison. J'ai peur de vieillir ; souvent je regrette de ne pas être morte, rien que pour ne pas me voir vieillir. Mais je t'assure, je ne te parle pas de moi. Je crois aussi que, des gens comme toi et moi, nous nous en sortirons malgré tout. Je parle du cirque.

— Le cirque... Est-ce qu'il existe sans ses artistes, le cirque ? Est-ce que l'art existe sans le travail solitaire d'individus qui s'amusent tout en gardant l'illusion de créer ? Je ne crois pas.

— Non ? demande Maroussia avec un sourire taquin devant la grimace moqueuse du mime.

— Je crois à ton nombril, à ton cul de garce, et aussi aux fois où tu ris toute seule pendant que je te baise... Ça, c'est palpable, ajoute-t-il en empoignant la chair de son ventre. Et ça va disparaître avec notre mort, sois-en certaine. D'ici à ce que la mort se souvienne de nous, le mime Makarius et sa garce Maroussia s'en vont en croisière comme deux bons bourgeois. C'était bon, le mouton, tu n'as pas trouvé ? On en mangera souvent pendant le voyage, jusqu'à se mettre à bêler. Les poils de ta chatte vont devenir tout bouclés, tant tu vas manger du mouton ; et dis-toi bien, les seuls signes qui compteront pour nous deux seront le bélier, le mâle et la femelle.

— Tu aimes la mort, Makar, c'est drôle... On dirait que tu l'attends avec plaisir.

— C'est aussi drôle qu'aimer la vie ou aimer une voyante mélancolique. Depuis le temps que je l'attends et qu'elle ne vient pas, la mort devient quasiment une curiosité qui va m'émerveiller. Comme quand on attend longtemps pour coucher avec une femme, Mara. C'est bandant. Allez, au dodo. Demain, on démonte le chapiteau comme les bourgeois font leurs valises.

❑

Démonter le chapiteau est plus facile que le monter, et beaucoup moins risqué. Il suffit de bien garder fermés les pans latéraux de la toile, et l'air de l'enceinte agit comme un gigantesque amortisseur. Les hommes peuvent alors se tenir en haut des mâts pour dégager les cercles d'acier qui tiennent lieu de mamelons, pour se laisser ensuite descendre lentement au fur et à mesure que le poids de l'ouvrage expulse l'air par les ouvertures et dégonfle le tout. Les poulies servent presque uniquement à contrôler la chute de la toile, pour qu'elle se fasse à la verticale, sans que le tissu s'accroche ni pende de tous les côtés.

On plie ensuite les pans de la toile dans un ordre précis, pour quand viendra le temps de la déployer à nouveau.

Dégager les mâts est un travail qui exige des muscles, mais qui se fait bien vite puisqu'il n'y a pas les angles mystérieux à surveiller. Et la fièvre du voyage a gagné les forains d'une façon telle que chacun y met du sien pour que tout soit fini le plus vite possible.

Ranger à nouveau les équipements dans les roulottes est la tâche la plus ardue. Chaque fois, le cirque semble s'être enrichi d'un bric-à-brac supplémentaire, pour lequel il est très difficile de trouver de la place. Il faut alors pratiquement vider toutes les roulottes pour tenter de bien ranger selon un ordre rationnel, sans quoi il sera impossible de tout emporter.

Sans le chapiteau et avec les roulottes étalant leurs entrailles en plein soleil, le cirque redevient un minable campement de gitans affairés. Mais c'est une agitation bienfaisante ; elle fait passer vite le temps qui reste avant le voyage. Les derniers achats ont déjà été faits et sont stockés ; surtout des tissus et des cordages pour réparer les costumes et l'équipement, si jamais les gens s'ennuient trop pendant la traversée. Les balles de foin pour les chevaux attendent déjà au port, et le capitaine assure qu'il y aura des légumes en quantité suffisante pour alléger la ration K qu'on donnera aux ours. Spivac et Cotshi se sont chargés d'échanger ce qui leur restait des cartouches de cigarettes américaines contre de l'argent, et chacun des forains a reçu quelques dollars pour ses propres achats personnels. Il reste assez de cigarettes pour le voyage et il paraît qu'en Argentine le tabac n'a jamais manqué. Grâce au cordonnier Gianbattista, toute la troupe est bien chaussée ; les chevaux et les ours sont harnachés à neuf. Jusqu'au chien Beria qui a un beau collier et qui — chose incroyable pour un bâtard comme lui — possède un document avec son nom, attestant qu'il a reçu tous les vaccins du monde. Cela n'est pas vrai, mais les forains non plus n'ont pas reçu les vaccins inscrits dans leur document de voyage. Qu'importe ? De toute manière, seul Negerkuss est facilement identifiable, puisqu'on mentionne qu'il est Noir ; tous les autres sont si vaguement décrits qu'on pourrait presque emmener n'importe qui à leur place. Et comme Negerkuss ne sera pas du voyage, son document ne servira à personne, à moins de peindre en noir un voyageur de dernière minute.

Le soir, au lieu d'aller dormir de bonne heure comme les autres forains, Spivac sort de sa chambre avec ses mains toujours enroulées dans des gazes et part en direction de la ville. Il vient d'avertir Alberti et Fuank qu'il ne dormira pas au campement à cause d'un rendez-vous important qu'il ne peut pas ajourner. Il leur a assuré qu'il sera au port au moment d'embarquer, mais que si jamais il ne se présente pas, ils doivent partir sans tenter de le chercher. C'est qu'il aura décidé de rester en Italie ; les choses laissées dans sa chambre deviendront alors la propriété de Jeremiah et de Mandarine. Son regard avait un éclat étrange, oscillant entre le défi et la moquerie. Alberti et Fuank n'ont pas tenté de le retenir, puisqu'il n'est pas de mise de vouloir dissuader un artiste de rencontrer son destin. Mais ils se sont embrassés très fort, au cas où ils ne se reverraient plus jamais. D'autres forains se sont contentés de le saluer comme d'habitude, pour ne pas le mettre mal à l'aise ; du moment qu'il préférait partir ainsi, sans adieux définitifs et en promettant vaguement de revenir, il fallait respecter sa décision. De toute manière, la carrière de magicien du grand Draco Spivac est fichue, et c'est pourquoi il s'est enfermé des journées durant depuis des mois, sans doute pour y couver aussi sa dépression. Voilà qu'il allait se perdre en ville, et qu'il regarderait de loin le départ du cirque. À quoi bon lui montrer qu'on avait compris ?

Une nuit très courte, chacun surexcité et prêt à sauter de sa paillasse dès que Fuank sonnera l'appel. Tant et si bien qu'il est à peine quatre heures du matin et déjà les chevaux sont attelés, et le convoi est prêt pour le départ.

Le sort de la cantine roulante paraît cependant compromis, car le minuscule tracteur rouillé qui doit la tirer refuse de partir. Pourtant, hier encore, son moteur toussant et crachant une épaisse fumée noire paraissait heureux de se réveiller du long sommeil hivernal. Ce matin, rien. Paco s'obstine à jouer de la manivelle depuis déjà une bonne demi-heure, mais sans succès. Tout paraît en ordre pourtant, la batterie a été chargée dans un garage des environs et le moteur, nettoyé de fond en comble. Le réservoir est plein d'un combustible qui ne semble pas trop trafiqué et, s'il fait un peu humide, il ne fait pas froid ce matin.

La suggestion de Gorz paraît farfelue, mais que faire d'autre si on risque de devoir abandonner sur place le tracteur et la cantine ? Il a vu des soldats faire ça durant la guerre, assure-t-il, et cela fonctionnait avec des chars d'assaut. Pourquoi pas avec un petit tracteur ? Un feu de bois est allumé par terre, et on pousse ensuite l'engin de façon que le moteur se trouve au-dessus des flammes comme une pièce de viande à rôtir. Il faut faire gaffe car le réservoir risque d'exploser. Mais dès que le moteur est brûlant, quelques coups de manivelle suffisent en effet à réveiller enfin le petit tracteur et il tourne comme s'il avait tourné la nuit durant.

Le convoi se met en branle très lentement, accompagné des forains qui vont faire la route à pied pour ne pas forcer les chevaux. Même si la route est vide à cette heure matinale, les roulottes portent des lanternes à huile comme les véhicules d'autrefois, et cela fait plus procession religieuse que troupe de saltimbanques.

Vu de loin, on dirait que le Circus Alberti arrive à Gênes en provenance de Turin ou de Milan, comme un vrai grand cirque, et qu'il s'installera sur un des terrains vacants près du port. Personne ne penserait que ce cirque a passé l'hiver dans les hauteurs surplombant la ville, qu'il s'est formé à partir de presque rien et dans l'espoir d'aller en Amérique. Maintenant qu'il pourrait très bien rester à Gênes et ravir les gens qui aiment le cirque, puisqu'ils en connaissent la tradition, maintenant que tout est prêt, avec de vrais numéros comme il faut, par un de ces curieux tournants de la fatalité, il s'en va plonger dans les soutes d'un cargo étranger. Pourquoi va-t-il si loin, pourquoi ne reste-t-il pas en Italie, puisqu'il existe vraiment ? La seule explication plausible est celle de l'histoire de Pinocchio, comme l'a dit Oleg à Alberti. Ils ont tous tant rêvé de l'Amérique que désormais ils sont condamnés à y aller. À force de se fixer un but, on perd parfois la perspective et on oublie qu'un but n'est pas une fin en soi ; un but à atteindre n'est là que pour nous insuffler l'énergie nécessaire à surmonter le moment présent. On devrait pouvoir se débarrasser des objectifs qu'on se donne comme on se débarrasse des compagnons de route trop lourds à porter, ou des amours trop visqueuses. Ce n'est pas trahir, au contraire ; c'est jeter du lest pour pouvoir continuer le voyage. Sauf que les buts trop désirés et d'apparence inatteignable s'accrochent ensuite sans qu'on s'en rende compte, et ils se déguisent de si belle façon qu'on finit par croire qu'ils en valent vraiment la peine. Et au lieu d'utiliser à de meilleures fins l'énergie provenant des projets qu'on fait, on la gaspille dans la poursuite de ces mêmes projets plutôt que de la vivre en liberté.

Les rues de la ville sont encore endormies lorsque passe le convoi du cirque, et seuls quelques rares passants s'arrêtent pour contempler cet étrange cortège qui encombre la voie des tramways. Il n'a pas le panache d'un cirque arrivant en ville pour y donner des spectacles ; même les couleurs et les images des roulottes paraissent trop pâles sous la lumière rose d'un soleil voilé de brouillard. Ça ressemble davantage à un déménagement de romanichels et, si ce n'était pas de l'heure matinale, les *carabinieri* interviendraient pour dévier ces vagabonds vers les banlieues pauvres.

Le port accueille la troupe avec à peine plus de mouvement et avec la même indifférence. Les forains se placent sur un vaste terrain vague et plusieurs d'entre eux regagnent leurs chambres en attendant l'heure de l'embarquement. D'autres fument, accroupis, en buvant le café savoureux que Martha leur prépare avec ce qui reste des grains offerts par le capitaine. Les débardeurs et autres ouvriers du port regardent avec dédain ce groupe de saltimbanques sans syndicat ni conscience sociale, dont le départ sera un bon débarras pour le prolétariat italien. Ils croient sans doute qu'il s'agit de réfugiés de guerre comme tant d'autres, qui s'apprêtent à être déportés. Ces travailleurs, fiers de leurs bleus, de leurs casquettes et de leurs cartes de membre du parti, sont tout de même sensibles à la beauté des femmes, auxquelles ils adressent des sifflements et des regards d'envie. D'aucuns, attirés par l'odeur de café frais qui sort de la cantine roulante, s'arrêtent pour bavarder et s'enquérir de leur destination, aussi pour entendre de plus près le rire des filles ou pour examiner les chevaux. La cage des ours attire un attroupement de badauds à mesure que la matinée avance, même si Vania, Bobi et Bola dorment paresseusement les uns sur les autres, ramollis par le roulis apaisant de la route.

C'est alors qu'un Spivac très discret, un sac militaire en bandoulière, la tête cachée sous un chapeau aux bords tombants, peut se mélanger aux forains et se réfugier dans sa chambre sans être aperçu. Il fait un signe discret à Maroussia avant de se cacher, et la voyante remarque avec surprise que les mains du magicien ne sont plus bandées de gaze. Après un rapide entretien entre Fuank et Spivac, le mot est donné aux autres forains que Spivac est de retour, mais qu'il faudra faire comme s'il n'était pas revenu au cirque. Rien de mal n'est arrivé, bien au contraire, assure le clown à la ronde ; mais si on les questionne, il faut dire que Spivac est parti la veille au soir avec tous ses avoirs et l'intention de se rendre en France.

Durant toute la journée, les grues hissent les roulottes pour les déposer dans les soutes par les grandes ouvertures de chargement. L'équipage et les débardeurs s'occupent de l'arrimage des voitures, les alignant les unes à côté des autres tout en veillant à laisser les portes dégagées. Larsen et Oleg reçoivent la permission d'embarquer les chevaux et de les installer dans une sorte d'enclos improvisé entre les parois des roulottes.

L'embarquement des forains se fera en fin d'après-midi au moyen d'une rampe allant du quai jusqu'à la portière d'un sabord de charge, une fois que tout le matériel sera à bord. Ce n'est pas fait exprès, c'est uniquement une question de sécurité portuaire, mais cet ordre a peut-être aussi un avantage pratique : au moment où les artistes découvriront les quartiers qui leur sont réservés, il n'y aura plus moyen de reculer. Il faudra vraiment partir.

Les nazis arrivent en automobiles, accompagnés par le consul argentin en personne. Ce sont des hommes tous au delà de la quarantaine, bien nourris et bien habillés, chacun portant une grosse valise, mais visiblement anxieux. Dès qu'ils montent à bord, Arcadi les rejoint, au grand étonnement de la plupart des saltimbanques, en particulier de Katia qui n'ose cependant rien demander. Ensuite, les forains embarquent à leur tour. Le contrôle des documents est fait d'une façon expéditive, par le simple décompte des voyageurs, pendant que le capitaine s'occupe des dernières formalités. Le consul argentin repart après avoir soudoyé encore quelques fonctionnaires hésitants, et le sabord de charge est définitivement scellé pour le voyage. Les saltimbanques deviennent alors la responsabilité du capitaine, même si le *Nadeshda* ne larguera ses amarres qu'au petit matin. L'échelle de coupée est aussi levée pour la nuit.

Dans les soutes, les forains pourraient presque croire qu'ils sont encore au campement, sauf que les roulottes sont collées les unes contre les autres et non pas en cercle. Un sentiment d'oppression assaille plusieurs d'entre eux à la vue des énormes parois d'acier rouillé qui les enferment dans une cage rectangulaire. La puanteur est difficile à supporter et l'absence de vent crée un effet de serre chaude suffocant. Mais les panneaux de chargement demeurent ouverts et le ciel étoilé reste malgré tout visible d'en bas, même s'il paraît très éloigné à cause de la perspective. Ils sont en prison, il n'y a pas de doute ; le capitaine leur assure cependant que, dès le lendemain, l'air frais du large circulera beaucoup mieux. Et quand le bateau aura quitté le port, ils pourront tous se promener librement sur le pont, dans la cuisine et la cambuse, même dans la salle des machines s'ils le désirent. Les autorités italiennes exigeant qu'ils restent en bas la première nuit, les portes des escaliers pour accéder au pont seront verrouillées.

Le capitaine Mavros et son second officier paraissent des gens sympathiques et soucieux du confort de la troupe. Des seaux en abondance s'empilent dans un coin pour les besoins du corps ; il y a trois robinets et même un carré d'acier qui servira de box de douche, où ils pourront se laver à l'aide de tuyaux d'arrosage. Tout au long des parois de la soute, les anneaux d'arrimage permettront d'accrocher des hamacs, mais il faudra y dormir à la façon des alpinistes suspendus sur le rocher. Un repas froid est descendu de la cuisine, accompagné de quelques bonbonnes de vin rouge, et d'autres bouteilles de *cañazo paraguayo* pour aider à bien dormir.

Personne n'a envie de dormir, bien sûr. Il fait chaud dans la soute, et les forains tiennent à être tous ensemble pour combattre l'angoisse que cause cet enfermement. Durin, Lidia et ses filles jouent de la musique pour les distraire et Gandalf improvise des airs de jazz à la trompette. Oleg, devenu mélancolique, entonne des chants russes très tristes, qui attirent l'attention des gens se promenant sur le pont. D'en bas, les forains ne peuvent voir que des silhouettes dressées contre le ciel. Mais il y en a trop pour que ce soient uniquement les membres de l'équipage. Sans doute aussi les nazis, qui peuvent se promener à leur guise, puisqu'ils sont des passagers et non pas du fret. Arcadi doit être là, parmi eux, à regarder ses anciens copains saltimbanques assis au fond de l'énorme soute. Malgré sa honte, Katia ne peut s'empêcher de se lever sans cesse et de traverser le vaste quadrilatère dans l'espoir d'être aperçue par le père de son bébé. Elle tente de se faire remarquer en chantant des chansonnettes enfantines, croyant que l'immense cage fera l'effet d'une boîte de résonance et qu'Arcadi entendra sa voix de future maman. Mais ceux d'en haut se contentent de les regarder en silence comme de simples spectres se profilant dans la faible lueur de la nuit.

Au fur et à mesure que la chaleur augmente, les forains se dépouillent de leurs vêtements pour se coucher enfin presque nus à contempler les étoiles. D'autres jouent aux cartes ou bavardent entre eux ; seul Spivac est toujours caché dans sa chambre malgré l'atmosphère étouffante qui doit y régner.

Très tard dans la nuit, les forains entendent des klaxons, des voix et une agitation soudaine sur le pont, avec la lumière des projecteurs et des ordres criés en anglais. Ils ne peuvent pas savoir si cela vient seulement du pont ou s'il y a des gens sur le quai qui interpellent ceux du navire. Fuank et Gorz conduisent à la hâte Spivac dans la cantine roulante pour le cacher dans le four, car c'est sans doute la police militaire qui vient chercher le magicien. Les autres ne comprennent pas ce qui se passe, mais restent assis comme si de rien n'était. Ça dure un certain temps et, enfin, le second officier apparaît dans la soute pour demander au directeur du cirque de le suivre.

Alberti monte péniblement, la mort dans l'âme puisqu'il sait déjà très bien ce qu'a fait Spivac la nuit dernière. Si les Américains le cherchent, peut-être qu'ils voudront fouiller le navire.

Mais non. Une fois en haut, il reconnaît immédiatement Negerkuss, flanqué de deux sergents américains aussi grands et aussi noirs que lui. Tout s'explique alors, au grand soulagement des forains, et surtout de Spivac. En fait, arrivé après l'heure de fermeture du port et croyant qu'il manquerait le départ, Negerkuss a tout simplement eu la bonne idée de jouer la carte de la couleur de la peau, en prétendant que son père était un Américain de New York. Il est allé à la caserne et a expliqué sa situation en détail, disant qu'il devait absolument partir en Argentine pour ensuite aller vers les États-Unis. Et on l'a escorté en véhicule de la police militaire jusqu'au port pour qu'il puisse aller rejoindre son papa américain.

Voilà, Negerkuss sera quand même du voyage. L'Allemagne lui sera restée en travers de la gorge comme une épine impossible à avaler. L'accueil qu'il reçoit dans la soute est des plus bruyants. Les musiciens se remettent à jouer, quelques couples se retirent pour faire l'amour, et Spivac se décide même enfin à raconter ses prouesses.

La plupart des forains dorment profondément sur le plancher en acier de la soute lorsque le *Nadeshda* quitte le port de Gênes.

10

Quand le soleil est assez haut pour pénétrer dans la grande soute, le bateau est déjà en haute mer et avance avec un roulis qui n'est pas désagréable. L'air frais balaie la puanteur et rend l'atmosphère respirable, ce qui redonne aux forains l'esprit de vacances que la première nuit à bord a un peu gâché.

Sans même qu'ils se le disent, tous voient dans la présence de Spivac et de Negerkuss un bon augure, une sorte de preuve qu'il vaut encore mieux partir à l'aventure que rester en arrière. Cela est sans doute vrai pour Negerkuss, mais la plupart des forains ignorent toujours ce qui a poussé Spivac à revenir parmi eux, le magicien n'ayant raconté ses aventures en détail qu'à un petit cercle restreint, de peur que la police ne vienne le chercher même à Buenos Aires.

S'il n'avait pas montré son sac à dos plein de dollars, de livres sterling, de lires, de bijoux, de montres, de briquets, de figurines pornographiques et même de souvenirs de guerre allemands, on aurait cru simplement qu'il avait tout inventé, tant son histoire paraissait extraordinaire. Mais en parlant, il se plaisait à exécuter des trucs avec des cartes et des tours de magie, ce qui prouvait bien qu'il ne mentait pas. Ses mains restent déformées, certes, mais selon lui la dextérité serait revenue depuis longtemps ; et s'il cachait son jeu, c'était uniquement dans le but de s'entraîner encore pour exercer sa vengeance. C'est d'ailleurs ce qu'il faisait, enfermé des journées durant dans sa chambre, tentant de préparer des ruses à l'aide des tissus avec lesquels il bandait ses mains.

— Nous ne sommes pas riches, loin de là, mais ce petit magot nous servira pour les jours difficiles en Argentine, a-t-il dit en offrant son butin à Alberti. Je n'ai pas besoin de garder pour moi plus que ce qu'il faut pour commencer quelques parties de cartes. Maintenant que mon art revient peu à peu, je sais que je ne mourrai pas de faim.

— Mais Draco, raconte un peu plus, a demandé Fuank, encore incrédule. Qu'est-ce qui s'est passé au juste ? Ils ne t'ont pas laissé gagner sans réagir… Pourquoi tu t'es caché ?

— Je craignais des représailles, c'est tout. J'avais pris l'habitude de jouer un peu avec les mêmes soldats, des copains, qui d'ailleurs avaient formé un cercle de jeux assez actif. Mais comme j'étais maintenant paralysé — mes pauvres mains toujours bandées —, ils ne se méfiaient plus du pauvre Spivac. Ils sont naïfs, les Américains, et je recommençais à gagner un peu ici et là. Je leur avais promis que je viendrais la nuit où le cirque serait démonté, pour jouer fort après avoir volé toutes les recettes de la caisse du cirque. Vous vous imaginez ? La caisse du grand Circus Alberti ! Ils ont mordu à l'appât, c'est tout. Ils sont venus, les quatre qui m'avaient cassé les doigts, dans l'espoir de rafler le trésor d'Alberti ; ils étaient bourrés d'argent et de bijoux pour mieux m'affronter. Nous étions dans l'arrière-boutique d'un restaurant qui sert de tripot. Le patron était de mèche avec moi et il a bien dosé dans leurs verres une sorte de médicament que j'avais obtenu à l'hôpital contre des cigarettes, un truc qui s'appelle Barbital. Mélangé à l'alcool, c'est fulminant. Si ça n'avait pas marché, je ne serais pas ici. L'idée du patron du tripot était de les voler et de simuler un assaut venu de l'extérieur, mais je tenais à ma vengeance. Quand ils se sont mis à trop bâiller, nous avons décidé de faire une pause ; ça n'a pas été difficile de les assommer avec des gourdins dans l'état où ils étaient après quelques autres verres. Ensuite, un à un et avec soin, ils ont eu les couilles écrasées par mes propres mains, comme on écrase des œufs cuits. Quelques-uns gémissaient un peu et il fallait encore les assommer. Les couilles en compote molle dans le scrotum rempli de sang doivent faire encore plus mal que les doigts cassés. Quand le patron s'est rendu compte de ce que je faisais, il a tenté de crier ; je n'avais d'autre choix que de l'assommer aussi pour éviter qu'il ameute tout le quartier. Mais je ne lui ai pas écrasé les couilles, puisqu'il ne m'avait rien fait. Et assommé à son tour, il ne sera pas arrêté comme complice. Tout le butin sur la table m'appartenait de droit, vous en conviendrez.

Est-ce vrai ou a-t-il fabulé un peu comme c'est son habitude ? Personne ne le saura. L'important, c'est que Spivac a retrouvé à la fois sa dextérité et sa bonne humeur un peu cynique et sinistre. Le cirque a de nouveau son magicien.

Negerkuss est trop fatigué de son long voyage et il dort dans la roulotte, insensible à la chaleur. On saura ce qui l'a poussé à revenir au cirque si jamais il ressent le désir de se confier.

Comme le capitaine l'avait promis, les forains peuvent maintenant circuler librement sur le pont. Seul le gaillard d'arrière leur est interdit. Mais c'est l'heure de la corvée de latrines, comme disent Makarius et Gorz — c'est ainsi qu'ils appelaient le transport des seaux destinés aux excréments dans les camps de concentration. Chaque matin, il faut monter les seaux d'urine et d'excréments de toute la troupe pour les vider dans la mer, et ensuite bien les rincer. C'est une tâche désagréable mais indispensable, sans quoi le petit-déjeuner ne se laisse pas apprécier. Pour la première fois, ils regrettent les latrines du campement ; si elles étaient glaciales et inconfortables, au moins elles étaient discrètes et pas nauséabondes. Mais il faudra bien s'habituer aux seaux, puisqu'il n'y a pas moyen de faire autrement. Ils restent dans la partie inoccupée de la deuxième soute, derrière l'enclos improvisé, et un certain ordre devra être instauré pour que les hommes et les femmes puissent se soulager avec un minimum de décence, même si ce sera toujours sous le regard attentif des chevaux.

Après la nuit dans la soute, la promenade sur le pont est presque enivrante. C'est un pont assez étroit et les panneaux de chargement ouverts encombrent encore plus le passage. Mais la mer à perte de vue donne une agréable sensation de liberté, et elle suspend en vol l'existence jusqu'au prochain port. Les gens de l'équipage regardent les forains d'abord avec une certaine curiosité, non sans dédain quand ils ont un seau de merde dans chaque main. Mais peu à peu cela aussi se dissipe, chez la plupart en tout cas. Fuank et Paco reconnaissent vite quelques Espagnols parmi les hommes de main du bateau et fraternisent immédiatement. Larsen découvre que le chef machiniste est danois comme lui ; et même Oleg trouve un fils de Russe blanc travaillant comme électricien de bord. Déjà l'après-midi, plusieurs marins vont et viennent dans la soute pour faire connaissance et pour tenter d'alléger comme ils le peuvent le quotidien des saltimbanques.

L'air frais de la mer est agréable sous le soleil brûlant. Malgré la soif que cela donne, plusieurs forains sont déjà étendus en petites tenues sur le gaillard et savourent la chaleur comme s'ils étaient vraiment en croisière. Ne leur a-t-on pas dit qu'il s'agissait d'une croisière ?

Le petit-déjeuner se limite à du café mélangé à du lait concentré très sucré et à des tartines beurrées. Les gens de la cuisine assurent cependant que les passagers mangeront bien deux fois par jour, même si ce ne sera pas toujours chaud ni à l'heure. À voir la cambuse remplie à ras bord, ça doit être vrai.

Les femmes et les filles profitent de la chaleur pour porter des vêtements très légers ; chacune y va de sa fantaisie avec des bouts de chiffon ou de rubans de couleur qu'elle avait réservés expressément pour cette prestigieuse occasion. Elles n'ont pas de maillot de bain ni de beaux habits pour se déguiser en touristes, et doivent par conséquent montrer plus de peau pour faire oublier la pauvreté des tissus. L'effet est ravissant comme l'attestent les sourires qui éclairent tous les visages. C'est plus simple pour les hommes : il suffit qu'ils dénudent leur torse et leurs jambes, et déjà la transpiration sur leurs muscles fait un bel effet. Sven et Wlacek par exemple, dans un simple slip minuscule, presque un cache-sexe, ont l'air de statues anciennes ; ils sont tellement beaux que la petite Fanny à leurs côtés fait figure d'une pauvre fillette. Angelo, Jaccobo et Marco en profitent aussi pour se faire bronzer et se montrer, ce qui a l'air de mettre Elvira, Rita et Mariangela dans tous leurs états. Katia se promène elle aussi sous le soleil, mais habillée avec décence comme il sied à une future maman, le cou constamment étiré pour surveiller chaque coin du navire à la recherche d'Arcadi. Malheureusement pour elle, les nazis se tiennent discrets, entre eux, invisibles depuis le pont.

Les nains et les lutins, au contraire des autres forains, préfèrent ne pas trop exposer leur corps au soleil, et ils regardent même ces exhibitions impudiques avec une sorte de mépris. Ils sont essentiellement des artistes, partout où ils vont, sans jamais entretenir l'illusion qu'ils ont un corps voué au simple plaisir. La chaleur et la lumière les encouragent plutôt à s'habiller avec soin, sans oublier les chapeaux et les foulards, dans un mélange original de couleurs voyantes qui éclatent encore davantage dans la clarté estivale. Avec sa redingote et sa chemise de soie à devant plissé, son foulard en gaze et son haut-de-forme gris, sa canne à pommeau nacré, Gandalf a l'air d'un aristocrate de jadis. Lidia, à côté de lui, toute robuste et souriante dans sa robe à froufrous, sous une petite ombrelle en dentelle, fait aussi figure de grande dame.

Ils n'ont rien d'autre à faire que de se laisser bronzer en se promenant sur le pont. On a beau aimer la mer, être fasciné par les courbes élégantes et sensuelles des vagues d'étrave, surveiller les sauts des poissons dans l'eau et les mouettes, il n'en demeure pas moins que le spectacle est répétitif et lassant à la longue. Et ça donne faim.

Puisqu'il fait beau, ils peuvent manger assis sur le pont; même si le soleil frappe fort, c'est encore mieux que l'étouffement puant de la soute, et ça évite le va-et-vient de haut en bas avec les assiettes et les verres. Chacun doit ensuite rincer son assiette, sans quoi les trois ou quatre marins qui travaillent à la cuisine ne viendraient pas à bout de la tâche. Au fur et à mesure que les jours passent, les forains mettent d'ailleurs la main à la pâte pour la corvée de vaisselle, ce qui entraîne une plus grande régularité dans les heures des repas. Ils accomplissent ce genre de tâches de bon gré finalement, puisqu'il n'y a pas grand-chose d'autre à faire pour s'amuser pendant une croisière si modeste. Martha, Firmina et Pilar pensent même à participer davantage aux travaux de la cuisine, de façon à améliorer un peu l'ordinaire, constitué de grillades insipides et de pâtes trop cuites.

Larsen, Larissa et Paco, aidés de tous ceux qui ont envie de bouger, doivent soigner les chevaux comme s'ils étaient à terre. Les bêtes sont lasses à cause de la chaleur et de l'immobilité ; il faut leur donner beaucoup d'eau et offrir à chaque animal un petit semblant de promenade dans l'espace restreint des soutes. Sinon, leurs pattes risqueraient d'enfler et leur digestion en souffrirait trop. La présence des humains les rassure aussi, car leurs voix et leurs caresses signifient que tout va bien malgré l'endroit étrange où ils se trouvent et cette puanteur qui s'infiltre dans leurs naseaux au point de cacher presque l'odeur des autres chevaux à côté.

Les ours ont plus de chance même s'ils ne paraissent pas accorder trop d'importance aux promenades que le dompteur leur fait faire sur le pont. Chaque jour, Oleg les y emmène pour qu'ils fassent connaissance avec la mer. Bobi et Bola apprécient davantage les caresses que les gens leur prodiguent au passage. Ils font alors quelques cabrioles ou de petites courses mignonnes, et rentrent ensuite se remettre en boule dans la cage. Vania, duquel personne ne s'approche, suit son maître d'un air blasé et se fiche pas mal des vagues que lui montre l'entraîneur. L'ours regarde l'horizon et parfois les mouettes, mais il a plutôt l'air de croire qu'il s'agit tout autour d'une prairie plate et monotone, sans aucun intérêt. Il s'arrête volontiers près de la cuisine pour faire semblant de s'intéresser soudainement à la mer, car il a vite compris que le dompteur lui donnera alors les restes de nourriture qui traînent par là. Dans ces moments de contemplation, écoutant les paroles en russe de son maître, le grand ours paraît vraiment absorbé, tel un loup de mer expérimenté. Si un des marins prête sa casquette pour coiffer Vania, il ne manque que la longue vue pour qu'il ressemble tout à fait au capitaine Wolf Larsen du roman de Jack London.

Mais Vania aussi retourne volontiers à sa cage et s'endort aussitôt ; c'est l'habitude des ours de cirque en dehors de la piste. Il semble d'ailleurs que le roulis du bateau ait un effet soporifique sur les bêtes, puisque même les chiens de Pitagore et d'Anise ne réclament pas autant les promenades qu'ils le faisaient sur la terre ferme. La meute reste assoupie dans la chaleur de la soute et ne se réveille vraiment qu'au moment de la pâtée. Beria, au contraire, préfère rester attaché au treuil de l'ancre, sur le gaillard d'avant, comme s'il devait surveiller où va le navire. Se rendant compte dès la première journée que l'espace du cirque s'était rétréci, il a aussitôt adopté les membres de l'équipage et ne grogne plus après personne.

Les journées s'écoulent, paresseuses, les unes semblables aux autres, sous un ciel sans nuages et sur une mer très calme. Il fait de plus en plus chaud à mesure que le bateau descend vers l'Espagne ; souvent, plusieurs forains passent la nuit entière sur le pont pour tenter de se rafraîchir. Seuls les corbeaux de Korvus ne paraissent pas souffrir de la chaleur, bien au contraire. Chaque matin, le vieux sort ses cages de la soute et laisse voler les oiseaux à leur guise, pour qu'ils se perchent sur les mâts et savourent le vent de la mer. Munin aussi vole un peu partout, mais uniquement pour aller tenir compagnie pendant quelques instants à chacun des autres corbeaux, comme s'il voulait s'assurer qu'ils vont bien et que leur point de vue est intéressant. Il le fait presque à la façon d'un maître scout qui veut surveiller et encourager ses disciples ; il pousse des cris d'ici et de là pour entendre en retour les réponses de ses copains et copines. Ensuite, il revient se nicher sur l'épaule de Korvus et tente de raconter à son maître comment il a bien fait son travail. Mais il ne cesse de tenir ses sujets à l'œil ; depuis l'épaule du vieux, Munin s'adresse sporadiquement à l'un ou à l'autre des oiseaux, ce qui déclenche parfois de longs bavardages, comme de vraies discussions. Cela fait rire tous les humains alentour malgré le respect qui est de mise envers les corbeaux. S'ils trouvent les rires et les moqueries trop excessifs, les corbeaux se taisent en boudant et attendent que les gens cessent leurs trivialités avant de recommencer leur bavardage. Parfois ils boudent longtemps ; Korvus, qui se vexe aussi de ce manque de respect, ne fait rien pour briser leur silence. Au bout d'un très long moment d'attente, les oiseaux daignent à nouveau s'exprimer depuis le haut des mâts. Si les forains leur lancent des morceaux de pain pour demander pardon, si on les appelle par leur nom avec des intonations douces et si des femmes se mettent à chanter pour les amadouer, ils discutent entre eux pour décider s'il vaut la peine de pardonner à ces humains ridicules. Quand Korvus s'estime suffisamment vengé, il murmure quelque chose à l'oreille de Munin ; le gros corbeau agite alors ses ailes avec dédain, il croasse pour avertir ses copains qu'ils pourront bientôt s'intéresser de nouveau aux gens et il accepte enfin d'aller saisir au vol un morceau de pain lancé à la verticale. Il s'en va ensuite porter le trophée à la femelle préférée du jour et revient sur l'épaule de Korvus. Les autres oiseaux reprennent alors la conversation interrompue et se moquent des humains, tout en acceptant d'aller cueillir les bons morceaux qu'ils leur lancent. Chaque corbeau ne prend que les cadeaux qui lui sont destinés, et c'est pourquoi les gens doivent d'abord l'appeler par son nom avant de lui lancer l'offrande.

Les marins de l'équipage sont fous des corbeaux et le capitaine Mavros a même déjà offert au vieux Korvus de lui acheter un couple d'oiseaux. Mais c'est peine perdue, leur assure Korvus, ils n'obéissent qu'à un seul maître toute la vie durant, et ce maître est Munin. Si on les séparait, non seulement ils n'obéiraient plus, mais ils mourraient de tristesse.

— Corbeaux romantiques, affirme Korvus dans son étrange mélange de langues, si difficile à comprendre puisqu'il se fiche de la syntaxe allemande et se sert d'expressions finlandaises et lapones comme si elles étaient connues de tous. Pas comme humains, corbeaux, pas comme humains. Corbeaux fidèles, toute la vie fidèles. Un maître de bande et une femelle au nid. Maître de bande Munin, lui baise pas femelles des autres. Autres mâles pas insultés par cadeaux de Munin aux femelles ; grand honneur recevoir cadeaux de Munin. Pas dévergondage, non, beaucoup respect entre eux. Honneur de bande. Pas comme humains, corbeaux. Très romantiques… Munin a femelle pour baiser et dormir ensemble, Norne. Norne et Munin, amour toute la vie. Pas comme humains, corbeaux.

— Est-ce que Norne se fâcherait si Munin aimait une autre femelle ? demande Katia, très intéressée par cette fidélité.

— Pas fâchée, mépris, rétorque Korvus. Munin respecte Norne, Norne respecte Munin. Pas envie de baiser ailleurs. Baiser ailleurs est pas envie, est manque de respect. Corbeaux se respectent, vrais camarades toute la vie. Pas comme humains. Baiser, c'est même chose partout, corbeau sait ça. Pas besoin d'aller voir. Femelle corbeau sait ça, pas besoin d'aller voir. Couples corbeaux vrais camarades. Vivent vieux et baisent chaque fois mieux, corbeaux. Vieux corbeaux avoir beaucoup plaisir ensemble...

Oleg et Martha se regardent avec tendresse en entendant ces paroles, et Maroussia se dit que ce serait bon si les humains étaient comme les corbeaux. Mais Katia est trop triste, elle se sent abandonnée, et les idées noires commencent à lui paraître de plus en plus romantiques.

— Korvus, demande-t-elle, et si un corbeau aime la femelle d'un autre ? Cela n'arrive jamais ?

— Cela arrive avec corbeaux mal élevés, mais pas deux fois. Mâle et femelle sont insultés en même temps. Ils tuent l'intrus. Couples se battent comme camarades, femelle corbeau pas dévergondée. Jeremiah et Mandarine savent ça, pas vrai Jeremiah ? Pas besoin de demander.

Jeremiah sourit sans se fâcher parce qu'il aime le vieux et ses corbeaux ; et en plus, Jeremiah Loco est bien d'accord là-dessus. Si quelqu'un regarde le cul de sa femme, il sait quoi faire. Mandarine baisse les yeux, de peur qu'on la voie rougir.

— Et si la femelle meurt ? insiste Katia.

— Très triste, corbeau triste longtemps. Pareil si corbeau meurt : femelle triste, triste longtemps. Femme de Korvus morte longtemps, Anke. Anke vient voir Korvus dans rêves pour consoler. Pas bon mourir et laisser l'autre. Triste longtemps. Après, trop vieux pour baiser. Souvenirs c'est mieux. Mieux libre à rêver qu'avec autre femme.

— Tu ne baises plus jamais, le vieux ? demande Oleg, surpris, car Martha lui a déjà dit que Korvus et Firmina échangent souvent des regards.

— Malheur Korvus ne pas être corbeau, répond le vieux avec un sourire timide. Grand malheur.

— Si elle est jeune, la femelle corbeau, quand elle meurt ? demande encore Katia. Ça peut arriver, non ?

— Corbeau vit vie longue, Katia. Humains aussi. Toi, trop jeune pour penser tant à mourir. Mort est chose froide, petite fille, trop froide. Anke a froid dans la mort. Toi, Katia, tu vas trouver homme pour toi. Pas bon penser à mourir.

Katia reste interloquée par le ton sérieux de Korvus qui la regarde d'un air sévère, et elle ne demande plus rien. Martha pense qu'il faudra occuper cette jeune étourdie pour qu'elle ne fasse pas de bêtises pendant le voyage. Si Arcadi l'aimait, il ne serait pas allé loger avec les nazis. Martha sait ces choses, elle se rappelle très bien ce que c'est que d'être femme à soldats. « Et Katia a encore de la chance, se dit Martha, puisque parmi les forains elle ne risque pas qu'on se moque d'elle ni qu'on l'appelle " pute à soldat ". » Mais ce sera long avant qu'elle se rende compte que son joli soldat ne voulait que s'amuser. Pourvu que le bébé de Katia ne soit pas un idiot comme le sien ; mieux vaudrait qu'il ne naisse jamais.

Pour passer le temps, les femmes reprennent leurs travaux de couture. Martha veut apprendre à Katia comment faire une layette pour son bébé avec des bouts de tissu souple. N'importe quoi, des chemisettes, des bonnets, des chaussons, des bavoirs ou des brassières, pourvu qu'elle se tienne la tête occupée avec le bébé. Ça va la raccrocher à la vie. Le travail va aussi lui donner de l'appétit et peut-être faire cesser ses nausées. Katia dit que c'est le mal de mer, mais ce mal de mer dure déjà depuis le campement à Gênes. Et elle commence à avoir les yeux trop cernés, une apparence hagarde.

Negerkuss ne souffre aucunement de la chaleur. Il dit que l'héritage africain de sa mère le protège à mesure qu'il s'approche de l'équateur. Depuis son retour, il a toujours le sourire aux lèvres, prêt à aider tout le monde, visiblement soulagé d'être du voyage. Et quand il est en caleçon au gaillard pour jouir du soleil parmi les jeunes gens, son allure athlétique ne détonne pas avec la beauté des autres. C'est vraiment dommage qu'il soit un intellectuel et non un acrobate, pensent-ils. Peut-être que Negerkuss le regrette aussi en certaines occasions, comme quand il pense aux ruines éparpillées de sa maison familiale à Munich. Il ne reste rien. Les gens du voisinage ont raconté que la maison avait brûlé très vite, en quelques heures à peine. Selon les pompiers et la police, c'est à cause des livres qu'elle contenait en si grande quantité. Un véritable danger, disaient les gens, presque une insouciance que de garder tant de papier ainsi entassé en temps de guerre. C'est à cause de l'énorme bibliothèque de son père, pensaient les gens, que les autres maisons du voisinage avaient aussi été détruites, alors qu'elles n'avaient pas été atteintes par les bombes incendiaires.

Negerkuss a entendu ce genre de propos à diverses reprises durant son voyage, et chaque fois ils étaient accompagnés d'un reproche ouvert envers son père. Pas étonnant d'ailleurs que cet homme ait mis la vie des citoyens en danger avec sa manie des livres, paraissaient-ils vouloir dire, n'avait-il pas commencé par amener une négresse dans le quartier ? Les voisins répondaient aux questions de Negerkuss de façon nerveuse cependant, puisqu'il était revenu hanter les lieux et leur faisait penser aux troupes d'occupation, elles aussi farcies de nègres. Et ils craignaient qu'il ne veuille exercer des représailles ou s'associer avec d'autres singes comme lui. « Heureusement que la maison a été rasée », lisait-il dans leurs regards.

— J'ai pensé à toi, Otto, dit Negerkuss une nuit, alors qu'ils sont assis sur le pont en compagnie de Makarius et de Gandalf. Je me suis souvenu de tes tableaux... C'est que je me suis rendu compte à quel point cette bibliothèque de mon père pesait lourd parmi les motifs qui m'attiraient en Allemagne. J'adorais cette bibliothèque même si elle était presque uniquement constituée de livres d'anthropologie et d'ethnologie. Très peu d'ouvrages philosophiques et pratiquement pas de fiction. Mais elle pesait lourd dans mon esprit. Pendant toutes les années que j'ai passées en Turquie, j'ai cru qu'un jour j'allais revenir à Munich et qu'elle serait là, toujours à m'attendre pour me protéger. C'est dans cette bibliothèque que je me protégeais des regards quand j'étais enfant. Plus encore que ma mère africaine, c'est cette pièce allemande remplie de livres sur l'Afrique qui était le véritable noyau de mon identité. Et c'est vrai, puisque je suis le fruit de l'amour et des lubies d'un intellectuel rêveur pour des contrées exotiques. Ma mère était devenue aussi une intellectuelle, fascinée par la traduction allemande de sa culture camerounaise. Curieux, n'est-ce pas ? Je m'en suis rendu compte devant les ruines de la maison. Et j'ai alors pensé à toi en riant malgré ma déception. Je me sentais soudain si libre... C'est cynique et c'est une bravade, mais je comprends maintenant ce que tu voulais dire.

— Oui, fait Gorz avec le sourire. Il faut passer par là pour saisir l'aspect comique d'une telle situation. Certains rêves lourds à porter s'accrochent tellement à notre vie qu'on finit par croire qu'ils font partie de notre destinée. Un jour, ils ne sont plus là, et on se sent un peu coupable d'être si bien dans sa peau.

— C'est justement ce que j'ai pensé alors, reprend Negerkuss, en voyant tous ces gens se battre pour s'arracher des objets insignifiants, ou qui transportaient des montagnes de meubles sur des chariots comme de vraies fourmis, trop effrayés à l'idée de perdre leurs choses inutiles. La plupart fouillaient dans les ruines pour dégager des chaises, des commodes, des bibelots, tout un bric-à-brac ancien qui était le centre de leur monde. D'autres avaient préféré mourir de froid en plein hiver plutôt que de brûler leurs vieilles armoires, peut-être aussi leurs livres. Et moi, j'étais là, jeune et en bonne santé, en train de rire sans trop savoir pourquoi. Ma seule peur était de rater le départ du bateau. Je ne suis pas allé à Heidelberg pour voir mes anciens amis de l'université. Soudain, le voyage avec le cirque me paraissait être la plus grande chance de ma vie, et il fallait que j'attrape ce bateau.

— Tu n'as pas rencontré d'amis ? demande Makarius.

— Non. Je suis allé voir un avocat, un ami de mon père, celui qui s'occupait de toutes ses affaires. Il verra ce qu'il peut sauver pour moi. Plus tard, quand nous serons établis quelque part, je lui enverrai une adresse pour qu'on puisse communiquer. Il croit que mon père m'a laissé quelque chose, mais tout est sens dessus dessous là-bas ; impossible de s'y retrouver. Il s'occupera aussi d'établir mon identité allemande, si jamais j'en ai besoin. Lui-même, il était jaloux de ce voyage du cirque. C'est un homme encore jeune, qui a étudié le droit parce que son propre père et son grand-père étaient des avocats, mais qui aurait préféré être musicien de jazz. Il joue du saxophone lorsque son travail lui en laisse le temps. Comme il a hérité du cabinet familial avec sa grande réputation, et marié à la fille d'un autre riche avocat, évidemment il est accroché pour toujours au Land de Bavière. Il ne me l'a pas dit ouvertement, bien sûr, les Allemands n'osent pas ce genre de cynisme, mais j'ai cru voir à son expression qu'il enviait moins le voyage en cargo que la bombe incendiaire tombée sur la maison de mon père. Je suis persuadé qu'il aurait échangé volontiers sa situation contre la mienne, pourvu que la bombe détruise à la fois sa maison, son cabinet prestigieux, sa famille et sa belle-famille. J'ai alors pensé qu'une bibliothèque est tout de même plus facile à brûler que certaines positions sociales encombrantes. Voilà. Je suis nègre, mais pour une fois j'ai eu de la chance.

— C'est peut-être cette chance-là que ton père voulait te laisser, Richard, dit Makarius. Tu croyais que ton vieux était inconscient… Et voilà qu'il était beaucoup plus sage que la plupart des gens. Il était peut-être dans une situation semblable à celle de cet avocat, pris dans un étau. Son mariage devenait ainsi une provocation qui ouvrait une énorme marge de liberté à son fils. Qui sait s'il n'avait pas pensé à tout? Métis, tu ne serais jamais dans le même étau que lui. Et puis, le fait de te battre contre les petits blonds de race pure t'a sans doute appris à te défendre de bonne heure, ce qui est rare chez un intellectuel. Ce vieux-là devait au contraire être très malin. Sinon, tout blondinet et fils de professeur, tu serais allé donner ton sang au Führer; ou encore, de retour à Munich, tu te serais battu pour un de ces postes minables de professeur, toute ta vie durant, dans l'espoir d'être un jour professeur émérite. Tu parles d'une destinée!

— Éméritement conne, ajoute Gorz.

— Il aimait le large, ton père, dit Gandalf qui était jusqu'alors très pensif. Sans doute qu'il aimait l'aventure, sinon pourquoi serait-il allé chercher l'amour en Afrique? Et celui qui aime l'aventure déteste les natures mornes. Il était d'une certaine façon un artiste, mais trop enfermé dans un carcan. Toi, au contraire, tu n'as de comptes à rendre à personne. Un nègre n'a pas de comptes à rendre, c'est comme un nain. Tu sais, Richard, j'ai déjà été jeune comme toi, et il m'arrivait autrefois de souffrir d'avoir le corps que j'ai. Un Noir en Allemagne doit se sentir un peu comme un nain, sauf que le nain est ce qu'il est partout au monde, toujours. Cette pensée m'accablait jadis ; plus d'une fois je me suis battu rien que pour prouver que je n'étais pas un nain, ou un nain comme les gens croyaient qu'un nain doit être. En vivant davantage j'ai réussi à faire la paix avec le nain que je veux être. J'ai dû abandonner la part de géant que je mettais dans ma définition de nain, pour ne garder que les aspects de liberté et d'aristocratie artistique. Oui, monsieur ! j'ai appris à chérir cette différence qui faisait de moi un être à part, et par conséquent un être exceptionnel. Lorsqu'on est ainsi fait, de façon à ne pas ressembler à la moyenne, on peut s'en plaindre ou alors choisir de manière intentionnelle de ne pas être médiocre. Même de manière très recherchée. C'est ainsi que peu à peu j'ai créé ma propre nature, en tirant parti des obligations auxquelles mon physique ne m'obligeait point. Un nain n'a pas besoin de diplômes ni de reconnaissance publique, ça va de soi. « Il est nain, le pauvre », se disent les gens, et ils ne lui demandent pas d'être comme le reste du troupeau. C'est un peu comme être bâtard, enfant adopté ou immigrant dans un pays riche. Le nain est un étranger. De ce fait, c'est à lui de se choisir puisqu'il n'a pas de passé qui s'accroche à son âme. Mais il ne suffit pas d'être nain. J'ai connu des nains issus de générations et de générations de nains saltimbanques, et qui se croyaient de sang bleu ; sauf qu'ils voulaient être des médecins, des avocats, plutôt que d'être artistes. Or, devant affronter la même situation que ceux qui ne sont pas nains, ils s'écrasaient la plupart du temps devant le pouvoir comme s'écrasent les gens normaux. C'étaient des faibles mais ils ne le savaient pas puisqu'ils vivaient protégés par l'ambiance artistique. Il faut donc plus, et cela veut dire avoir appris à se battre et avoir appris à se respecter. Un nain surprotégé par ses parents est aussi faiblard qu'un enfant normal surprotégé, et il ne sera jamais un vrai nain dans l'âme. Le vrai nain voit le monde d'en bas, et il se rit de ce qu'il voit. Pourquoi ce ne serait pas la même chose pour un nègre ? Voilà peut-être ce que ton père a pensé, ce qui n'enlève rien aux charmes de ta mère. Mais ce n'est pas ta mère qui est venue en Allemagne se chercher un Allemand, c'est lui qui est allé là-bas. Donc, il avait ceci en tête : « Il faut que je me trouve une femme qui m'aide à sortir de la médiocrité dans laquelle je suis. » Une médiocrité métaphysique, cela s'entend. « Une femme qui me donne aussi le rêve d'être comme tous ces étrangers dont parlent les livres de ma bibliothèque. » Tu vois la sorte de passion à laquelle il se consacrait en catimini parmi les professeurs allemands ? Un vrai traître dans le meilleur sens philosophique du terme, c'est-à-dire un homme qui questionne ce que tous les autres applaudissent. Cet amour était sans doute infiniment plus que le cul pour lui, c'était une sorte de rédemption. Et tu es le fruit de cette union libératrice ; à toi de continuer à exercer ta liberté, petit. Cette bibliothèque brûlée peut signifier ce que tu voudras qu'elle signifie, comme le corps d'un nain ou la couleur d'une peau.

— Et un nain noir, Wilhelm ? demande Makarius avec le sourire. Est-ce qu'il te battrait en raffinement ?

— Erreur, mon cher, réplique Gandalf d'un air condescendant. Nain est ici la classe supérieure, dont les membres possèdent naturellement plusieurs attributs spécifiques, secondaires, qui les caractérisent comme individus. Mais ils sont avant tout des nains, qu'ils soient noirs, orientaux ou caucasiens. Notre ami Richard n'est pas inclus dans cette classe à part. Il y a une hiérarchie de raffinement dans la déviance, et les nains sont un des extrêmes du continuum, comme le sont aussi certains fous. Pas tous, certains. Juste avant il y a peut-être les nègres allemands, les bâtards, les gitans et autres apatrides...

— Moi alors, je ne suis qu'un sale bourgeois ? demande Makarius.

— Bien sûr que non, Makar, tu le sais bien. Tu es un artiste non nain, non noir et non gitan. Peut-être bâtard, mais seule ta mère saurait le dire. Cela confère une certaine distinction, sans doute, et tu peux toujours te dire que tu aspires à être un jour un nain honorifique. Comme toi, Otto. Les peintres sont des artistes mineurs ; ils sont meilleurs que les prosateurs mais bien moins évolués que les poètes, les musiciens et les artistes de la scène. Mais tu as tout de même un petit statut pas négligeable. C'est ainsi, en fonction du degré de risque, depuis le plus minable des prêtres ou des bureaucrates syndiqués jusqu'aux nains saltimbanques. On n'y peut rien.

— On apprend chaque jour, réplique Negerkuss. Je croyais que seuls les Blancs étaient racistes. Maintenant je vois que les Noirs aussi, comme les nains, et les poètes par rapport aux peintres.

— Ce n'est pas une question de race, mon petit, répond Gandalf sur un ton professoral. Ce serait trop facile. C'est une question de risque dans le choix, de mérite aristocratique. Un bureaucrate noir peut être plus détestable et méprisable qu'un bureaucrate blanc. Un nain bureaucrate n'existe pas, bien sûr ; sa mère l'aurait étranglé à la naissance. Il s'agit ici d'une combinatoire trop complexe pour la réduire à une seule de ses variables essentielles. Un Noir en Afrique fait partie de la masse, tandis qu'un Blanc comme ton père qui se cherchait une Camerounaise montre déjà plus de courage. Un homosexuel par exemple, il a déjà un cran de plus que l'hétérosexuel dans la direction de la créativité. Voilà pourquoi on trouve tant d'homosexuels chez les artistes, à cause de la flexibilité existentielle qui découle de leur choix et des nouvelles perspectives ouvertes par la part de risque et d'exploration. Mais il ne suffit pas d'être sodomite pour atteindre même les sommets les plus modestes de la créativité. Ce n'est qu'un début, comme c'est un excellent début d'être nain, ou noir, ou fils de pute. Il s'agit ensuite d'y mettre du sien, de s'y consacrer avec acharnement ainsi que de montrer du dédain pour les applaudissements de la populace. Être un Noir en Allemagne est un bon début, Richard, mais il ne faut pas croire que ce soit un degré honorifique. Ce n'est qu'un début, et il faudra le mériter pour être à la hauteur de l'amour entre papa et maman. Sinon, leur amour n'aurait été qu'une histoire de cul pour le restant de la postérité. Garde ça en tête : ton vieux valait beaucoup plus que sa bibliothèque. Ce n'était pas un théoricien mais un homme d'action. Un ethnologue qui ne s'unit pas à une étrangère n'est qu'un sale raciste qui se cache derrière ses propres théories. Voilà pourquoi moi, Gandalf, je préfère les grandes femmes. Très grandes. C'est une preuve que je ne méprise pas les gens normaux.

Plus tard, quand Gandalf est parti rejoindre sa Lidia pour la nuit, Negerkuss a quelque chose de plus à raconter à Makarius et à Gorz. Une chose délicate et pour laquelle il a besoin d'aide.

— Quelle verve, ce Gandalf ! commence Negerkuss. Je ne m'attendais pas à une telle dialectique de la part d'un nain de cirque.

— Comme on ne s'attend pas à ce qu'un nègre sache le grec ancien, réplique Makarius avec une grimace. On n'y peut rien, Richard, on est toujours le nègre de quelqu'un d'autre, et le nain est au bout de la ligne. Tu vois qu'il a raison. Gandalf, tu ne le croiras pas, c'était justement un jeune philosophe très prometteur dans les années vingt. Une des premières thèses sérieuses sur Nietzsche était signée Wilhelm Lutz.

— Sans blague !

— Je ne blague pas. C'est un docteur en philosophie, *magna cum lauda*. Mais comment aurais-tu voulu qu'ensuite il devienne professeur ? Un nain professeur est un affront à l'institution universitaire, puisque cela peut rappeler que beaucoup de professeurs sont des nains spirituels. Alors, le jeune Wilhelm Lutz a eu l'idée magistrale de sa vie : plutôt que d'enseigner la pensée contenue dans le *Zarathoustra*, il a décidé d'incarner Zarathoustra en personne sur scène. Son succès a été si fulgurant qu'il était aussitôt gagné pour le spectacle, tandis que l'université le perdait à jamais. Gandalf était né, et je ne crois pas que Wilhelm Lutz ait jamais regretté sa métamorphose. Mort et transfiguration, c'est ainsi qu'il décrit le devenir de l'artiste. C'est d'ailleurs ce que chacun de nous cherche à atteindre, n'est-ce pas ?

— Justement, à propos de métamorphoses, j'ai besoin de votre aide, reprend Negerkuss après une légère hésitation. J'ai discuté de la question avec cet avocat ami de mon père. Il semble bien connaître l'Argentine, et aussi le Brésil. Il n'y a pas de Noirs en Argentine, ou si peu ; ma situation serait semblable à ce qu'elle était en Allemagne. Par contre, les Noirs et les métis sont légion au Brésil, et là-bas j'arriverais plus facilement à me fondre dans la population. Je préfère ça, sans doute ; je suis las de jouer le chat noir dans un champ de neige. En outre, cet avocat peut m'aider, puisqu'il a des contacts avec des intellectuels à Rio de Janeiro, et ces gens-là seraient eux aussi disposés à m'aider. Le pays est raciste, je ne me fais pas d'illusions, mais au moins je passerai inaperçu. C'est très agréable de passer inaperçu. Plus tard, il ferait venir des documents pour moi et je pourrai légaliser ma situation. Le problème est celui de débarquer clandestinement. Nous n'avons pas de visa pour le Brésil. Voilà, il s'agit de m'aider à débarquer ; ensuite, je me débrouillerai. Il aura envoyé un télégramme à un ami là-bas, un moine d'un couvent dont j'ai l'adresse. C'est un risque moindre que d'aller à Buenos Aires pour tenter d'y reprendre mes études.

— Comment comptes-tu faire ça ? demande Gorz.

— Je n'en ai aucune idée.

— Moi non plus, dit Makarius. Mais ça doit pouvoir se faire. S'il y a des Noirs au port, ça peut marcher. Ils comptent charger du café à Rio de Janeiro, je crois, ou du tabac. Ils ne s'attendent pas à ce qu'un de nous déserte la troupe dans un pays inconnu. Avec quelques dollars en poche, tu pourrais t'en tirer.

— Et s'ils t'arrêtent ? demande Gorz.

— Et s'ils m'arrêtent... Que pourront-ils faire ? Me renvoyer en Allemagne ? Il faudrait d'abord qu'ils puissent imaginer que je suis allemand, ce qui est ridicule. Je parlerai anglais, c'est tout, ou espagnol. Je me rends de plus en plus compte qu'aucun gouvernement au monde ne pourra jamais m'identifier avec certitude. C'est impossible de dire d'où je viens, puisque je viens de la bibliothèque de mon père. Les soldats américains ont avalé très facilement l'histoire de mon père aux États-Unis. Les gens du Brésil ne doivent pas être plus malins qu'eux. Et puis, ce moine serait quelqu'un d'important, et il serait lui-même un spécialiste des langues anciennes. Entre philologues, on doit pouvoir se comprendre.

— D'accord, Richard. Mais il faudra mettre aussi d'autres gens au courant, Fuank par exemple. Alberti aussi. Es-tu d'accord ?

— Oui, mais ce sera préférable d'attendre qu'on soit plus près du Brésil.

— Fuank sera discret, et c'est mieux de commencer à réfléchir dès maintenant. On surveillera comment ils font le chargement à Málaga et dans les autres escales. Ça nous donnera des pistes. Tu es bien décidé ?

— Oui, répond Negerkuss. Cette fois je pars à l'aventure. Les cendres de la bibliothèque m'ont laissé léger, très léger…

❑

Les gens du cirque ne voient rien à Málaga. Ils sont confinés dans la soute, et les panneaux de chargement sont fermés à moitié pour éviter les regards indiscrets. Il fait une chaleur étouffante en bas malgré les ventilateurs qui fonctionnent à plein régime. Seuls Fuank et Makarius sont sur le pont, faisant semblant d'être des membres de l'équipage.

Il a fallu accepter ces conditions de dernière minute, puisque le *Nadeshda* n'a pas la permission de transporter des passagers dans les soutes. Alberti et le reste de la troupe n'ont pas protesté à cause du danger que courent les forains d'origine espagnole en cas d'inspection détaillée. Le capitaine a promis que l'escale serait la plus courte possible, et le bateau a d'ailleurs attendu au large jusqu'à ce que l'ordre de chargement soit donné. Les panneaux ont été tirés uniquement au moment d'accoster. Mais le soleil frappe dru sur les plaques d'acier et transforme la cale en un gigantesque four. La deuxième soute est grande ouverte pour recevoir les tonneaux de vin et les bidons d'huile d'olive qui seront arrimés à côté de l'enclos improvisé. De cette façon, les chevaux et les ours ne suffoquent pas trop. Les gens, par contre, sont assis autour des bouches d'aération et des portes de la deuxième soute, et attendent, accablés par la chaleur. Les hommes d'équipage ne peuvent rien faire d'autre pour eux que descendre continuellement de l'eau potable. Sur le pont, les passagers nazis s'apprêtent à débarquer pour une petite promenade aux alentours du port ; ils sont bien habillés comme de vrais civils et paraissent en excellente forme malgré la canicule. Arcadi est parmi eux et sourit en bavardant, sans se rendre compte que les deux marins penchés sur la balustrade sont en fait Fuank et Makarius, du Circus Alberti. Mais Málaga, c'est l'Espagne, où les fascistes ont gagné la guerre, et ici c'est plutôt au tour des saltimbanques de jouer les passagers clandestins.

Le chargement dure tout l'après-midi. Le soir venu, après la consigne de couvre-feu absolu dans les soutes, les panneaux de chargement sont ouverts de nouveau pour laisser passer l'air. L'état des gens est pitoyable, plusieurs sont presque inconscients, nus et trempés de sueur. La puanteur des seaux à merde domine entièrement l'atmosphère comme une sorte de miasme de marais parmi les vapeurs qui montent du sol. Il a fallu laisser les robinets ouverts pour que les forains se rafraîchissent, et maintenant le plancher est une énorme mare d'eau stagnante et de boue. Heureusement que la brise nocturne agit sur les soutes avec un effet de cheminée et apporte une certaine aération. Mais la chaleur de l'acier sera longue à se dissiper.

Ce n'est qu'au milieu de la nuit, après que le *Nadeshda* a largué les amarres, que les gens du cirque peuvent remonter sur le pont, frissonnants désormais à cause de la déshydratation. L'équipage leur sert de l'eau minérale gazeuse et des sandwiches, et le capitaine donne l'ordre de rompre la bonde d'un grand tonneau de vin dans la soute pour qu'ils se servent à leur guise durant le reste du voyage.

Les forains ont survécu à l'étuve mais Katia et la petite Gina sont dans un état inquiétant, semi-conscientes, incapables de reprendre leurs esprits. Et elles continuent à transpirer et à frissonner. Le second officier, qui est aussi infirmier de bord, conseille de leur donner de l'eau mélangée à du sucre et à du sel en guise de sérum, pour tenter de combattre la prostration.

Dès que le bateau gagne assez le large, le vent froid de l'Atlantique qui s'engouffre dans le détroit de Gibraltar allège passablement l'atmosphère. Certains sortent des gilets et des écharpes pour pouvoir rester sur le pont, d'autres décident de revenir en bas pour s'abriter dans leurs chambres. Du côté du gaillard d'arrière parviennent les voix et les rires des nazis ; ils fêtent la proximité de l'océan et le départ de l'Europe.

Le matin, Gina dort paisiblement. Katia par contre se débat toujours avec des frissons, accompagnés maintenant de pertes de sang qui n'augurent rien de bon pour son bébé. Elle reste exsangue, pâle, avec une couronne de perles de sueur sur son front, et gémit des choses qu'on ne comprend pas. Gandalf et Lidia épongent son corps avec des linges humides et lui font boire la boisson qu'on dit bénéfique pour les victimes de la déshydratation.

Le jour suivant, comme s'il recevait une volée de gifles froides, le *Nadeshda* atteint enfin l'Atlantique et met le cap vers le sud pour frôler l'Afrique au large de Casablanca, en direction de Las Palmas, aux îles Canaries.

11

L'Atlantique peut être calme en ce moment, son mouvement fait malgré tout bouger davantage les petits bateaux comme le *Nadeshda,* surtout lorsqu'ils transportent juste ce qu'il faut de charge pour ne pas avoir besoin de lest. Heureusement qu'il y a tous ces tonneaux et bidons pris à Málaga, sinon le roulis serait insupportable. Et il fait beau. Ce sera bien pire dans l'Atlantique Sud, puisque c'est maintenant l'hiver au delà du tropique du Capricorne. Pour le moment, le mal de mer ne fait pas encore de ravages ; les forains qui n'ont pas trop le pied marin peuvent toujours trouver refuge au fond de la soute. Si la chaleur y est torride, au moins le roulis y est plus tolérable. Et quand on ne voit pas les choses bouger, l'estomac s'apaise.

Katia prend du mieux bien qu'elle continue de paraître faible. Le pire de la déshydratation semble surmonté et elle ne saigne plus ; hélas ! peut-être que le bébé sera sauvé malgré tout. Les gens l'emmènent sur le pont chaque matin pour qu'elle prenne l'air, pour peu de temps seulement, car ses nausées ont été réactivées par le balancement du bateau. Elle demande vite de redescendre dès qu'elle se rend compte que son Arcadi reste encore chez ses compagnons de voyage. Mais elle ne pose plus de question depuis que Gandalf lui a expliqué que l'homme s'était uniquement servi d'elle, qu'il fallait l'oublier. C'est curieux comme cette pauvre fille garde l'espoir, comme elle essaie de mettre tant bien que mal un semblant d'ordre dans sa chevelure et ses vêtements sales.

Tout est d'ailleurs très sale, là où logent les saltimbanques ; ils tentent de se laver et de faire attention à ce qu'ils touchent, mais la crasse accumulée sur les parois, le plafond et le plancher de leur immense cage d'acier se dépose continuellement sur eux à mesure qu'avance le voyage.

Les femmes cherchent toujours à occuper Katia à des travaux de couture et à la faire participer à leurs conversations pour lui changer un peu les idées. Spivac, de la part de qui on n'en attendait pas autant, tente aussi de l'amuser en s'entraînant auprès d'elle. Il lui dévoile des trucs de magie, il lui tire des cartes et fait apparaître tout ce qu'elle veut, à n'importe quel moment, y compris des balles et des fleurs en papier. Elle paraît se réveiller en ces occasions, comme une gamine, étonnée de toutes les facéties de monsieur Spivac — c'est ainsi qu'elle appelle le magicien. Ils finissent souvent par rire ensemble, surtout des efforts maladroits de la jeune femme quand elle essaie d'apprendre les petits tours de dextérité avec des pièces de monnaie ou des allumettes. Le plus curieux, c'est que lui aussi a l'air de s'amuser pendant ces séances. Au début, les femmes croyaient qu'il se lasserait vite des airs tristes de Katia et qu'il retournerait se réfugier dans la chaleur de sa chambre. Mais il persiste, pour le plus grand bien de la jeune femme.

Spivac n'est pas un homme habitué au grand air, et ses séjours sur le pont sont très courts, se limitant presque à ses corvées de latrines et à ses incursions à la cuisine pour aller chercher ses repas. Il passe la plupart de son temps dans la soute, plus spécifiquement enfermé dans sa chambre pour s'exercer à la lumière des chandelles. Il accepte aussi de se joindre aux marins de l'équipage dans leurs quartiers, non pas pour jouer — il ne pourrait pas fuir si jamais ils voulaient se venger de ses tricheries — mais pour leur apprendre quelques aspects lucratifs du métier de prestidigitateur avec les cartes. Ce sont des trucs simples que les gens aux mains rudes peuvent exécuter, ou bien ce sont des façons de repérer les tricheries pour ne pas se faire avoir facilement dans les tripots portuaires. Aussi des techniques simples et pratiques pour marquer des cartes de manière à pouvoir tricher en équipe, et sans montrer que justement on joue en équipe. Ses cours ont un succès certain auprès des marins, et souvent il compte également la présence prestigieuse du capitaine Mavros parmi ses élèves.

Le magicien paraît retirer un plaisir exquis de cette activité pédagogique, un plaisir peut-être même supérieur à celui qu'il retire de ses jeux sur scène. C'est une question presque morale, qui touche l'essence même de l'acte fourbe dans ses implications existentielles les plus profondes. Pendant ses spectacles, il est là non pas pour tricher mais pour émerveiller le public. Et puis, ce public est une abstraction en dépit du fait qu'il est constitué d'individus. Ce n'est donc pas un être humain spécifique, en chair et en os, qui subit une tromperie, avec qui l'escroc peut entretenir un rapport libidinal de plaisir ou de domination. Par ailleurs, lorsque le magicien triche au jeu, pour de vrai, il se voit privé du plaisir sensuel que constitue le spectacle de sa victime se reconnaissant comme simple victime, comme inférieur à lui. Quand cela arrive, le plaisir est généralement gâché par les punitions corporelles ou les humiliations que le maître prestidigitateur est obligé de subir, au péril de sa santé physique, car les victimes sont d'habitude très vindicatives. Rien de cela durant ses séances pédagogiques. Lorsqu'il dévoile son art à des apprentis, au contraire, le plaisir est intégral, à la fois sensuel et intellectuel, et ce, d'autant plus que les disciples sont animés par le même respect pour la fourberie que le maître. Depuis le départ de Gênes, Spivac passe parfois des nuits entières à transmettre sa science aux marins ; des nuits qui sont riches en conseils théoriques et plus riches encore en travaux pratiques de toutes sortes. Ce sont de véritables spectacles sur scène, où il joue le rôle d'acteur, celui de metteur en scène et celui de critique. Ensuite, il laisse les disciples s'exercer longtemps, car seul l'entraînement peut donner la souplesse, la dextérité et le sang-froid nécessaires au véritable métier de fripon. Et cela prend du temps, surtout pour ces natures rustiques aux mains calleuses. Alors, pendant qu'ils tentent de maîtriser les enseignements des leçons antérieures, le magicien revient à la soute, soit à sa chambre, soit, de plus en plus fréquemment, auprès de Katia.

Virginie, la jeune pupille du nain Kropotkine, paraissait tout autant attirée que la grande Katia par les facéties du magicien ; elle riait avec son petit rire de fillette chaque fois que

Spivac faisait apparaître des objets derrière sa chevelure ou sous ses maigres aisselles. Elle riait même avec une pointe d'exagération. Tentant parfois de paraître plus intéressée encore que Katia, elle exprimait son approbation par de forts hochements de tête et de grands yeux avides. Cette petite émulation juvénile donnait encore plus d'élan au magicien, puisqu'il se sentait alors encouragé et rajeuni par tant de féminité naissante. Kropotkine n'a pas aimé le spectacle des rires nerveux de sa pupille, et encore moins voir les yeux et les mains trop habiles du magicien, si proches des cuisses dénudées et des nombrils à l'air dans la chaleur de la soute. Virginie a été grondée par son gardien et confinée à sa chambre, laissant depuis lors Katia et Spivac seuls pour leurs rencontres de divertissement. Cela s'est fait, il faut le souligner, au grand soulagement de la jeune femme, puisqu'elle commençait à trouver Virginie trop accaparante pour ce bon monsieur Spivac.

Une fois le bateau amarré au petit port de Las Palmas, même si les forains n'ont pas le droit de débarquer comme les nazis, ils peuvent rester sur le pont pour regarder l'île et ses jolies maisons à flanc de montagne. C'est une courte escale, pour approvisionner le bateau en eau puisque ses réservoirs ne sont pas de taille à servir un si grand nombre de passagers. On embarque aussi des légumes et des fruits frais pour varier un peu le régime de viande grillée et de pommes de terre cuites.

Ils sont tous là, comme de vrais vacanciers, à regarder le port. Spivac, dans ses meilleurs habits de soirée, donne le bras à une Katia encore pâle et dont les yeux cherchent au loin cet ingrat d'Arcadi. Celui-ci n'a même pas daigné regarder les forains lorsqu'il a descendu l'échelle de coupée, juste devant leurs yeux. « Ça ne fait rien, pense-t-elle encore avec une pointe d'espoir ; ça va le faire réfléchir de m'apercevoir ainsi en compagnie de monsieur Spivac. » Et elle lève alors la tête, s'appuyant davantage sur le magicien tout en tentant de simuler un rire joyeux et coquet chaque fois que son compagnon lui adresse la parole.

Au retour des nazis, Katia réussit à l'aide d'un éclat de rire à attirer l'attention du père de son bébé. Un simple regard en passant, comme si elle était n'importe qui. Pour la première fois elle ressent davantage de haine que d'amour ; du dépit surtout, mais l'humiliation est d'une nature nouvelle, elle l'attriste moins qu'autrefois et la pousse à s'accrocher davantage au bras du magicien. « Voilà, moi non plus je ne l'ai pas regardé, veut-elle se convaincre. Je suis simplement ici sur le pont, en bonne compagnie, à regarder la ville de Las Palmas. Ça le fera réfléchir », pense encore la pauvre Katia.

Draco Spivac est très fier d'avoir cette belle jeune femme pendue à son bras. Il est d'autant plus fier qu'il sait qu'elle est à lui ; elle est à lui puisqu'elle est sur la table comme l'enjeu d'un paquet de jetons. D'autres ont fait la mise, ils ont monté les enchères et chacun croit avoir des atouts. Un joueur plus craintif est sorti du jeu en déposant ses cartes sans savoir qu'il avait une bonne main. Il se gardait peut-être pour d'autres paris, c'était bien son droit, et avait laissé Katia étalée sur le tissu vert, à portée de main. Mais Spivac ne se précipite jamais, il joue de longues parties. Baiser la jeune femme trop vite serait vraiment un geste de débutant, pour gagner une main rapide et ramasser les jetons du moment. Pas Draco Spivac. Il veut tout le magot, et désormais l'enchère est de taille.

Il est fier aussi parce que le ravissement de la jeune femme a tout l'air d'être authentique ; s'il n'était pas si imbu de sa propre personne, il dirait même qu'elle est trop crédule et innocente pour être vraie. Lui aussi se demande comment a fait Lidia pour la garder dans cet état pendant que l'Europe était à feu et à sang. Pas d'importance. Elle fera une excellente compagne au lit. Et si tout marche comme il est habitué à tout faire marcher, une excellente épouse. Et il obtiendra du même coup cette fameuse nationalité argentine ainsi que ses entrées dans la communauté juive de ce nouveau pays. « Ce bébé est providentiel », pense Spivac avec une pointe de regret à l'idée qu'il ne pourra pas déflorer cette pauvre sotte. « La tête qu'elle a dû faire quand elle a vu une bite ! Tant pis, ou peut-être tant mieux, se dit-il. Si elle garde un souvenir sensuel de son sale nazi, c'est Draco Spivac qui récoltera moiteurs et gémissements. Après tout, il faut bien que quelqu'un coupe les cartes et lance la mise. L'important, c'est la cagnotte et non pas le début de la partie. »

Spivac sait que le temps est court et qu'il faut être vigilant. Il met à profit ses conversations avec le second officier et les confidences que lui a faites le capitaine Mavros. « C'est faisable, se dit-il, mais il faut jouer serré. » Il sait déjà que les documents de la troupe ne sont pas à toute épreuve. Rien ne sert d'avertir les autres puisqu'il n'y a rien à faire, à moins de vouloir débarquer au Cap-Vert pour y rester comme des aborigènes. Ou se mutiner pour revenir en Europe en tentant de ne pas entrer dans des ports espagnols ou portugais, ce qui est impossible. Il reste le Sénégal avec les Français. Mais les Français sont si couilles molles qu'ils risquent de libérer les nazis et de mettre les forains dans un camp de réfugiés. Mais a-t-il vraiment envie de tant de scandale ? Le ravissement de la belle sera le coup le plus facile et juteux, et rien ne sert de trop se presser.

Le capitaine Mavros s'est engoué de Spivac, puisqu'il croit que ce magicien inconnu sera une véritable mine d'or autour des tables privées des casinos de Punta del Este et de Mar del Plata. Lui, le capitaine, deviendrait un parfait gérant ; il connaît bien les milieux du jeu même s'il n'est pas un vrai joueur. Et il sait saisir au vol les bonnes occasions qui se présentent. Pendant les leçons nocturnes de Spivac, un lien étroit s'est formé entre les deux hommes, un lien d'autant plus fort qu'il est fondé sur l'amour de la fourberie et l'appât du gain. C'est ainsi que le magicien a appris que les documents des forains ne sont pas suffisants pour que ceux-ci puissent rester en Argentine en toute légalité. Et seul un permis de séjour valable permettrait cette avantageuse association entre un gérant et un joueur de grande expérience. En fait, comme le lui a glissé le capitaine confidentiellement, ils sont tous dans une situation très irrégulière, étonnante même, laquelle s'explique sans doute par le besoin pressant de sortir le groupe de nazis de l'Europe. Ces derniers ont leurs familles et des amis bien placés dans la haute société argentine, et de ce fait ils seront à l'abri dès qu'ils poseront leurs pieds sur le port. Mais les forains n'ont qu'un simple visa de séjour valable pour trois mois ; quand viendra le temps de renouveler ledit visa, il sera impossible de le faire, puisque le seul document qui l'accompagne est un permis de séjour temporaire en Italie, qui expire en même temps que le visa. Le gouvernement italien s'est lavé les mains de toute cette affaire aussitôt que le bateau a quitté Gênes. Dans trois mois donc, les forains, y compris ceux qui ont un passeport en règle, seront considérés comme des apatrides en situation illégale en Argentine. Ceux qui possèdent une vraie nationalité devront alors entreprendre des démarches sans fin auprès de leur ambassade, d'abord pour prouver leur identité, et ensuite pour expliquer pourquoi ils ont voyagé avec des faux documents italiens. Tous les autres tenteront Dieu sait comment de trouver une terre d'asile depuis la prison de l'Isla Martin Garcia, dans le delta marécageux du fleuve Paraná ; c'est là que le Servicio Penitenciario de Buenos Aires héberge les étrangers en situation illégale. En fait, ils ne pourront même plus être déportés, puisqu'ils n'ont pas de passeports Nansen de la Société des Nations. Voilà l'impasse. Le capitaine Mavros est navré que Spivac soit dans un pétrin pareil, car son art ne lui permettra même pas de survivre dans les conditions extrêmes de la prison Martin Garcia.

C'est à partir de ces confidences que diverses stratégies ont été envisagées, et que le fœtus dans le ventre de Katia a gagné soudainement une importance essentielle. Si jamais le bébé arrive à terme et naît en sol argentin, il sera automatiquement un citoyen du pays, de plein droit. Et ses parents, pourvu qu'ils soient légalement mariés, obtiendront sans difficulté le permis de séjour, car ils seront alors les gardiens légitimes d'un sujet argentin mineur. Instruit du cas de Katia, toujours en toute confiance autour d'une table de jeu, le capitaine a retrouvé sa bonhomie et se voit déjà en train d'arranger de belles rencontres pour son poulain Spivac avec des fermiers riches et crédules dans les hôtels de Mar del Plata.

— Tu n'as qu'à l'épouser, Draco, a dit le capitaine. Mieux encore, si tu te dépêches un peu, je peux vous marier dès qu'on aura atteint les eaux territoriales argentines. Vous débarquerez alors déjà en possession d'un document argentin, ce qui est un bon début. Je l'enregistre au port dès notre arrivée, et ce sera comme si le mariage avait eu lieu à la mairie de

Buenos Aires. Ce document ne vaudra rien en l'absence du bébé, mais il nous permettra d'obtenir un prolongement du visa en attendant sa naissance.

— Est-ce que tu as le droit de nous marier aussi vite ? a demandé Spivac, méfiant.

— Oui, si la vie d'un des fiancés est en danger. La loi permet qu'on hâte les choses même en haute mer pour sauver les apparences et l'honneur de la demoiselle en question. Et si je me souviens bien, elle a souffert beaucoup à Málaga, n'est-ce pas ? Tout le monde l'a vu. Alors, si tu agis avec diligence, je vous marie dès notre arrivée à l'estuaire de La Plata. Ce sera un joli début pour notre association. Des épousailles portent toujours chance. Sinon ta seule chance serait de partir aussitôt sur un traversier clandestin pour gagner l'Uruguay ; ce serait plus facile de te trouver une identité d'emprunt là-bas, puisque tu ne seras enregistré nulle part. À Buenos Aires, tu n'auras aucune chance avec la police. À toi de jouer. La demoiselle en question n'est pas laide, et elle porte comme dot, outre le fœtus, un nom plus prestigieux que le tien. Je peux me tromper en rédigeant les actes officiels, et mademoiselle Katia Spivac épouserait alors monsieur Draco Fisher pour devenir madame Fisher. Mieux habillée et en meilleure santé, elle ferait bonne figure pour t'accompagner dans des soirées de jeu. Crois-moi, Fisher inspire plus de respect que Spivac, et un joueur juif est un appât parfait.

❑

Après Las Palmas, la route du navire devient un peu plus difficile, puisque le courant montant du golfe de Guinée commence à pousser en direction des Antilles. Ce sera bien plus ardu pour le *Nadeshda* lorsque les alizés se mettront de la partie après le Cap-Vert, en travers de sa route vers le sud. Cela se voit facilement par le balancement longitudinal du bateau et par les vagues d'étrave plus explosives ; c'est que le cargo doit maintenant traverser le courant et non plus se laisser emporter comme c'était le cas depuis Gibraltar. Le roulis transversal doublé de ce tangage de proue à poupe rend la vie de plusieurs forains insupportable. Ils cherchent refuge dans la soute lorsque le mal de mer devient oppressant et ne retournent au pont que pendant de courts moments pour respirer un air moins vicié. Ce va-et-vient rend aussi la soute moins propice aux conversations intimes, surtout si elles comportent des confidences mélancoliques.

Toute en confiance, protégée des oreilles indiscrètes par la chambre du magicien, Katia peut enfin raconter ce qui lui est arrivé à quelqu'un qui écoute sans juger. En dépit de ses tours de magie qui la divertissent tant, monsieur Spivac est un homme profond et compréhensif ; et il accepte de tout entendre puisqu'il est lui-même un triste solitaire. Elle est d'abord gênée d'entrer dans certains détails, mais ses questions sont posées avec tant de tendresse et d'étonnement qu'elle s'ouvre malgré tout. Les réactions du magicien la soulagent de sa propre culpabilité ; lui aussi trouve qu'Arcadi a agi d'une façon répréhensible, indigne d'un homme du monde. Katia se sent alors de plus en plus à l'aise dans la position chaude et douillette de la victime innocente devant une oreille compatissante. Une oreille d'autant plus compatissante que monsieur Spivac lui aussi est un homme blessé par d'anciens chagrins d'amour.

— Je ne me suis jamais marié à cause de ces infortunes, mon enfant. L'amour bafoué laisse des cicatrices profondes que seuls d'autres êtres souffrants peuvent reconnaître. Et je te comprends, Katia. Mais, ma petite, comment s'y est-il pris au juste ? C'est si étonnant, si barbare que je n'arrive pas à y croire…

Katia veut qu'il la croie, elle tient à ce que monsieur Spivac ait d'elle une bonne impression. Et elle raconte chaque fois un peu plus, sans même avoir besoin d'en rajouter.

— Mais c'est un monstre, mon enfant. Tu as une peau si douce, tu es si charmante, jolie. Comment a-t-il pu ne pas le remarquer ? Aurais-tu fait quelque chose pour l'encourager ? Dans ton innocence, n'as-tu pas…

— Non, balbutie Katia. Je l'aimais, c'est tout.

— Ah, si une femme avait pu m'aimer de la sorte, regrette Spivac. Je l'aurais épousée sur-le-champ, elle serait ma compagne pour la vie.

— Vous êtes si bon, monsieur Spivac. Quand on est bon comme ça, on finit par souffrir.

— Appelle-moi Draco, ma chérie, ça me fera plaisir. Nous sommes deux âmes sœurs…

Cette intimité de deux âmes souffrantes, chacune anxieuse de se confier à l'autre pour se venger du monde cruel, et s'empressant d'ajouter des détails pour mettre en relief ladite cruauté, est quelque chose de profondément sensuel, comme toute forme de mélancolie qu'on se donne pour mieux savourer la position de soumission. Les mains finissent par se toucher, les caresses et les contacts corporels font partie des évocations nostalgiques sans même qu'on s'en rende compte ; la présence du corps de l'autre y tient souvent lieu de substitut de notre corps propre qu'on cherche à caresser. Spivac sait d'ailleurs agrémenter cette intimité croissante de petites facéties de magicien, de petits tours d'adresse qui déclenchent le sourire de Katia et permettent d'alléger l'atmosphère quand la tension monte de façon trop subite. Avant qu'elle ne s'effarouche, voilà qu'il redevient le bon copain, celui qui cherche uniquement à la divertir. Et elle ne saurait lui en tenir rigueur s'il lui échappe une caresse en rêvant à ses propres amours malheureuses. Ce bon monsieur Spivac… Elle rougit toujours lorsqu'en jouant il l'oblige à l'appeler Draco, « mon ami Draco ». Pour qu'elle le fasse, il doit tenir sa tête, tenir ses bras et la faire rire enfin, car Katia reste malgré tout trop respectueuse envers cet homme élégant, à la moustache et aux cheveux constamment brillantinés, et qui se comporte comme un vrai gentleman même dans la chaleur étouffante de la chambre.

Un jour il lui vole un baiser en l'appelant « Katia chérie », mais c'est pendant un tour de magie et ça ne porte pas à conséquence. Ensuite, au moment où les confidences atteignent leur sommet, elle se laisse encore embrasser parce que Draco a l'air si triste, si doux, presque comme un petit garçon. Ils sont peu habillés, couverts de sueur, et Katia n'a jamais été caressée avec autant de douceur, de soin et de respect aussi, surtout qu'il cherche uniquement à écouter le bébé dans son ventre.

— Mais non, monsieur, dit-elle au point de non-retour, sans toutefois le repousser. Je suis enceinte…

Et c'est si différent de tout ce qu'elle a connu avec Arcadi que ça paraît presque un jeu d'enfant. D'ailleurs, au lieu de remettre son pantalon et de partir, monsieur Spivac la fait rire en jouant avec son corps et en faisant apparaître des pièces de monnaie de son sexe. Un vrai gamin, Draco, lorsqu'il mord ses orteils et la chatouille pour effacer la tension de ce qui vient de se passer. C'est facile de rester ensuite couchés l'un contre l'autre, et de raconter encore, tout en établissant des comparaisons presque gênantes entre maintenant et jadis. Les mains habiles du magicien frôlant sa peau ont la même douceur que la brise de la mer, et ses baisers sont si subtils qu'elle pense aux papillons.

« Qu'est-ce qu'ils viennent de faire là ? » se demande Katia, surprise et souriante, dégustant la saveur nouvelle d'une pointe de cynisme. Et c'est si peu qu'ensuite ils peuvent rien faire à nouveau ; il fait chaud et leurs corps se fondent facilement, trouvant d'eux-mêmes certains chemins trop glissants. Cela n'a pas la charge émotionnelle des assauts d'Arcadi, et son sexe ne brûle pas comme quand elle se sentait violée. Ce ne sont que des enfantillages qui détendent et qui amènent d'autres confidences. Elle sent qu'elle peut faire confiance à Draco Spivac, car cet homme souffre peut-être davantage qu'elle en ce moment.

— J'ai pensé à Lucas, lui dit Katia.

— Non ! s'exclame Spivac. Non, ce n'est pas vrai, ma chère. Quelle coïncidence ! Ce n'est pas possible. Mon père s'appelait Lucas, et j'ai toujours rêvé que mon enfant s'appellerait Lucas. Tu ne mens pas ?

— Non, Draco… J'avais pensé l'appeler comme le petit garçon tombé du trapèze. C'est drôle. Mais non, qu'est-ce que tu fais encore là… Draco, arrête !

Il embrasse son ventre et la chatouille en répétant le nom de Lucas. Katia est vraiment ravie. Pour la première fois, elle pense à son bébé sans tristesse. C'est comme si elle avait un vrai jouet dans le ventre, et Spivac est si content.

— Et si c'est une fille ?

— Gina…

— Non, Katia ! s'écrie le magicien en tournant le visage, bouleversé au point de s'essuyer une larme. Pourquoi tu me tourmentes ainsi ? Je suis ton ami… Pourquoi tiens-tu à me blesser ? Je sais bien que jamais une femme me donnera des enfants, et jamais une petite Gina…

— Mais Draco, qu'est-ce que j'ai fait ?

— Pourquoi Gina ? Pour me faire souffrir, pour se venger sur ton ami Draco de ce que la vie t'a fait subir ?

— Mais Draco, réplique la jeune femme, au bord des larmes, mon chéri, ce n'est pas contre toi. Je ne veux pas te voir triste. Gina, la petite sœur de Lucas…

— Oh ! s'exclame Spivac, soulagé, en essuyant ses yeux. Pardonne-moi, ma chère. La coïncidence est trop grande. Cela me blesse et me rend heureux ; je suis confus avec tant de joie. C'est trop pour n'être qu'un hasard, Katia, c'est trop. Tu dois avoir des dons de voyante… Lucas et Gina. Nous sommes trop proches, mon amour, c'est la fatalité qui a fait croiser nos chemins. Gina était ma petite sœur, belle comme un ange… Elle a disparu pendant la guerre, sans doute morte entre les mains des communistes. Ils méprisaient les chrétiens comme ils méprisaient les juifs. Et voilà qu'elle est peut-être dans ton ventre, ma petite Gina… N'est-ce pas merveilleux ?

C'est vrai que toutes ces coïncidences sont mystérieuses et ajoutent une saveur de certitude au bien-être nouveau qu'éprouve Katia depuis que Spivac lui a avoué son amour. Et c'est si bon qu'elle accepte désormais sa compagnie et ses jeux avec un empressement juvénile, avec un désir croissant de se sentir entre ses bras.

Après l'escale au Cap-Vert, comme Arcadi ne fait que la mépriser, elle accepte enfin que Spivac donne son nom à l'enfant qu'elle porte dans le ventre.

— Tu es si généreux, Draco. Comment pourrais-je jamais te le rendre ?

— Tu seras ma femme, Katia. Donc, l'enfant que tu portes est mon enfant, notre enfant. C'est ainsi que les choses se passent en Croatie, mon pays natal : la femme est respectée avant tout et l'homme est là pour la servir. Tu seras ma reine, Katia.

Je demanderai aujourd'hui même au capitaine de nous unir. Tu feras ce que bon te semblera de ta vie; je sais que je ne suis pas digne de toi. Mais, de grâce, laisse-moi prendre charge de cette blessure; en débarquant à Buenos Aires, tu auras retrouvé ton honneur perdu. Nous divorcerons dès que tu le décideras, et je partirai en te bénissant si jamais tu ne veux plus de moi à tes côtés. Mais fais au moins en sorte que Lucas et Gina ne soient pas des bâtards, Katia. Ils porteront le nom de Spivac. Faisons-le pour eux, ces pauvres enfants.

— Draco, que tu es noble! Est-ce que je te mérite?

— Oui, Katia, tu es la chance de ma vie. Le capitaine se laissera convaincre lorsque je lui parlerai d'honneur. Ses parents étaient grecs, et il sait ce qu'est l'honneur. Et l'amour... Je ne te promets rien. Mais s'il accepte, donne-moi ensuite la permission de demander ta main à ta mère. Ah, que je regrette que ton père ne soit pas là! Ce sera émouvant, devant tous nos amis, en plein océan, comme dans les contes de fées.

— Monsieur Gandalf va me conduire, j'en suis certaine.

Spivac est un véritable artiste de la table de jeu, on le voit bien, car le vrai joueur se caractérise par sa grande flexibilité. Il a ses manies et ses stratégies préférées comme chaque être humain. Mais sa véritable force réside dans sa capacité de s'adapter aux besoins et idiosyncrasies du jeu de son adversaire. Et il s'adapte si bien qu'il transforme à sa guise l'adversaire en partenaire d'un nouveau jeu, duquel lui seul sort gagnant. Dès les premières cartes de Katia, il a compris qu'elle abandonnait facilement les figures du plaisir ou celles du pouvoir, pour garder jalousement et sans aucun réalisme des atouts anachroniques tels que l'amour éternel et son pendant mélancolique, l'honneur, le respect chevaleresque et même les effluves virils de l'uniforme. Le reste de la partie n'a été qu'un amusement d'enfant, Katia avec la main pleine de cartes et Spivac ramassant seul la cagnotte. Le ravissement de la belle, malgré le plaisir de profiter de ses chairs à peine entamées et tellement sans défense, est presque passé inaperçu, tant le joueur s'est diverti avec le spectacle et l'harmonie de l'ensemble de la partie. Le clou a été de promettre que le célébrant de la noce porterait uniforme de soirée et galons. Le sourire de

Katia a été alors si franc, son corps de femme a réagi avec une telle ardeur que, l'espace d'un instant, Spivac s'est demandé si ce n'était pas lui le dindon de la farce.

Évidemment, tous les saltimbanques sont étonnés d'apprendre une si étrange nouvelle. C'est très joli, cela fait conte de fées, mais les artistes de cirque ne se marient pas. Et cette fripouille de Spivac de surcroît ! Qui aurait pu le deviner si romantique et chevaleresque derrière sa façade de cynique ? La première réaction est l'incrédulité générale ; mais lorsqu'il se présente en compagnie du capitaine Mavros pour demander la main de Katia à Lidia et à Gandalf, solennellement, devant tous les artistes réunis dans la soute, plusieurs ne peuvent pas cacher leurs larmes. Quelle générosité ! Quel sens de l'honneur ! Il aurait pu se contenter de coucher avec la jeune femme, puisqu'elle paraît si contente en sa compagnie. Les parois sont minces et ses éclats de rire ne sont pas passés inaperçus, au grand soulagement de Martha d'ailleurs. Mais de là à se marier en pleine mer !

Gandalf et Lidia n'ont rien trouvé à redire ; la mère verse des larmes abondantes et embrasse très fort son futur beau-fils quand celui-ci fait mention de « votre petit-enfant, que ma fiancée et moi nous attendons ». Gandalf, qui croyait bien connaître Spivac, ne peut que s'émerveiller de la variété cachée des sentiments que recèle un cœur humain. Makarius, Fuank et plusieurs autres demeurent sceptiques, mais ne trouvent rien pour justifier leur méfiance et continuent de s'étonner. Maroussia, au contraire, a été prise d'une véritable crise romantique et voit l'événement comme un excellent augure, d'autant plus que Spivac tient à entraîner Katia pour qu'elle devienne sa partenaire. Il est allé jusqu'à mentionner la beauté des couples tels que Jeremiah et Mandarine, Larsen et Larissa, Loki et Fili, Kropotkine et Virginie.

— Je me range, mes amis, a-t-il conclu d'une voix brisée par l'émotion. Et je remercie ma belle-maman Lidia pour l'honneur qu'elle vient de me faire, d'accueillir un solitaire comme moi au sein de son affection.

Dommage que le capitaine ne puisse pas célébrer la noce immédiatement. Mais les règles maritimes l'obligent à attendre qu'on ait atteint les eaux territoriales argentines pour que la cérémonie ait la légitimité requise par les lois du pays. « Tant mieux », se disent les tourtereaux plus tard, dans la chambre du magicien, déjà à l'aise dans les bras l'un de l'autre. « Nous aurons le temps de jouir de nos fiançailles. » Comme cela arrive souvent chez les couples timides, cette sorte de publication de bans fonctionne un peu à la façon d'une permission pour le plaisir, et Katia se donne alors avec une avidité qui compense largement les soucis du futur père de famille. Spivac, souvent timoré avec les dames, découvre avec surprise l'effet exaltant d'un corps jeune dans le lit de l'homme mûr.

À ses copains plus intimes, comme Alberti et Kosta, il se livre ensuite avec moins de retenue :

— Que m'importe s'il est le fils d'un autre ? Ce sera mon fils à moi. Et tant mieux si cet homme est bien bâti. Mon fils sera costaud, plus beau que moi. On féconde les juments avec le sperme des beaux étalons, non ? Ce sera pareil. Et je suis amoureux, que voulez-vous ? Katia m'aime et j'ai besoin d'une femme auprès de moi. Vous savez, j'ai toujours rêvé de transmettre mon savoir à des générations futures. Le nom de Spivac vivra, c'est ce qui compte après l'honneur de ma fiancée. Vous, au contraire, tous, vous n'avez rien fait pour aider Katia. Quand je m'en suis rendu compte, mes rêves de jeunesse sont revenus à la surface ; et voilà, je suis un homme nouveau, prêt à affronter le monde. Ça existe, la courtoisie, mes amis. Même si nous sommes des saltimbanques, notre cœur est noble. Toi, Alberti, et toi aussi, Kosta, j'espère vous servir d'inspiration à l'avenir. À qui laisseras-tu le cirque, Alberti, si tu n'as pas de progéniture ?

L'effet de ces paroles est si fulgurant que le soir même Maroussia reçoit une demande en mariage de la part de Herr Direktor. Il a plus de soixante ans mais a l'air d'un jeune coq en répétant à la voyante les paroles du magicien. Kosta, au contraire, passe toute la nuit assis sur le pont à réfléchir sur la connerie des personnes qui ne sont pas naines. Plus loin, enlacés et en train de compter les étoiles, Durin et Lioubov regrettent tous les deux que la nature n'ait pas encore daigné bénir leur union.

❑

L'étape entre le Cap-Vert et Recife est la plus longue et la plus ardue. Avec ses réservoirs de mazout remplis et de nombreux tonneaux supplémentaires d'eau potable, le *Nadeshda* doit se battre avec ténacité contre les vents et les courants pour ne pas dévier vers les Antilles. Sa trajectoire décrit donc une large courbe entre le vingtième et le quarantième méridien, pareille à celle d'un voilier qui joue du flanc pour avancer à la tangente du vent. Ce sont plus de trois mille kilomètres en ligne droite, mais qui exigent presque le double en navigation réelle pour un petit cargo comme lui. Même lorsque la mer est calme, les courants et les alizés imposent à la coque et aux machines un travail intense, lequel s'accompagne d'un roulis très désagréable. L'équateur sera traversé un peu après l'îlot Saint-Paul, au milieu de l'Atlantique. Ensuite, cinq cents kilomètres plus bas, quand ils verront les îles Fernando de Noronha, base militaire et cachot politique de la dictature brésilienne, ils seront encore à deux jours de route du port de Recife.

Le soleil à la verticale brûle la peau et dessèche la gorge en dépit des alizés plus frais venant du sud. Les gens de la soute s'ennuient au point de sommeiller presque toute la journée. Ils sont bronzés et leur peau pèle par endroits, trop desséchée et saupoudrée de sel. L'acier du pont est brûlant et la lumière aveuglante reflétée par la mer blesse les yeux. Il n'y a rien d'autre à faire que d'attendre ; même aux heures de repas ils n'ont pas assez faim pour prendre plaisir à manger. Ils attendent donc, en réparant les cordages des appareils et du chapiteau, en allant parler aux chevaux accablés par la chaleur ou simplement en prolongeant les séances d'essai des costumes que les femmes sont en train de confectionner. Un petit chien de Pitagore et d'Anise rend l'âme à cause de la déshydratation et est jeté par-dessus bord sans autre formalité. Beria ne fait que boire et commence à paraître trop maigre, mais il salue toujours ceux qui passent à côté du canot de sauvetage sous lequel il a élu domicile. Les corbeaux continuent à sortir chaque matin et se plaisent à voler à la ronde autour du bateau avant de se percher sur les mâts et les flèches.

Fuank est d'accord avec le projet de désertion de Negerkuss, mais lui non plus ne sait pas comment cela pourra se faire. Au Cap-Vert, il aurait pu tout simplement se fondre dans le groupe d'ouvriers du port venus aider les marins à remplir les bidons d'eau, et repartir ni vu ni connu. Mais au Brésil cela peut être différent ; il faut attendre d'être là pour décider. Selon les membres de l'équipage, ils passeront plus d'une journée dans la rade de Rio de Janeiro, mais il est difficile de prévoir combien de temps le bateau restera à quai. Filipe, un des marins espagnols, devenu copain de Fuank, leur assure qu'il n'y aura pas de problème pour descendre du bateau et se perdre dans les rues environnantes, car le va-et-vient des débardeurs dans le port est très intense. Il paraît qu'ils transportent à dos d'homme les sacs de café, entrant et sortant par le sabord de charge. Negerkuss n'aura qu'à se mettre en pantalons, sans chemise et pieds nus, et partir avec la file de ceux qui ressortent. S'il veut revenir, par contre, il faudra qu'il soit capable de tenir sur le dos un sac de cinq arrobes de café et de marcher au même rythme que les autres. Le sac en toile avec ses effets personnels pourra être descendu par un des marins, et il le récupérera une fois dans la rue.

— Avec leur dictature, souligne le marin, les policiers surveillent uniquement ceux qui cherchent à quitter le pays clandestinement, pas ceux qui arrivent. Par ailleurs, je me demande bien ce qu'un cirque va faire à Buenos Aires. À votre place, je demanderais la permission de débarquer à Rio de Janeiro plutôt, ou je déserterais tout seul. Il y a des cirques bien plus grands que celui-ci à Buenos Aires ; vous devrez aller en province pour pouvoir gagner assez d'argent. Sans compter le froid humide qu'il fait là-bas en ce moment.

Ces paroles réjouissent Negerkuss, mais elles laissent Fuank et Makarius songeurs. Dommage que les documents soient bons uniquement pour l'Argentine. Gorz se demande à son tour s'il ne devrait pas accompagner Negerkuss ; il hésite car le Brésil fait partie des Alliés, et il ignore l'accueil réservé là-bas aux Allemands. Mais il est jaloux du Noir qui s'en va à l'aventure, tandis qu'ils seront tout bonnement en train de donner des spectacles à Buenos Aires.

❑

Un incident durant la nuit où le *Nadeshda* passe la ligne de l'équateur vient perturber le calme de la traversée. C'est une nuit comme les autres pour les voyageurs de la soute, et ils n'auraient pas remarqué ce moment symbolique de toutes les croisières si les voyageurs des cabines du haut avaient été plus discrets. Les nazis fêtaient bruyamment leur liberté, sans doute ivres, se permettant des chants militaires de sinistre mémoire. Enhardis par leur gaillardise, et se croyant désormais tout permis, ils débordent en pleine nuit à plusieurs sur la partie du pont à laquelle ils n'ont pas accès. Non contents de marcher sans se préoccuper des saltimbanques qui y somnolaient, ils se permettent aussi de manquer de respect aux dames et de les inviter à fraterniser comme si le bateau était un bordel de campagne. De toute évidence, il n'y a pas de soldats parmi eux ; qui plus est, ils sont passablement soûls. Mais ils sont nombreux et bien nourris. Lorsque Sven et Wlacek couchent les deux premiers sur le pont à coups de poing parce qu'ils tentaient de s'emparer de Fanny, la bagarre éclate. Pendant que Gorz et Makarius tiennent le reste de la bande en respect sur une partie étroite du passage, Loki descend donner l'alerte. Quelques marins arrivent déjà derrière le groupe de nazis pour tenter de les convaincre de revenir dans leurs quartiers, mais ceux de la première ligne veulent des excuses à cause de leurs camarades étendus sur le pont. Sven se bat toujours avec une espèce de brute chauve qui doit peser au moins le double de son poids ; le trapéziste est bon boxeur mais ses coups de poing bien placés n'arrivent pas à stopper l'avance du nazi. Les forains cèdent du terrain et quelques-uns des agresseurs arrivent au bord de la soute pour crier des insultes en bas, contre les gens du cirque.

Le reste de l'échauffourée est de courte durée ; l'arrivée en trombe de plusieurs artistes suffit à renverser la situation et produit des blessures graves chez plusieurs des assaillants.

Le capitaine et le second officier réussissent à établir une distance de sécurité entre les deux groupes ; malgré les menaces et les invectives, les nazis n'ont d'autre choix que de récupérer leurs blessés et de retourner au gaillard d'arrière. Heureusement d'ailleurs, puisque Fuank et Cotshi sont armés et prêts à s'emparer du navire. La possibilité d'une agression des saltimbanques par les nazis, avec la connivence de l'équipage, avait été bien étudiée, et la consigne était alors celle de prendre le contrôle du navire à tout prix, sans égard aux pertes de vie. C'était une idée farfelue, certes, mais comment pouvaient-ils savoir ce qui se passerait pendant le voyage ?

Tout se calme aussitôt que les nazis ont regagné leur territoire. Mais les hommes du cirque restent sur le pont, non sans une pointe de fierté d'avoir chassé la peste brune. L'entrée inférieure des soutes est aussi gardée par d'autres artistes prêts à donner l'alarme en cas de récidive.

Aux premières heures du matin, cependant, sans bruit ni menaces, deux nazis se présentent sur le pont et demandent à descendre dans la soute. C'est Arcadi en compagnie du géant chauve qui s'est battu avec Sven ; ils sont ivres mais se tiennent bien sur leurs jambes, et les blessures sur le visage du gros ne saignent plus. Arcadi ne semble pas avoir pris part à l'assaut, ou du moins il ne s'est pas battu. Ils sont seuls et tout paraît calme au gaillard d'arrière.

Arcadi insiste pour qu'on lui amène sa femme, Katia. Il dit qu'il tient à l'avoir avec lui, pour qu'elle soit protégée par ses camarades. Il dit aussi regretter l'incident du début de la nuit, qu'il n'a rien contre les gens du cirque, que cela ne se reproduira plus, mais que Katia doit venir avec lui. Ses yeux rouges injectés de sang prennent un ton de bitume très menaçant quand il parle. Ses grosses mains se balancent le long de son corps comme si elles étaient prêtes à sauter.

Makarius l'invite à retourner en arrière, pour cuver son alcool et se calmer. Il n'est pas question de lui donner Katia.

— Tu n'as jamais connu aucune Katia, lui dit le mime. C'était une erreur. Oublie ça et retourne là-bas.

Filipe, le marin espagnol, insiste aussi pour que les deux hommes s'en aillent et menace d'appeler un officier pour les faire obéir. Arcadi pousse alors Makarius pour ouvrir le passage ; mais malheureusement pour lui, peut-être à cause de la boisson, il accompagne son geste d'une invective qui signe son arrêt de mort :

— *Schnell, Hund*[1] !

Les mêmes mots qui suivent le mime depuis le camp de concentration, sans qu'il ait pu se venger. Il arrive parfois que Makarius se réveille d'un cauchemar, trempé de sueur et les mains crispées, avec une frustration infinie qui le met au bord des larmes ; et dans sa tête, les deux mots funestes se répètent comme un battement de tambour : *Schnell-Hund-Schnell-Hund...* Depuis plus de dix ans, il prépare son corps en imagination pour réagir sans penser, si jamais ces deux mots reviennent dans son existence. Il se prépare comme il se prépare pour son numéro de scène, de façon que tout se déroule automatiquement, comme si son corps était un objet extérieur à sa personne.

Son genou gauche se lève tel un ressort, atteignant Arcadi dans les couilles, pendant que d'un coup du poing droit il lui écrase la pomme d'Adam. Arcadi reste figé sur place, contre la balustrade du pont, les yeux exorbités et incapable de respirer. Une fraction de seconde à peine, juste ce qu'il faut pour contempler le visage de ce gardien SS, et d'une secousse violente Makarius le fait basculer par-dessus bord. Le bruit du vent assourdit la chute du corps dans l'eau. Le grand chauve tente de battre en retraite, horrifié par la scène, mais le gourdin de Fuank s'abat sur son crâne à une, deux, trois reprises. À l'aide de Filipe, ils le jettent aussi à la mer avant de se retrouver au gaillard d'avant comme si de rien n'était.

— Spivac va être content, déclare Fuank en s'allumant une cigarette, après qu'ils se sont assurés que tout est calme et endormi sur le navire. Il peut dire tant qu'il voudra que c'est comme l'insémination artificielle, c'est quand même mieux que l'étalon ne soit plus dans les parages.

— Beau coup de poing, dit Filipe en voyant comment Makarius caresse sa main droite, les yeux rêveurs.

---

1. « Vite, chien ! »

— Oui..., soupire le mime. Parfait. Je l'avais essayé tant de fois dans le vide devant le miroir sans savoir qu'un jour il servirait à quelque chose. Dommage qu'on en ait liquidé si peu. Qui sait si nous n'aurons pas encore l'occasion de nous amuser avant la fin du voyage ?

— Je me demande ce qu'ils feront quand ils s'en rendront compte, dit Fuank.

— Ils étaient ivres, répond Filipe. Sans doute qu'ils sont tombés d'eux-mêmes sur le courant des hélices. Ça ne pardonne pas, les hélices. Ou bien les autres les ont poussés. Les nazis, c'est des criminels, c'est connu. J'étais ici de garde et je n'ai rien remarqué. Mon copain Romualdo dira la même chose si jamais ils enquêtent. On ne devrait jamais boire trop sur le pont d'un cargo...

Ce n'est que vers midi, après avoir cuvé l'alcool de la veille, qu'on s'aperçoit de la disparition des deux hommes. Mais l'équipage doit fouiller le navire de fond en comble, y compris les roulottes et les salles des machines avant qu'on accepte qu'ils ne sont plus à bord. Le second officier se souvient qu'ils étaient avec les autres, au gaillard d'arrière, en train de boire après la bagarre générale. Les nazis tentent d'accuser les gens du cirque, mais il est trop invraisemblable que certains d'entre eux se soient faufilés en arrière pour se venger de l'attaque. Filipe et Romualdo, les deux marins de garde sur le pont, affirment qu'ils n'ont rien vu d'anormal durant la nuit.

Après les discussions, les hésitations et d'autres recherches infructueuses, c'est déjà le milieu de l'après-midi. Il n'y a rien d'autre à faire que télégraphier la nouvelle funeste aux autorités navales de l'île Fernando de Noronha, dans l'espoir que la marine brésilienne ait des vedettes pour effectuer des recherches. Le capitaine le fait pour la forme uniquement, car il sait bien que personne ne pourrait trouver le corps de deux ivrognes sur une surface de plus de mille six cents milles carrés, en plein à l'endroit où le courant de la Guinée devient le courant des Caraïbes. Si les cadavres flottaient sans attirer l'attention des requins, ils ne s'échoueraient pas avant l'une des nombreuses îles des petites Antilles, à plus de quatre mille kilomètres de leur point de chute présumé.

Avant la tombée de la nuit, les nazis font une cérémonie d'adieu symbolique aux deux disparus, avec des lectures de psaumes et des chants militaires. Il est évident qu'ils en veulent aux gens du cirque ; le capitaine les avertit que toute tentative de vengeance se soldera par un massacre en règle, suivi d'une escale d'urgence à Fernando de Noronha. La perspective de cette escale, surtout, refroidit les esprits. Et puis, les forains montent toujours la garde dans l'attente de pouvoir envoyer encore d'autres nazis par-dessus bord.

Katia a suivi avec une attention fiévreuse toute l'agitation du jour même si, comme les autres forains, elle ignore l'identité des deux disparus. Spivac, par contre, est tout sourire, et il promet à Makarius la première cagnotte qu'il gagnera sur une table de jeu argentine. Durant la nuit, les voisins de la chambre du magicien peuvent entendre Spivac et Katia qui rient et gémissent de plaisir jusqu'au petit matin.

12

L'escale à Recife est un peu décevante. Sans qu'on sache pourquoi, il n'y a pas de place au quai et le *Nadeshda* doit rester en rade pour recevoir sa provision de mazout à partir de petites barges. La ville au loin paraît bien jolie à travers les jumelles du capitaine, toute en maisonnettes basses recouvertes de tuiles rougeâtres, presque comme un jouet d'enfant. Les chaloupes des marchands assaillent le bateau de toute part pour offrir des fruits, du poisson, du tabac en corde et de la canne à sucre. Cet accueil festif compense un peu l'éloignement de la ville et met les gens du cirque de meilleure humeur, surtout qu'ils remarquent le gaillard d'arrière désert. C'est au tour des nazis de se faire discrets.

Negerkuss est sans doute le plus déçu : si près et si loin de son nouveau pays. Filipe le rassure en expliquant que, de toute façon, il ne lui servirait à rien de débarquer à Recife, puisqu'il n'y a pas de route pour aller à Rio de Janeiro. Il devrait prendre un bateau caboteur, et il n'a ni argent ni documents pour le faire, sans compter que les Noirs ne voyagent pas en navire au Brésil.

L'eau de la mer autour du *Nadeshda* est très belle, d'un vert transparent. Sven et Wlacek sautent avec Fanny depuis la proue pour nager et apprendre à nager à la fille. Jaccobo et Angelo les rejoignent aussitôt, s'amusant ensuite à remonter par la chaîne de l'ancre comme s'il s'agissait d'un fil incliné. Fanny crie comme une folle, buvant des tasses chaque fois que ses compagnons la lâchent, mais elle ne veut plus sortir de l'eau. Bientôt les clowns, Negerkuss et même Oleg nagent bruyamment autour du bateau. Le capitaine fait descendre une échelle de corde depuis le sabord de charge pour faciliter l'accès à la baignade, et tout l'après-midi les gens jouent comme dans une piscine.

La nuit, l'odeur de poisson frit envahit la cuisine pendant que le *Nadeshda* entame la longue descente vers Rio de Janeiro en suivant le courant du Brésil.

Il fait beaucoup plus frais le long de la côte, mais le roulis augmente au fur et à mesure qu'ils s'éloignent de Recife. Ils naviguent trop au large pour pouvoir apercevoir les terres, mais ils sont désormais continuellement accompagnés de goélands et de petits oiseaux. Les corbeaux de Korvus paraissent se réjouir de cette compagnie ailée en dépit des réactions agressives et criardes des visiteurs, qui semblent vraiment étonnés de rencontrer des corbeaux sous ces latitudes.

Selon Spivac, qui a ses entrées à la timonerie, le capitaine et le second officier sont très embêtés par la disparition des deux nazis. Il paraît qu'Arcadi venait d'une famille très riche et, pour compliquer les choses, le consul lui avait donné un passeport avec sa véritable identité. Il n'y aura donc pas moyen d'éviter une enquête à l'arrivée, puisque c'est un citoyen argentin et non pas un nazi qui s'est éclipsé. L'autre disparu était aussi important, mais c'était un Allemand recherché, et personne ne voudra éventer le fait qu'il était à bord. De toute façon, le capitaine croit qu'ils sont tombés ivres à la mer, et il tentera de régler l'affaire avec le consul et les officiers de la capitainerie à Rio de Janeiro. Les autres nazis se sont calmés et paraissent surtout avoir la frousse qu'on vienne inspecter le bateau. Si tel est le cas, il faudra les habiller comme les gens du cirque et les accepter dans la soute pendant que le bateau sera au port. Ils auraient déjà promis de s'excuser et de bien se comporter pour que tout se passe sans incident.

C'est peut-être à cause de ces bonnes nouvelles, mais sans doute aussi parce que son mariage approche, que Spivac fréquente de plus en plus souvent le pont en compagnie d'une Katia souriante ; la jeune fille paraît même jouer exagérément le rôle de la fiancée, saluant de la tête chacun des forains et des membres de l'équipage. Elle ne peut toujours pas s'empêcher de laisser traîner longuement son regard du côté de la poupe du navire, ni de se pencher sur la balustrade à l'endroit où la vue sur le gaillard d'arrière est la meilleure. Cependant, elle ne dit et ne demande rien, se limitant aux beaux éclats de rire à chaque facétie du magicien, sans doute dans l'espoir que le vent les fasse parvenir aux oreilles de quelqu'un. Les soins que lui prodigue Spivac portent réellement des fruits ; elle a les joues moins creuses, un teint plus clair, et quelque chose dans sa démarche fait dire à de mauvaises langues comme Fuank qu'un vrai mec lui a lubrifié les hanches. D'autres, plus respectueux, louent plutôt la dextérité et la souplesse des mains du magicien, qui seraient aussi fabuleuses avec les lapins noirs sous les jupons qu'avec les blancs sortant des hauts-de-forme.

Mais ce n'est pas uniquement Katia qui a meilleure mine ; tous les saltimbanques se sentent déjà adaptés à la vie à bord, et ils sont bronzés comme de vrais vacanciers. Malgré les conditions sanitaires précaires, ils s'y sont habitués et ne souffrent vraiment que de la chaleur ; maintenant que les vents sont plus frais et qu'ils s'approchent du but, les promenades sur le pont deviennent très animées et certains artistes commencent aussi à entretenir les autres durant les soirées. Les spectacles des clowns sont sans doute les plus appréciés, en particulier quand Durin et Lioubov se mettent de la partie avec leur musique nostalgique. C'est Maroussia cependant qui a le plus de succès en tirant les cartes aux femmes et aux jeunes filles de la troupe. On dirait que la proximité de Buenos Aires rend réel l'avenir, de sorte que chacune se sent concernée par les présages et les messages de l'au-delà. La voyante a d'ailleurs plus de temps pour se consacrer à son art véritable depuis que Spivac a décidé d'entraîner Katia pour faire d'elle sa partenaire dans les numéros de magie. Si la fille se débrouille bien, Maroussia ne gardera que son numéro de voyance avec Spivac, lequel est, en fin de compte, celui qu'elle aime le plus. Cela tombe à point puisqu'une jeune femme qui peut aussi montrer ses cuisses et ses beaux seins est bien plus pratique auprès du magicien pour dévier l'attention du public, surtout des hommes qui sont plus attentifs aux détails. Et Spivac a beau redevenir le maître qu'il était avec les cartes à jouer, ses tours de magie restent lents et profiteront sans aucun doute de la présence d'un corps juteux et d'une belle bouille.

Maroussia paraît gagnée par un optimisme printanier depuis qu'elle a appris la nouvelle du mariage de Spivac. C'est plus fort qu'elle, c'est quelque chose qui ressemble à l'amour et qui brouille d'une drôle de façon les cartes de son tarot. Elle passe encore par des moments de noirceur quand elle tire les cartes seule dans sa chambre, après s'être regardée dans le miroir à la lumière des chandelles. En ces moments-là, le Circus Alberti court encore à la catastrophe d'une façon presque certaine, avec une sorte d'éparpillement chaotique des artistes aux quatre vents, sans compter les voyages terribles qui ne finiront jamais. Par contre, quand Maroussia se réveille le matin et qu'il fait soleil, et si Makarius vient la chercher pour se promener sur le pont, tous les augures de la veille se dissipent dans l'air tropical. Même les couleurs de la mer et des visages semblent plus intenses, réelles, en contraste avec les teintes mal assorties des cartes du tarot. Les vêtements colorés des nains avec leur profusion de verts, de rouges et de bleus éclatants ressemblent étrangement à la vision qu'elle a eue de la ville de Recife au loin, accompagnée des cris et des bruits d'eau des gens nageant autour du navire. C'est comme si la réalité devenait plus présente que celle que la voyante connaissait en Europe. Une sorte de réalité plus frivole et intense à la fois. Les augures du jour fracassent ceux de la nuit avec un tel sans-gêne que Maroussia ne peut pas s'empêcher de prédire aux femmes toutes les jolies choses qu'elles souhaitent entendre de la bouche d'une tireuse de cartes.

En effet, sous la lumière du jour, tout a l'air de bien aller. Il y a Spivac et Katia qui se font voir, les nains habillés expressément pour ravir le regard, et Oleg et Martha en vieux couple d'amoureux. Les trois trapézistes se bousculent en riant parmi les caresses, pendant que Jaccobo et Angelo profitent allègrement du surplus de douceurs d'Elvira quand celle-ci n'est pas avec Fuank. Il paraît que Firmina, la femme de Paco, croit être aussi enceinte, et que cela ferait plaisir à son mari. Gandalf et Lidia paradent à leur tour en jouant les parents de la fiancée, et reçoivent sourires et salutations à la ronde comme s'ils étaient sur la place d'un village. Jeremiah n'a plus cet air d'assassin qu'il avait autrefois, et il ne semble pas remarquer que les hommes découvrent avec ravissement les formes parfaites de sa partenaire. Il est si bronzé qu'on dirait presque le frère de Negerkuss, et cela fait un contraste magnifique avec la peau rose de Mandarine, toujours protégée du soleil par des châles et des chapeaux pour ne pas trop souffrir des rougeurs. Même Lioubov semble moins perdue depuis qu'elle s'affaire chaque nuit à épuiser Durin dans l'espoir de devenir enceinte à son tour.

Tout concourt au bien-être des forains, y compris la disparition discrète et si opportune d'Arcadi. Sans compter qu'Isabel a laissé son frère Pancho adopter Rita sans crise de jalousie. Kropotkine garde son emprise sur Virginie, bien sûr ; comment pourrait-il en être autrement avec tous ces jeunes gens torse nu et tous ces bruits sensuels la nuit dans les roulottes ? Pourtant, chaque nuit, les tarots de Maroussia racontent une histoire bien différente, une histoire que même les caresses de Makarius ou ses assauts contre son sexe gourmand n'arrivent pas à changer. Est-ce qu'elle se trompe à ce point-là ou est-ce son cœur de femme ramolli à la pensée que jamais on ne la prendra pour une fiancée ?

Alberti, pour sa part, exulte de plus en plus à mesure que le bateau s'approche du but. Il a même l'air de fabuler par moments, tant c'est extraordinaire ce qu'il prévoit pour la gloire de son cirque. D'abord, il s'appellera le Grand Circus Alberti d'Amérique dès que l'effet de nouveauté que peut produire un cirque étranger se sera émoussé. C'est alors qu'il commencera à penser aux tournées européennes. Il n'a plus besoin que Maroussia lui tire les cartes ; de toute façon, la voyante est si éloignée de ses propres visions euphoriques qu'il croit préférable de rêver tout seul, sans aucune aide transcendantale. Ou simplement il ne veut pas se mettre en travers de l'idylle de Maroussia et de Makarius, qu'il pense d'ailleurs secrètement pouvoir convaincre de se marier aussi, dès que le cirque pourra leur payer une lune de miel convenable. Alberti a d'autres projets tout aussi grandioses et éloignés du concret, comme faire construire une gigantesque volière pour que

Korvus entraîne toutes sortes d'oiseaux tropicaux en compagnie de ses corbeaux. Il fera par ailleurs venir d'Allemagne ou de New York un dompteur de fauves pour créer un numéro avec des panthères, des noires et des tachetées, comme celles que, selon le second officier de bord, on trouve au Brésil et au Paraguay. Ce sera du jamais vu en Europe, surtout si les gens en Argentine sont capables de dompter aussi des caïmans et des anacondas. Qui a donc besoin d'éléphants avec une telle profusion de monstres exotiques ?

— Nous ferons des merveilles ! assure-t-il à qui veut l'entendre. Bientôt, avec trois pistes et un édifice pour loger le cirque, on dira adieu aux roulottes, mes amis. Je ferai aussi venir des ballerines pour que chaque numéro soit orné de cuisses et de culs, comme en Amérique du Nord. Ce sera une sorte de gigantesque cabaret, avec des spectacles successifs et des tableaux vivants de belles femmes sur des plateaux tournants. Les Argentins n'ont jamais vu une chose pareille.

❑

Ils sont tous assis en demi-cercle pour former une sorte de piste illuminée en diagonale par les deux projecteurs du pont. Les parois de la soute, rouillées et toujours suintantes, font l'effet du meilleur décor expressionniste, comme dans les films des années vingt. On pense à *Nosferatu*, à *Mabuse*, à *M. le Maudit* et à *Faust*. Pas de couleurs voyantes ni de musique criarde ; tout y est ombres et lumières sinistres que le mime met à profit pour faire s'étirer davantage son long corps, au point de ressembler à un spectre. Son costume noir bariolé de stries de paillettes blanches lui donne l'apparence d'un squelette stylisé ; ses mains et son visage sont maquillés de façon à suggérer un prolongement des motifs du tissu. Seul sous la lumière, il paraît contrôler entièrement l'espace tridimensionnel comme s'il s'agissait d'un monde à lui et non pas d'une scène de théâtre. C'est Makarius Leichen, le Cadavre, tel qu'il se produisait dans les meilleures salles de spectacles allemandes avant que la peste brune ne vienne tout édulcorer avec ses vaudevilles pour petits-bourgeois. Autrefois, de sa voix de baryton, Makarius récitait ses poèmes au fur et à mesure que son corps de mime se déployait en un ballet aussi étrange qu'inquiétant, presque comme s'il s'agissait de deux personnes simultanément sur les planches. Une fois, au Théâtre d'art de Moscou, accompagné d'un piano caché derrière les rideaux, il avait chanté et mimé pendant plus d'une heure les *Chansons et danses de la mort* de Moussorgski, devant une salle paralysée d'émotion, où se trouvaient aussi Konstantine Stanislavski et Vsevolod Meyerhold, ce dernier au bord des larmes. Pour une seule représentation cependant, malgré le succès de la soirée et les hommes de théâtre prestigieux qui assistaient au spectacle. C'est que le poète Makarius n'avait pas pu s'empêcher d'inclure des extraits de ses propres poèmes, écrits expressément pour aller avec la musique de Moussorgski. Et sa représentation de la mort dans les steppes sibériennes devenait ainsi d'une telle actualité, ses spectres hantant les prisons d'un tel réalisme, qu'après le spectacle il avait été conduit directement à la gare et escorté dans le premier train en partance pour Leningrad, et ensuite vers la frontière finlandaise.

Makarius sait qu'il est désormais dans un simple cirque, mais il offre tout de même des morceaux de ses anciens spectacles en guise d'introduction à son numéro plus léger. Plusieurs saltimbanques se souviennent alors qu'eux aussi ont déjà fait davantage que leurs simples choses de forains, et qu'un jour l'art de la scène a été un art sérieux qui cherchait à ébranler le monde. En voyant Makarius dominer l'espace, Gandalf a des frissons à la pensée de son Zarathoustra. Le jeu magique du mime est lent et s'étire en gestes d'horreur ou de grotesque, de surprise et de rire, prenant soudain une vitesse folle pour faire bouger les ombres dans toutes les directions. Sans un mot ni un cri, ce corps malléable fait apparaître une gamme énorme d'émotions et de suites narratives qui brûlent l'âme et secouent le corps des spectateurs. Ensuite, à l'aide uniquement d'un masque blanc maquillé comme le visage d'un clown, Makarius fait défiler sur scène les stations de la *Danse macabre de Bâle*: la mort et la femme, la mort et le pouvoir, la mort et les amants, chaque tableau se transformant dans le suivant par des gestes si précis que même ceux qui ignorent les thèmes macabres d'autrefois en saisissent facilement le sens. Le mime accompagne la scène de la mort et de la jeune fille avec les vers de Matthias Claudius ; ce bris du silence par une voix aux sonorités effrayantes fait sursauter tous les spectateurs, même si cela permet à Makarius d'ajouter un cynisme infini à la sensualité de ses gestes. L'image de la mort et de l'enfant ramène les gens de la soute au jour où ils ont retrouvé le corps du petit Lucas écrasé en bas du trapèze. La scène finale, dans laquelle la mort vient chercher l'artiste, est tellement drôle et ridicule que les gens ne peuvent s'empêcher de s'esclaffer, dans une sorte de soulagement et d'abandon. La transition vers les numéros comiques se fait ainsi d'elle-même. Makarius s'affaire alors à monter et à descendre des échelles imaginaires, glissant le long de murs, ou se frappant la tête contre des obstacles invisibles mais si présents qu'ils surprennent et provoquent parfois des gestes de protection chez les spectateurs. Plus loin, il y a la valise qui décide de s'arrêter en chemin et qui paralyse le voyageur ; ensuite, le soulier qui se colle au plancher et qui ne veut plus avancer, pendant que l'homme s'efforce de s'arracher de là sans que les passants le remarquent. La scène du voyeur se penchant sur un mur et qui culbute en avant est un véritable exploit d'acrobatie, tandis que celle du journal qui décide d'attaquer son lecteur serait presque une scène d'horreur si elle n'était aussi drôle. Et comme pour célébrer une bagarre récente, le mime finit son spectacle par la simulation de prisonniers d'un camp de concentration avançant en ligne, leur bêche à l'épaule, et chantant le chant des *Moorsoldaten*. C'est d'autant plus bouleversant que les gens dans la soute savent qu'un jour Makarius a chanté cette chanson, une bêche à l'épaule et dans un uniforme rayé, sous les coups, et que maintenant il sera libre en Argentine. Chacun d'entre eux évite de penser à ceux qui n'ont pas survécu à la guerre, puisque c'est presque honteux de se sentir ainsi vivants et pleins d'espoir.

Plus tard, sur le pont, bien emmitouflés pour se protéger du vent froid de la nuit, Makarius et ses copains se partagent la bouteille de *cañazo paraguayo* offerte par le capitaine après la représentation. Le spectacle du mime a fait revivre à chacun d'eux des scènes anciennes qui gisaient au fond de la mémoire, cachées mais impossibles à oublier.

— C'est toujours curieux, dit Oleg, de se rendre compte de la valeur d'un masque pour démasquer les choses. Si simple, et en même temps cela crée tout un monde, plus réel encore que la vie de tous les jours.

— Le masque est l'essence de tous les arts, ajoute Gandalf. L'art, c'est la mise en scène par le faux-semblant, pour que les gens apprennent à voir à travers les exagérations. Sans masque, il n'y a pas non plus de personne. Les gens du commun se trompent quand ils pensent que le masque est un déguisement pour se cacher. Au contraire, c'est une sorte de dévoilement de la nature propre de celui qui se masque, pour mieux se montrer, mieux se découvrir. Et le masque de la mort est le plus noble, puisqu'il ramène à la surface la totalité de l'existence. Ton cadavre, Makar, c'est ce que j'ai vu de mieux dans ce sens. Je regrette d'avoir abandonné mon Zarathoustra ; tu me donnes envie de le reprendre. J'étais trop jeune à l'époque, j'ai glissé sans m'en rendre compte vers la frivolité des apparences et j'ai perdu le contact avec le masque. Une soirée comme celle que tu viens de nous offrir secoue les habitudes. Je me demande à la fois si tu pourras te faire comprendre en Argentine, et si l'Europe redécouvrira jamais un art aussi exigeant.

— Je le fais pour moi, Wilhelm. Je tente de ne pas penser aux réactions que cela peut susciter, justement pour ne pas me laisser distraire. Un jour on va peut-être me huer, et je saurai alors que je me suis trompé de salle. Le fait d'être sur scène et de pouvoir déployer la suite de mes faux-semblants est souvent la seule gratification véritable. Le plupart du temps, je le fais devant le petit miroir de ma chambre, tout seul. C'est mieux de le faire sur scène, bien sûr, et qu'on me paye un peu pour le faire… Mais je ne suis pas pessimiste quant à l'art de la scène en Europe. C'est évident que nous allons passer un quart de siècle noyés par la bêtise des Américains. Leur art est aussi kitsch que l'art des nazis, même s'ils le drapent d'une façade différente ; l'objectif est le même, celui d'endormir les consciences par le divertissement. Ensuite, un art sérieux reviendra à la surface, comme il est revenu à diverses périodes de l'histoire de l'humanité, depuis des millénaires. L'être humain a besoin d'absolu teinté d'angoisse, c'est inhérent à notre condition mortelle ; il sera impossible de cacher cela éternellement par des frivolités. Et le masque est l'outil pour le transmettre ; le masque, le corps et la voix. Les artifices techniques et tout le bavardage du monde ne pourront jamais nous faire oublier qu'aux moments importants de la vie, dans l'amour, la douleur et la mort, nous sommes réduits uniquement au masque, au corps et à la voix. Toutes les expressions humaines y sont concentrées, et malgré la bêtise des Américains, des Soviétiques et des Allemands réunis, nous continuerons à être des humains.

— Oui, soupire Oleg, malgré toute la barbarie et la technologie, la mort restera une affaire solitaire. C'est notre seul espoir. Il n'y a pas de mort collective ; ceci est un mythe pour cacher le masque personnel de la mort. Même mes ours le savent. On me demandait toujours à Paris pourquoi je me maquille pour mon spectacle, si je ne suis pas un clown. De l'ignorance, uniquement. Ils ne savent pas que l'homme sur scène est toujours maquillé, masqué. Et je ne veux pas être masqué par mes ours. C'est pour ça que je me transforme, pour ne pas être un simple dompteur d'ours, mais le maître d'un spectacle représentant la vie. Masqué, j'arrive à être moi-même. Sans maquillage je me sentirais si ridicule que même Vania aurait honte de moi.

— Cela paraît si clair mais les gens semblent avoir de la difficulté à le comprendre, ajoute Gandalf, même s'ils se déguisent aussi avec leurs complets trois-pièces ou avec leurs uniformes d'ouvriers. Il y a une mode qui veut que les gens doivent se dépouiller de leurs apparences pour connaître leur nature profonde. Les psychiatres gagnent d'ailleurs beaucoup d'argent en diffusant ces sottises religieuses chez les bourgeois trop nerveux. Il faudrait pouvoir leur apprendre plutôt le contraire, à se déguiser comme les personnages qu'ils désirent être, à se maquiller pour ressembler davantage à ce qu'ils sont dans leur vie quotidienne. Seulement alors ils connaîtraient la nature profonde de leur propre existence. Voilà pourquoi les tireuses de cartes touchent plus l'essence humaine que les prêtres ou les médecins. C'est paradoxal mais seuls les artistes le savent.

— Les autres ne le sauront jamais, Wilhelm, reprend Makarius. Comme ils ne savent pas que tu te déguises en Gandalf pour étudier le nain dans ton existence de géant. Comme ils ne sauront jamais que nous ne sommes pas un cirque, mais uniquement un déguisement de cirque, pour créer notre propre espace de jeu, pour être nous-mêmes déguisés, masqués et maquillés. Un espace magique où l'artiste existe de droit et de fait ; la scène est le seul déguisement qui permet cela. Sinon nous serions condamnés à rester dans nos chambres, devant nos petits miroirs. C'est un histrionisme qui tient lieu de réalité. Ils ne sauront jamais parce qu'ils ont l'illusion de vivre dans la réalité. Passe-moi cette gnôle, veux-tu ? Je commence à m'habituer au goût de cette chose ; peut-être que cela m'encouragera à devenir tout à fait alcoolique.

— À ton cadavre, Makar ! s'exclame Oleg. Merci pour cette soirée. Tu me rappelles que tout n'est pas perdu s'il reste encore du travail à faire sur scène ou devant le miroir. Dommage que l'on n'ait pas une femme capable de créer le pendant féminin de ce que tu nous as montré ce soir. Ce serait merveilleux…

— La petite Lioubov pourrait le faire un jour, je crois, dit Fuank. Pas comme toi, Makar, mais d'une façon que je n'arrive pas encore à me représenter. On dirait qu'elle est tout entière masquée. Une fille étrange. J'ai eu l'impression que tu pensais à elle, la petite idiote, dans ton tableau de la jeune fille et de la mort.

— Tu as raison, Fuank. Mais je ne pensais pas seulement à elle, je pensais à toutes les idiotes. Je crois aussi que cette fille a quelque chose de magique dans le corps ; Durin est en train de la dépouiller pour qu'elle arrive enfin à enfiler les vrais masques qui la concernent. Tu remarqueras comment son propre jeu à lui est devenu dépouillé depuis qu'ils travaillent ensemble. Je les observe sans vouloir les influencer, car je crois que ces deux-là vont m'apprendre quelque chose que je ne sais pas encore sur moi-même ; des masques que je n'ose pas encore enfiler. Elle a tout à fait l'air masquée sans faire d'efforts. C'est peut-être cette sorte de folie qu'on atteint uniquement quand la mort, la vraie, nous prend enfin dans ses bras. Lioubov fait durer cet instant final...

— Toi, Otto, tu ne dis rien ? demande Oleg. C'est comment, le masque du peintre ?

— C'est différent mais le fond essentiel est le même, répond Gorz. Je vous entends parler du corps, et ça me rend jaloux et me soulage à la fois que mon travail soit d'une autre nature. Les peintres sont des timides, des solitaires. Si je regrette ce jeu du corps, je suis par ailleurs content de ne jamais être sur une scène, devant le public. Mon travail n'a rien à voir avec le public, et la présence de qui que ce soit dans mon atelier empêche l'apparition de la magie dans le tableau. Mais je joue aussi de mon corps ; timidement et peut-être de manière maladroite, mais je me bats avec l'intérieur de la toile, et il m'arrive aussi de chanter et de danser quand le mystère se produit devant mes yeux. Je suis d'accord avec ce que vous dites sur le masque ; le tableau aussi est un déguisement, une exagération et un maquillage pour mieux faire voir les choses. Les meilleurs photographes, eux non plus, ne créent pas autre chose que des masques. Dans la peinture, la scène est l'intérieur de la toile, et elle est aussi tridimensionnelle que les planches d'un théâtre. Au lieu de jouer moi-même, je crée des spectacles sur cette scène, je mets en scène des masques et des déguisements, j'exagère et je privilégie certains détails plutôt que d'autres. Une de mes modèles m'a dit un jour que je forçais la réalité à entrer dans mon imagination pour la retourner ensuite enrichie sous forme de tableau. Que j'étais un saboteur de réalités ! Un magnifique compliment, surtout venant d'une femme qui savait se plier aussi facilement à mes désirs et à mon imagination. Voilà à peu près comment je décrirais le processus, Makar : je commence à peindre ton portrait tel que tu es là, assis en train de boire, mais le résultat final représentera plutôt Makar Leichen maquillé et costumé sur scène. Si tu aimes ta nature profonde, tu aimeras le tableau. Si tu te détestes, tu me détesteras de t'avoir mis à nu, et tu diras que le portrait ne te ressemble pas. C'est pour cette raison que je peins seulement ceux que j'admire ou ceux que je déteste. Les autres seraient trop choqués par la fadeur du portrait achevé.

— Ça doit être pareil pour tous les artistes, dit Gandalf d'un ton rêveur. Si un écrivain était en train de raconter notre histoire en ce moment, il le ferait bien autrement que ce que nous vivons au jour le jour. Il mentirait et ce serait plein d'exagérations. Nous serions les premiers étonnés en le lisant. Pourtant, avec les saltimbanques que nous sommes, il ferait des personnages et des masques, et le cirque deviendrait un microcosme du monde entier. Et il aurait raison. Nos femmes deviendraient si désirables entre ses traits de plume qu'elles nous feraient rêver à ce qu'on rêve d'elles, et en croyant que c'est vrai.

— Il faudrait un sacré menteur, Wilhelm, rétorque Makarius, ou un maître maquilleur pour donner un sens quelconque à notre virée en Amérique. Mais les bons artistes sont d'excellents mythomanes, et ils mentent comme des bateleurs. C'est d'ailleurs ce que nous faisons sur scène, n'est-ce pas ? Tromper les gens pour qu'ils se réveillent de leur sommeil, les surprendre comme on surprend une garce avec la main dans sa culotte. Arrivée là, elle se laissera convaincre de n'importe quoi, pourvu que la main y reste.

❑

La baie de Guanabara est un écrin parfait pour offrir la ville de Rio de Janeiro : un véritable corps de femme plein de rondeurs et de beauté qui ouvre ses cuisses en pliant les genoux, et qui enveloppe ceux qui se laissent ainsi enceindre pour plonger dans son sexe moite aux méandres infinis. Il fait frais et les nuages sont bas, mais un soleil pâle pointe à l'horizon quand le *Nadeshda* pénètre au matin dans ses eaux si calmes. C'est comme entrer dans un énorme lac bordé de brume après les vagues agitées de l'Atlantique Sud.

Tous les forains sont debout en silence sur le pont, le souffle coupé devant tant de charme. Ils ne distinguent pas bien les maisons au loin et tout paraît désert alentour, sans bateaux ni chaloupes parce que c'est dimanche.

Un tout petit remorqueur qui tousse la fumée noire de son moteur à charbon prend en charge le *Nadeshda* et le tire doucement, jusqu'à le placer le long d'un quai presque vide. Il y a seulement deux petits caboteurs et une barge amarrés plus loin. La gare maritime et les entrepôts vétustes empêchent les voyageurs de voir la rue, mais ils peuvent distinguer quelques maisons pauvres sur les collines basses des environs.

Vers midi, après avoir parlementé avec les deux fonctionnaires de la douane à moitié endormis dans leur guérite, le second officier revient à bord avec une bonne nouvelle : les gens du cirque peuvent débarquer pour marcher un peu alentour, s'ils promettent de ne pas s'éloigner de la grande place attenante au port.

— La place Maua est votre enclos, comme l'agent des douanes l'a dit. Mais il y a là un grand bar, et je suis persuadé que vous aimerez y prendre quelques bières. N'oubliez pas, il faudra revenir en groupe avant la tombée du jour, puisque vous n'êtes que de passage. L'agent ne veut pas avoir de problème demain avec ses supérieurs. Allez, bonne promenade. Le capitaine Mavros vous rejoindra tout à l'heure.

Les gens crient de joie et c'est aussitôt la confusion la plus totale dans la soute. Chacun cherche à s'habiller à la hâte, à se laver comme il peut, à essayer et à échanger avec d'autres des vêtements, sans faire attention ni à la discrétion ni à la pudeur. Alberti s'occupera de l'argent, et le marin Filipe se chargera des discussions au moment de payer pour éviter qu'ils ne soient pas trop volés en changeant leurs dollars contre les cruzeiros. Negerkuss ramasse son sac de toile et partage ses vêtements avec les copains pour ne pas montrer qu'il sort avec tous ses avoirs.

Ils descendent ensuite l'échelle de coupée, habillés de leurs meilleurs costumes et fiers d'être un cirque en tournée. Dès que le cortège bariolé atteint la sortie du quai vers la rue, policiers du port et passants s'agglutinent pour regarder ce spectacle inhabituel. Les artistes saluent à la ronde et remercient les badauds pour les applaudissements qu'ils reçoivent.

Filipe leur explique que les gens croient qu'ils sont plutôt une troupe de théâtre musical habillés pour un spectacle de carnaval.

Les deux douaniers crient quelque chose dans leur langue, en riant et en faisant des gestes pour indiquer l'horloge de la tour du port.

— Ils disent que c'est de bonne heure, que vous avez tout le temps qu'il faut pour un petit tour au bordel, si vous voulez, avant l'heure de revenir au bateau, leur explique Filipe.

— Y a-t-il des bordels ici sur la place ? demande Spivac en feignant d'être dégoûté pour impressionner sa fiancée.

— Non, ils veulent seulement dire que si quelques-uns s'échappent pendant quelques heures, ce ne sera pas grave. La zone des bordels est assez loin d'ici. L'important est de revenir à l'heure et de ne pas créer de problèmes. Je crois que si tout va bien, ils vous laisseront sortir de nouveau demain.

Le bar est en fait un grand café terrasse avec ses tables et ses chaises débordant sur le trottoir. Les forains s'attablent pendant que Filipe et Alberti s'entendent avec le patron sur l'addition finale. Comme la troupe est nombreuse et que le café est vide, on leur fait un prix de groupe pour la bière, les chips et les sardines frites. Les mineurs recevront autant de limonade qu'ils peuvent en boire. Mais la vue de la carrure de certains des artistes rend le gérant méfiant ; celui-ci exige alors le droit de réviser la facture selon la soif de bière des adultes. Sage décision d'ailleurs, car les tenanciers des bars portuaires savent combien peut être vaste un ventre assoiffé de bière, surtout des ventres venant de l'Europe de l'après-guerre.

Les garçons commencent à servir d'immenses bocks débordants de mousse, pendant que l'attroupement des passants sur le trottoir se fait de plus en plus dense pour contempler cette foule de joyeux étrangers.

Discrètement, Filipe s'informe au sujet de l'adresse que Negerkuss a reçue de son avocat à Munich. Et ça tombe bien puisque le couvent en question est à deux pas de la place Maua.

— Qu'est-ce qu'il va faire dans un couvent ? demande Filipe, étonné.

— J'ai des amis qui sont moines, des professeurs. Ils vont m'héberger jusqu'à ce que je puisse me débrouiller. Moi aussi, je suis professeur.

— Professeur ?

— Oui, répond Negerkuss avec le sourire. Professeur de langues africaines.

— Ah ! s'exclame Filipe, africaines…

— Oui, africaines, comme le zoulou, le bantou, le guinéen, le soudanais, même le latin ou le grec. Les langues des Noirs.

— Ah bon, dit Filipe. C'est la première fois que j'entends parler de ça. Je ne savais pas qu'ils avaient autant de langues. Tant mieux. Mais il faut que tu partes avant l'arrivée du capitaine. Tu ne passes pas inaperçu.

Les dernières salutations se limitent à des signes de tête, à des clins d'œil, pour ne pas attirer l'attention du reste de la troupe. Negerkuss récupère ses choses à mesure que les copains font semblant d'aller aux toilettes et, son sac rempli, il part par le fond du café en compagnie d'un gamin qui lui servira de guide. L'arrière du couvent de Saint-Benoît donne sur la place Maua, mais son entrée est un peu plus loin, sur une des ruelles bordées de maisons anciennes. Negerkuss se sent déjà redevenir Richard von Hornweiss ; si tout va bien, il retrouvera peut-être même sur place un de ses anciens camarades de Heidelberg. Si ça ne marche pas, il pourra toujours revenir au *Nadeshda* pour reprendre son travail d'homme à tout faire.

Sur la place Maua, la troupe déguste la bière et la limonade locales, et ils trouvent que l'Amérique du Sud est quand même une excellente destination. Alberti, devenu copain du gérant espagnol du café, lui promet de revenir à Rio de Janeiro avec son cirque au complet, y compris les fauves, les ballerines et les serpents. Dans l'enthousiasme, et pour ne pas décevoir le gérant, il ajoute aussi des éléphants, des lions et même des chameaux.

L'après-midi passe sans qu'ils s'en rendent compte. Ils reviennent ensuite au bateau, quelques-uns titubant et avec des bouteilles du *cañazo* brésilien sous les bras, la *cachaça* comme l'appellent les garçons. Personne ne se rend compte qu'il manque un homme ; ceux qui étaient au courant de la désertion de Negerkuss se réjouissent, puisque le gamin est revenu au café et leur a fait savoir que les prêtres ont bel et bien accueilli leur camarade noir.

La nuit est pleine de rêves, surtout qu'en remontant l'échelle du *Nadeshda*, les forains n'ont pas manqué d'apercevoir quelques visages craintifs qui surveillaient leur arrivée depuis le gaillard d'arrière. « Peut-être que la guerre est vraiment finie », se disent-ils, confiants.

Le jour suivant, ils se promènent de nouveau sur la place Maua. Fuank et Makarius regardent dans la direction du couvent et des ruelles étroites, mais ne trouvent pas trace de Negerkuss. « Au moins il n'a pas été arrêté, se disent-ils, sinon il aurait été ramené au bateau pour être déporté. »

Le *Nadeshda* largue les amarres au début de la nuit sous une pluie assez forte qui oblige à fermer presque complètement les panneaux des soutes pour ne pas les inonder. La mer se gâte aussi à la sortie de la baie de Guanabara, avec des vents forts et un roulis menaçant. Malgré cela, la vitesse du navire semble augmenter beaucoup à cause des courants, et c'est alors comme s'il glissait tout seul, étrangement attiré vers sa destination.

Les saltimbanques se voient de plus en plus confinés aux soutes malgré le froid humide qui y règne. Le capitaine leur donne la permission d'ouvrir un autre tonneau de vin, mais cela ne résout pas le problème de l'inconfort. Sur le pont, la pluie battante et le roulis les forcent à abréger autant que possible leurs sorties pour prendre de l'air.

Suivent alors de longues journées grises qui minent le moral et font pâlir les souvenirs de Recife et de la place Maua. Les couples restent longtemps enroulés dans les couvertures, à l'abri des chambres, et d'autres couples se forment aussi uniquement pour combattre l'ennui. Le spectre de l'Argentine commence peu à peu à se manifester sous la forme de craintes anciennes face au pays inconnu et à l'invraisemblance de toute la traversée. La Maison de Dieu, le Fou et la Lune se faufilent alors plus fréquemment dans les cartes que Maroussia tire pendant les journées sombres. Et les gens disent que Negerkuss a été malin de déserter lorsqu'il en était encore temps.

❑

Passé les grandes lagunes du sud du Brésil, déjà en eaux territoriales uruguayennes, le ciel s'ouvre timidement pour laisser entrevoir un soleil pâle, bien que les vents ne cessent de souffler avec la même ténacité. C'est un augure de bonheur pour les fiancés, sans doute, et cela ramène un peu d'entrain, surtout que les femmes mettent la dernière main à la robe de la mariée. On ne s'en fait pas pour l'élégance de Spivac ; il a ses costumes de scène et on connaît sa coquetterie naturelle en toute circonstance. Mais Katia ne pouvait pas se présenter devant le capitaine avec son tutu minuscule ; il lui faut une vraie robe blanche bouffante, avec voile long pour mieux cacher son ventre et son bassin qui gonflent à vue d'œil. Par ailleurs, ses seins sont devenus si ronds et insolents, si blancs comme du lait et si prometteurs qu'il serait vraiment dommage d'en priver les spectateurs. Tailler un décolleté avec les bouts de gaze qui restent n'est pas une petite affaire, et cette tâche mobilise toutes les compétences féminines de la soute. Quand vient le moment des essayages, comme on n'a pas trop de place pour se cacher, il faut que Spivac encourage Katia, qu'il la rassure et qu'il lui enseigne divers moyens pour combattre le trac, de façon que la jeune femme se laisse faire un peu à la vue de tous. Le fiancé reste auprès d'elle, naturellement, pour faire respecter cette peau juvénile offerte aux yeux gourmands de plusieurs des mâles de la troupe. Il en profite aussi pour parader comme un paon en rut autour de la belle, savourant les regards qui se posent respectueusement sur ces chairs qu'il connaît comme les jetons sur le tissu vert. Il est si content qu'il ne peut s'empêcher de sourire avec condescendance, le visage pétillant et idyllique, heureux de cacher d'une telle façon les cartes qu'il abattra dès la descente du bateau.

Après Montevideo, déjà dans l'estuaire du Rio de La Plata, les vents et la mer se calment et les eaux se teintent progressivement d'une couleur de boue. C'est que le Rio de La

Plata est aussi argenté que le Danube est bleu. Cet immense cloaque charrie le limon, la boue, les excréments et les tonnes de feuilles pourries, d'arbres et de charognes déversés par trois autres grands fleuves, l'Uruguay, le Paraguay et le Paraná, qui drainent des régions de forêts et de marécages tropicaux aussi grandes que la moitié de l'Europe.

Au lieu de garder le cap en ligne droite sur Buenos Aires, le capitaine Mavros dévie vers le sud pour atteindre aussitôt la partie argentine de l'estuaire. De cette façon, il est bien certain que le *señor* et la *señora* Draco Fisher auront été mariés en Argentine.

Les épousailles ont lieu dans la soute, en présence de tous les forains, le matin de leur entrée dans leur nouveau pays. Les témoins officiels sont le second officier et le télégraphiste de bord, tous les deux citoyens argentins enregistrés à la capitainerie de Buenos Aires. Le livre de bord indique que l'état physique presque désespéré de mademoiselle Katia Spivac exigeait un mariage d'urgence, d'autant plus que, malheureusement, une situation touchant l'honneur des deux familles — la demoiselle était enceinte — venait aggraver l'appréhension des parents de la jeune fiancée. Comme c'est souvent le cas, la légalisation de la situation inconfortable dans laquelle se trouvait la demoiselle s'est traduite par une amélioration miraculeuse de son état aussitôt après la noce, au point que madame Fisher et son époux, monsieur Draco Fisher, ont pu quitter le bateau au port de Buenos Aires par leurs propres moyens. L'état de madame Katia Fisher a d'ailleurs été attesté par les services sanitaires de la capitainerie.

Mais Katia n'est pas malade du tout, bien au contraire, même si une pâleur ponctuée de taches rouges envahit son visage quand elle se présente dans le centre de la soute et regarde le pont à la recherche de quelqu'un. Le pont est vide, il n'y a que le carré gris d'un ciel d'hiver. Ensuite, pendue au bras de sa mère et accompagnée de Gandalf qui lui tient la main, elle avance pour prendre place à côté de son futur époux. Spivac est si plein de panache qu'il fait ombrage aux énormes seins blancs de sa fiancée, même si ces derniers menacent à tout moment de déchirer le corsage et de s'étaler dans toute leur majesté. Il porte une large jaquette bleue à longues basques, un pantalon gris serré, et un gilet à ramages rouge et or contrastant avec la lavallière blanche. Sur la tête, pour faire plaisir à sa future belle-mère — on lui a dit que les juifs se marient la tête couverte —, il arbore un haut-de-forme en taffetas noir, celui-là même d'où il sortait autrefois lapins et pigeons pendant ses spectacles. Mais il rappelle à tous qu'il est catholique, comme le prouve l'humble chapelet en larmes-de-job qu'il tient entre ses mains bien fournies en bagues colorées. Ses cheveux et sa fine moustache sont brillantinés comme d'habitude, mais ils paraissent avoir été retouchés récemment, puisque leur noir de corbeau éclate avec des reflets bleuâtres.

La cérémonie est simple et émouvante à la fois. Le capitaine fait les recommandations d'usage et souhaite au couple une nombreuse progéniture dans leur nouveau pays. Au moment de l'échange des bagues, dans un tour charmant de magie, Spivac fait sortir un anneau de l'oreille de sa fiancée, tout en lui offrant une de ses propres bagues pour qu'elle la lui passe au doigt.

Tous les saltimbanques se précipitent pour saluer les époux, avec des baisers retentissants et beaucoup de frottements sur les nichons de la mariée, ces derniers étant continuellement dans le chemin. Lidia et Gandalf reçoivent aussi des congratulations ; elle pleure de vraies larmes de belle-mère, presque penchée sur les épaules de son compagnon. Le vin du tonneau fait son apparition pendant que Fanny, Lioubov et Durin jouent de la musique. Mais très vite les nouveaux mariés se retirent dans leur chambre ; il faut d'abord qu'ils se changent, puisque bientôt le *Nadeshda* sera pris en charge par un remorqueur, mais aussi que s'accomplisse la défloration symbolique qui scellera leurs promesses de fidélité.

Au contraire de ce qu'ils ont vu à Rio de Janeiro, Buenos Aires se révèle sans beautés naturelles et plutôt comme une agglomération gigantesque, grise, aux quartiers ouvriers misérables, remplie d'entrepôts et d'usines de traitement de la viande. Il fait froid, le ciel est bas, et partout une sorte de brouillard assez dense égalise l'horizon.

13

Aussitôt que le *Nadeshda* est amarré au quai, plusieurs individus élégamment vêtus et accompagnés de policiers montent à bord pour inspecter le navire. Les nazis reçoivent la permission de débarquer et ils partent, joyeux, comme de simples voyageurs. Les gens du cirque doivent cependant attendre.

Depuis le pont, ils aperçoivent Léon qui parlemente avec d'autres policiers, qui va et qui vient dans l'édifice des douanes et qui finit par disparaître en compagnie du capitaine quand celui-ci descend avec les documents de toute la troupe. Ce n'est qu'au milieu de l'après-midi que les choses commencent un peu à s'éclaircir. Il y a des formalités à remplir, leur explique le capitaine, ainsi que l'inspection du matériel du cirque à effectuer, sans compter une visite sanitaire pour tous les artistes et animaux. Léon se dit navré de tous ces contretemps ; il prétend quand même que tout est en ordre, qu'il faut uniquement avoir un peu de patience. Après tout, s'ils doivent dormir encore une autre nuit à bord, ce n'est pas grave après un si long voyage. Les documents sont déjà entre les mains des autorités portuaires et, s'il le faut absolument, il leur commandera des repas et du vin pour alléger l'attente. Il est d'ailleurs le plus incommodé par tous ces retards, puisque ses nombreuses obligations d'affaires doivent être négligées à cause de leur arrivée. Mais il ne se plaint pas, ce brave Léon, si élégant dans son costume de laine, son pardessus et son chapeau à la mode. Il verra à ce que tout se passe sans anicroche.

Un autre problème se pose quand Alberti et Larsen lui demandent quelle distance ils devront parcourir jusqu'à l'emplacement réservé au cirque. C'est que les chevaux sont trop ankylosés après le voyage et ne pourront pas tirer les roulottes pendant longtemps. Léon est alors obligé d'avouer bien malgré lui qu'il n'a toujours pas réussi à leur trouver un bon endroit au centre de la ville; le cirque devra s'installer dans une banlieue du sud en attendant d'autres démarches. Et c'est très loin.

— C'est un endroit excellent par ailleurs, s'empresse-t-il de dire. Assez bien situé pour le public ouvrier, proche des usines et des entrepôts. C'est l'endroit idéal pour que les artistes s'entraînent un peu après le voyage, qu'ils se préparent pour des spectateurs plus exigeants. Qu'est-ce que vous suggérez pour les roulottes?

— À moins de les tirer à bras d'homme, rétorque Alberti, il faudrait les abandonner ici au port. Tu ne veux pas qu'on tue les chevaux, Léon? On pourra louer des camions, ou des mules si c'est moins cher pour tirer les roulottes. Les gens marcheront.

— C'est trop loin pour y aller à pied, fait Léon, un peu impatient.

— Est-ce que c'est quand même dans cette ville-ci? demande Larsen, irrité.

— Oui, c'est à Buenos Aires. Mais la ville est grande, ce n'est pas comme en Europe. Je vais m'en occuper. D'abord les documents.

— Dis, Léon, réplique Alberti, en colère. Tes nazis sont déjà partis. Leurs documents étaient en règle. Quel est le problème avec les nôtres?

— Il n'y a pas de problème, Alberti. Pas du tout. Rien que des formalités, la bureaucratie, des choses de dernière minute.

— Et les journalistes pour nous accueillir? Est-ce qu'ils attendent dans la rue?

— Alberti, mon cher, de grâce, ce n'est pas le moment d'être ironique. On s'occupera de la publicité quand vous serez installés.

Les gens du cirque attendent sur le pont en tendant le cou pour tenter d'apercevoir la ville derrière les édifices du port. Ils ne sont pas encore inquiets; le voyage s'est bien déroulé, ils sont en bonne santé et Léon est là comme promis pour tout arranger.

À la tombée du jour, le capitaine et deux officiers du port font savoir à tous les saltimbanques qu'ils devront patienter encore une nuit à bord. Des repas seront apportés au bateau. Le matin, une visite sanitaire sera organisée et ils pourront ensuite commencer à débarquer. Le capitaine Mavros est bien embêté avec ces ordres ; il ne pourra rien décharger avant le feu vert des autorités, et des soldats viendront monter la garde pour s'assurer que les consignes seront respectées par ce groupe d'étrangers en situation irrégulière. Mais il ne peut rien faire pour alléger leur sort.

C'est une nuit triste. La vue des soldats emmitouflés dans leurs gros manteaux et qui montent la garde avec des baïonnettes au bout des fusils rappelle de mauvais souvenirs à plusieurs artistes. Ils se demandent s'il a fallu ce long voyage rien que pour recommencer comme autrefois. Alberti semble être tout à coup retombé dans la réalité et il maudit le Léon Feldmann qui les a utilisés sans scrupules pour sauver des assassins. Maroussia n'a pas besoin de tirer les cartes, car elle se souvient très bien ce qu'elles n'ont cessé de lui raconter pendant ses nuits d'insomnie. Spivac par contre est très calme et fait confiance au capitaine ; c'est peut-être uniquement parce qu'il vient de se marier et reste un peu dans les nuages.

Larsen et Larissa sont tous les deux très moroses ; ils ont surveillé attentivement le départ des nazis et se sont rendu compte qu'un des disparus était leur copain Arcadi. Sans rien dire aux autres, ils s'étaient mis d'accord avec lui pour aller plutôt travailler dans les fermes de sa famille dès qu'ils arriveraient à Buenos Aires. Tout était arrangé, le couple avait fait ses plans et, pour eux, c'était bien fini, la vie de saltimbanques. Ils deviendraient entraîneurs de chevaux de race pour la famille Gross. Après tout, Larsen est Danois et non pas un métis quelconque, et il s'entendrait à merveille avec les Gross. Maintenant, tous ces beaux projets sont tombés à l'eau avec le jeune Kurt Gross. Et Larsen et Larissa doivent encore faire semblant pour ne pas laisser transparaître leur déception.

La plupart des forains vont dormir parce qu'ils sont fatigués après cette longue journée. Les autres se tiennent assis sur le pont, emmitouflés comme les soldats, pour tenter de finir ce qui reste de vin dans le tonneau et les bouteilles de *cañazo* que le capitaine avait encore en réserve.

Le matin de bonne heure, ils sont conduits sous escorte militaire à l'édifice des douanes. Seuls restent dans la soute Oleg, Larsen et Pitagore pour accompagner les vétérinaires dans l'inspection des animaux. Même les vêtements voyants des clowns ne payent pas de mine dans la grisaille ; ils vont tous courbés et humiliés, inquiets de ce que leur réserve le reste de la journée.

L'examen est aussi sommaire que celui du médecin italien, même si les médecins militaires qui les examinent paraissent plus préoccupés par leurs poumons que par leurs organes génitaux. Une infirmière assiste les médecins pour l'examen des femmes et des jeunes filles, et aide ces dernières à mettre l'une après l'autre l'unique blouse pour tenter de cacher un peu leur nudité. Quand vient le tour de Katia, les médecins la complimentent pour son état et son récent mariage, ce qui redonne de l'espoir à tout le monde. Sans doute que le capitaine Mavros a bien parlé d'eux aux autorités, et qu'ils seront libérés après les fameuses formalités. En fin de compte, les nazis sont bien arrivés, ils ont fait leur part du marché, Léon est là, c'est le moment de laisser le cirque partir.

Mais non, apprennent-ils dès la fin de l'examen médical. Ils sont tous en bonne santé, sans poux ni blennorragie ou tuberculose ; mais il reste que leurs documents de voyage ne sont pas en règle. Leur situation est si irrégulière que les autorités hésitent à les laisser débarquer sans un avis de la Croix-Rouge argentine ou de l'ambassadeur d'Italie. Mais l'ambassade d'Italie non plus n'est pas encore entièrement en règle depuis tous les changements après la chute de Mussolini. Il y a impasse. On ne peut même pas les déporter, puisqu'il faudrait au préalable obtenir l'accord des pays destinataires, et leurs nationalités respectives n'ont d'italien que l'apparence ; en fait, il s'agit d'un cafouillis proche du cauchemar, surtout qu'ils ont des visas d'entrée en Argentine. Alberti apprend alors à sa grande surprise qu'ils sont tous des apatrides ; ce n'est qu'une question de trois mois et ils seront aussi en situation illégale sur le sol argentin.

— Les visas doivent être apposés sur des passeports, leur explique le capitaine Mavros. Vous n'avez qu'un permis de séjour temporaire des autorités italiennes, un permis de réfugiés qui devient invalide dès que vous quittez le territoire italien. Vous étiez déjà des apatrides là-bas ; vous l'êtes maintenant ici. Il n'y a pratiquement rien de changé dans votre situation.

— Mais, tente de protester Alberti, vous-même, vous nous avez transportés… On croyait que tout était en règle.

— Moi aussi, je le croyais.

— Et les nazis ? Sont-ils aussi des apatrides ?

— Quels nazis, monsieur le directeur ? Il n'y a pas de nazis en Argentine. Vous feriez mieux de vous taire, car on risque de vous arrêter à cause de ces propos diffamatoires. Calmez-vous. Moi aussi, je suis dans le pétrin. Votre cher Leandro Felmont nous a tous mis dans le pétrin. Dès que leur affaire a été conclue, ils ont oublié le lest ; le cirque était le lest. Mais cette fois le lest n'est pas quelques tonnes de sable que je peux débarquer comme rebut loin du port. Ce sont des gens ; et des gens, c'est emmerdant. Voilà. Alors, de la patience, je vous prie, sinon ils risquent de vous envoyer tous à l'Isla Martin Garcia. La bureaucratie est si lourde ici que vous aurez le temps de pourrir dans ses marécages avant qu'on puisse démêler la question. Sans compter les deux imbéciles qui ont disparu en mer ; la famille accuse l'équipage et les gens de votre cirque. Alors, du calme.

Mais Léon n'a pas disparu, heureusement. Il craint peut-être pour sa peau ou sa réputation si jamais quelques-uns des saltimbanques décidaient de se venger. Toujours est-il qu'il est là et parlemente, maintenant en compagnie d'un avocat et du secrétaire d'un député. Le député en question serait lié de près à un certain colonel Peron, dont tout le monde parle en ce moment comme le sauveur de la patrie. Ça ne peut que s'arranger.

L'entrevue avec les responsables de l'immigration et des frontières nationales permettent à Alberti, à Fuank et à Oleg de comprendre l'ampleur de la catastrophe. Fuank traduit le mieux qu'il peut, sans tout à fait comprendre certains méandres bureaucratiques. C'est alors qu'Alberti et le *señor* Felmont doivent se résigner à avouer que plusieurs membres de la troupe possèdent en fait des nationalités, même si d'autres sont dans une situation plus délicate. Pour tenter de sortir de l'impasse, ils se mettent d'accord avec les autorités du port sur la nécessité de faire reconnaître ces prétendues nationalités par les ambassades respectives ; cela prendra du temps mais c'est déjà un début. Il reste les autres, comme Makarius, Gorz, Durin, les Espagnols, sans compter les nains et les lutins. Des gens comme Korvus, Wlacek, Loco ou les femmes Fisher sont un vrai casse-tête, puisque leurs pays n'existent plus comme ils existaient autrefois, et ils sont donc de vrais apatrides dans les sens propre et figuré du terme. Mais l'armateur responsable du *Nadeshda* met toute la faute sur le consul argentin à Gênes, et lui aussi dit être un copain du fameux colonel Peron.

Alberti et les apatrides commencent à penser que ce Peron qui est dans toutes les bouches pourrait finir par régler leur problème, même s'il paraît plutôt être un personnage mythique, comme une sorte de sorcier local. C'est si difficile de tout comprendre que Fuank lui-même, dont l'espagnol est pourtant la langue maternelle, n'arrive pas à saisir la véritable nature de ce qu'ils appellent tous Peron. Par moments, cela ressemble à une simple interjection pour mettre l'emphase sur une assertion ou pour faire valoir la virilité de celui qui la prononce. C'est à d'autres moments un colonel devenu président de la république, mais on l'appelle aussi général, et même *generalissimo*, ce qui serait le superlatif du concept ou de l'adjectif « général ». Sauf que ce superlatif déjà curieux était aussi utilisé par les phalanges fascistes pour désigner le dictateur Franco ; mais selon les informations qu'ils obtiennent, ledit Peron serait de gauche, une sorte de fasciste de gauche, appuyé par les syndicats ouvriers et le peuple tout entier. Un vrai cafouillis.

Le débarquement des roulottes commence malgré tout au début de l'après-midi. L'armateur et le capitaine Mavros ont tiré leur épingle du jeu et réussi à libérer le *Nadeshda*. En outre, dans un geste chevaleresque, le capitaine a aussi réussi à faire valoir la condition physique de Katia telle qu'il l'avait fait attester par les autorités du port, y compris l'enregistrement de son mariage en sol argentin. Cela permet de libérer aussitôt Spivac et son épouse, lesquels seront pris en charge par le capitaine Mavros en personne, et logeront dans sa maison au bord de la mer.

— C'est la première fois que je célèbre un mariage, explique-t-il à Alberti. Je me sens responsable des époux, comme une sorte de parrain. Je voudrais vous prendre tous chez moi, mais je vis modestement.

Spivac proteste, il ne veut pas partir en laissant ses copains du cirque. Mais le capitaine lui fait comprendre que la jeune épouse a besoin de soins et de repos, tandis que le cirque est dans une situation incompatible avec celle d'une dame enceinte. Alberti et Fuank craignent en effet l'emprisonnement de la moitié de la troupe, et ils tentent à leur tour de convaincre Spivac d'accepter l'offre du capitaine, ne serait-ce que pour le bien-être de Katia. Makarius et Gandalf sont du même avis. Mais le magicien ne cède que lorsque Lidia le prie, avec des sanglots dans la voix, de sauver sa chère enfant.

Le départ de Spivac et de Katia est un moment de grande émotion pour ceux qui restent au port. Avec à peine quelques baluchons contenant les avoirs du magicien et une robe de rechange pour son épouse, tous les deux s'éloignent en compagnie du capitaine, comme s'ils partaient en exil.

— Je serai là pour la première, mes amis, crie Spivac. Avec ma Katia comme partenaire. Gardez ma place, ne m'oubliez pas, très chers. Je n'oublie pas mes dettes envers vous tous, envers toi aussi, cher Makar. Je reviendrai !

Mais les roulottes, les chevaux et les forains ne peuvent pas rester là, au milieu du quai. Léon arrive alors à un compromis, ou du moins c'est ce qu'il dit à Alberti. Peut-être que les autorités veulent uniquement débarrasser le quai, quitte à venir cueillir les gens quand les visas seront expirés. Léon prétend au contraire qu'il a tout réglé, même si ça lui a coûté très, mais très très cher. Le cirque devra travailler longtemps et avec du succès pour pouvoir enfin payer cette dette d'honneur envers le brave Léon. Il est si généreux, Léon, qu'il a loué des camions pour tirer les roulottes jusqu'à l'emplacement qu'il a loué pour le cirque ; il paraît qu'il a aussi payé très cher pour cet emplacement fabuleux.

Il reste un petit détail, si petit qu'il est pratiquement négligeable, et c'est pourquoi Léon le mentionne en passant uniquement.

— J'ai tout arrangé, Alberti, ne l'oublie jamais. Tu me coûtes une fortune. Voici encore de l'argent en pesos argentins, pour les dépenses courantes avant que tu commences à encaisser. Mais entre amis, on ne parle pas de ces choses, n'est-ce pas ? Voilà, il faudra que chacun aille dans son ambassade dès que possible, pour mettre à jour les passeports. Quant aux autres, n'oublie pas qu'ils sont dans une situation délicate. Il ne faudrait pas qu'ils se baladent en ville sans papiers d'identité.

— Qu'est-ce que cela veut encore dire, Léon ?

— Rien, je dis ça juste pour que tu fasses attention. D'ici à ce que les visas expirent, je vous arrange tout. Trois mois, c'est suffisant. Si tu te mets au travail, tu auras un bon magot à l'expiration des visas.

— Mais encore, Léon, des papiers d'identité…

— Chaque citoyen argentin est tenu d'avoir sur lui des papiers d'identité en règle, sinon il peut être arrêté pour vagabondage. C'est tout. Alors, si les gens en situation irrégulière restent dans l'enceinte du cirque, ils seront à l'abri. Ce n'est que ça.

— Ils sont donc prisonniers du stalag Alberti. C'est ce que tu tentes de me dire ?

— Alberti, voyons ! C'est uniquement une mesure de sécurité.

— Léon, je te promets une chose. Si tu me trahis, j'aurai moi-même le plaisir de te tuer pour te faire regretter ta fourberie. Tu es devenu argentin mais pas moi. D'où je viens, un juif qui trahit un autre juif ne mérite pas de Kaddish[1]. Tu as

1. Prière funèbre des juifs.

déjà mieux traité les nazis que tes propres amis. Ne creuse pas ta tombe.

Léon est livide et paraît tituber quand il entend ces paroles, mais il tente quand même de se disculper :

— Alberti, ne pense pas ça de ton ami Léon Feldmann. Je n'ai pas changé ; je m'adapte pour survivre, c'est tout. Mais je suis le même. J'avais prévu ces embêtements, je l'avoue. Mais je croyais que j'arriverais à tout régler à temps. L'important, c'est que tu es ici, en Argentine, mon vieux, avec ton cirque. Nous avons trois mois, ce sera assez. J'ai tenu parole. C'est à toi maintenant de tenir la tienne et d'avoir du succès avec ta troupe. Si je perds de l'argent, ce ne sera pas grave. J'aurai quand même sauvé mon ami Alberti de cette Europe en ruine.

— Ne mens pas, Léon ! J'ai déjà tenu ma parole en servant d'écran à tes assassins pour que tu empoches le magot. Tu ne l'as pas fait pour moi. C'est toi qui me dois encore ta part du marché. Je ne juge pas le marché que tu as conclu avec ces assassins ; tu en répondras devant une légion de spectres en costume rayé. Mais tu répondras devant moi si mes gens souffrent ici, et je ne suis pas un fantôme. Les artistes seront mis au courant de cette conversation. Ce n'est pas pour t'humilier, mais pour qu'ils prennent la relève si jamais je ne peux pas me venger personnellement. Un cirque est une chose trop belle pour qu'on la confonde avec un marchandage de commerçants. C'étaient tes propres paroles autrefois, si je me souviens bien ; les paroles de Léon Feldmann, gérant de cabaret à Berlin au début du nazisme. C'est le seul Léon dont je me souvienne ; je ne veux pas en connaître un autre. Et ce Léon-là aurait honte de cette ordure de Leandro Felmont. Tu es averti. Je te poursuivrai jusqu'à l'enfer s'il le faut, mais tu vas payer ta part de notre marché.

Le cortège de camions et de roulottes sortant du port de Buenos Aires n'est pas aussi joli que celui allant vers Gênes. La soirée est pleine de brouillard et les rues sont mouillées par une pluie fine et glaciale. Sous les bâches des camions, les forains tentent d'apercevoir cette ville fabuleuse qui leur a déjà causé tant d'angoisse. Les passants, tous bien habillés et coiffés de chapeaux de feutre, ne les regardent pas ; ils s'en vont, pressés, vaquer à leurs occupations, irrités par ce cortège de saltimbanques qui dérange la circulation à l'heure où tous rentrent à la maison.

En sortant du port, le cortège suit lentement une longue avenue qui débouche sur un beau parc, juste en face de la Casa Rosada, le siège du gouvernement. C'est sans doute là qu'habite le fameux colonel Peron. Les forains contournent ensuite l'énorme Plaza de Mayo, bordée de maisons semblables à celles qu'on voit à Paris, et ils regardent avec envie les nombreux cafés et restaurants illuminés, bondés de clients attablés. C'est l'Europe, pensent-ils, mais une Europe d'avant les années trente, puisque même les habits des passants rappellent ce temps-là.

Les artistes se taisent, intimidés par la grandeur de cette ville qu'ils s'étaient imaginée plutôt comme un village sans culture. Et ils se sentent soudainement très petits et sans recours, ballottés en quelque sorte, puisque même cette fripouille de Léon fait désormais partie de ce vaste ensemble, pendant qu'ils restent des saltimbanques et des hors-la-loi. Quelques-uns regrettent Gênes, si familière et accueillante malgré la guerre et les troupes d'occupation. Maintenant, ils sont pour de bon au bout du monde ; il faudra travailler très fort pour jamais revoir l'Europe. Pourvu que les gens acceptent de payer un prix d'entrée convenable pour les spectacles, sinon…

L'avenue Paseo-Colon en direction sud est aussi très jolie, bordée d'arbres et de jardins, du moins pendant qu'elle longe les quartiers riches. Ensuite, brusquement, les belles maisons cèdent la place à des habitations populaires, vétustes et agglutinées les unes contre les autres dans un labyrinthe de ruelles sales. C'est le début d'un quartier appelé la Boca, la place des immigrants italiens, le long du Riachuelo, cet égout à ciel ouvert. Les seuls grands édifices sont les entrepôts, les abattoirs et les usines de traitement de la viande ; c'est là que travaillent la légion d'ouvriers entassés alentour comme des fourmis. Les bars et les cabarets sont nombreux aussi, mais d'un genre très modeste, côtoyant les pensions de famille misérables qui accueillent les nouveaux arrivants, les *conven-*

tillos, ainsi qu'un nombre infini de bordels. La Boca, illuminée par ses ampoules multicolores de faible intensité, a l'air très animée, avec beaucoup de gens dans les rues en dépit du froid de la nuit. C'est donc leur futur public qu'ils croisent, même si le cortège continue encore à rouler longtemps, vers les terrains vacants et désolés au delà du Riachuelo.

Ils atteignent le site où s'installera le cirque très tard dans la nuit. C'est un simple terrain sablonneux en plein champ, au sol trempé par la pluie et faiblement éclairé par les lampes blafardes de rares poteaux d'électricité. Rodolfo, l'Espagnol en charge des camions, leur assure que c'est bien la place choisie par le *señor* Felmont pour le cirque. Il promet de revenir avec des électriciens pour brancher des fils électriques aux poteaux de la ville, afin qu'ils puissent avoir de la lumière sous le chapiteau. Les forains pourront se servir de l'eau d'un robinet situé à une centaine de mètres de là, du côté des entrepôts de viande. Les toilettes constituent un problème majeur que Rodolfo ne sait pas comment résoudre. Le *señor* Felmont croyait qu'ils avaient des toilettes dans les roulottes et n'a pas pensé à en faire installer sur place.

Ce Rodolfo est un homme sympathique, qui semble vraiment désireux de les aider. Il travaille pour les entreprises du *señor* Felmont, et il est plus familiarisé avec les affaires d'importation qu'avec celles d'un cirque. Mais il reconnaît que l'endroit où ils sont est bien trop désert pour que le cirque attire des spectateurs ; les ouvriers de la Boca trouveront sans doute peu commode de marcher si longtemps pour se divertir.

— Au moins, dit-il en guise de consolation, vous ne payerez rien, puisque c'est un terrain abandonné. Et vous prendrez l'électricité gratuitement depuis les poteaux de la ville. Les inspecteurs ne se déplacent pas dans ces banlieues isolées.

Les camions repartent dans la nuit en laissant les forains dans un état de grande fatigue et de mélancolie. Ils ont faim et soif mais il n'y a aucune maison ni café en vue, uniquement l'ombre des entrepôts aux lumières éteintes. Les gens doivent donc se résoudre à attacher les chevaux pour la nuit sous la pluie et ensuite à se réfugier dans les roulottes. Beria fera son travail du mieux qu'il pourra pour éloigner les intrus.

Les saltimbanques évitent de commenter leur situation, ils évitent même de se regarder, tant la rage et la déception sont brûlantes. Surtout l'humiliation, qui est présente comme la pluie pour tout gâcher ; ils ne comprennent toujours pas ce qu'ils ont pu faire pour être reçus d'une façon si méprisante. Le souvenir de leur campement dans la banlieue de Gênes leur apparaît alors non pas comme l'âge d'or, mais comme l'âge de l'innocence.

Le matin, ils sont tous transis. Avant le lever du jour, ils sont déjà dehors pour marcher et se frotter en tentant de chasser le froid. Fuank, Makarius et Cotshi partent en expédition dans la direction d'où ils croient être arrivés, pour chercher quelque chose à manger. Durin, Paco et Ilario s'en vont vers une descente du terrain pour y creuser des latrines provisoires ; ça presse bien plus que la faim, puisque les gens commencent à se soulager n'importe où. Sven, Wlacek et Marco se dirigent vers les entrepôts à la recherche de bois ou de charbon pour faire fonctionner les poêles de la cantine roulante, et au moins chauffer l'eau pour le thé. Les autres, avec l'aide des femmes, pousseront les roulottes pour les disposer en cercle, et tenter de créer ainsi un semblant d'intimité en plein champ. Le travail physique est d'ailleurs la seule façon de lutter contre le froid humide qui s'infiltre partout.

En essayant de résoudre leurs soucis pratiques, ils réalisent enfin l'étendue des mensonges de Léon. Il n'a rien prévu pour les recevoir ; même le terrain vacant a été choisi sans égards à leur confort, et le plus isolé possible pour qu'ils ne se fassent pas remarquer. S'ils avaient pu disparaître en mer, tous, au milieu de l'Atlantique, cela aurait mieux fait l'affaire des organisateurs du voyage. Et c'est peut-être ce qui serait arrivé s'ils ne s'étaient si bien battus la nuit de l'émeute. Comment le savoir au juste après tout ce qu'ils viennent de comprendre ? La tâche qui reste est celle de survivre, sans trop penser à se venger pour ne pas se gâcher davantage la vie. Et ils sont aussi des artistes de la survie.

Les roulottes sont déjà disposées en cercle et la cheminée de la cantine crache une fumée blanchâtre quand Fuank, Makarius et Cotshi reviennent chargés de pains, de fromages et de saucissons secs. Ils sont accompagnés de trois vieux chargés eux aussi de sacs pleins de victuailles. Ce sont des habitants de la Boca, des Italiens, qui veulent voir de près ces gens de cirque arrivés depuis la veille ; trois retraités, vieux et noueux mais nostalgiques du pays d'origine et sans rien d'autre à faire de leurs longues journées. Les trois copains les ont trouvés dans un café, en train de boire leur *cañazo* matinal, et Cotshi a cru reconnaître chez l'un d'eux l'accent de sa région en Italie. Ensuite, mis au courant de leur situation, les trois vieux ont mobilisé l'épicier, le boulanger et le boucher du coin pour approvisionner les gens du cirque. Martha et ses assistantes vont pouvoir se mettre au travail pour que la troupe puisse bientôt manger.

Les trois vieux Italiens, au contraire du camionneur Rodolfo, trouvent que l'endroit est très bon pour un cirque ; de toute façon il n'y a pas d'autre place que celle-là, à moins de tolérer la puanteur qui règne derrière les abattoirs. Ici, au moins, l'air est sain et le sol, pas trop marécageux. Ils croient aussi que les gens vont venir, du moins les vieux et les familles, puisqu'à la Boca le seul divertissement est celui de *putear*, c'est-à-dire d'aller chez les putes. Il y a parfois aussi des bals mais pas pour les familles. Alors, le cirque sera le bienvenu, tout au moins le samedi et le dimanche, car les gens travaillent dur pendant la semaine. Ils se proposent de répandre la bonne nouvelle et croient que, dès ce soir, beaucoup de gens vont venir pour saluer la troupe et pour avoir des nouvelles du pays. Les nouvelles de l'Europe sont très rares depuis le commencement de la guerre.

Les quatre mâts sont fixés au courant de l'après-midi par des forains déjà de meilleure humeur. Ils sont observés par des femmes, des vieux et des enfants venus de la Boca. Mais, dès la tombée du jour, c'est une véritable foule d'Italiens et d'Espagnols, tous des ouvriers, qui viennent faire connaissance avec les saltimbanques. Et ils viennent chargés de vin, de *cañazo* et de toutes sortes de bonnes choses à manger. Malgré le froid de la nuit, le feu de camp est entouré de gens qui parlent et qui écoutent avec émotion, en tentant d'imaginer comment est l'Italie en ce moment, comment vivent leurs parents et amis. Ce sont tous des immigrants venus en hordes successives surtout de l'Italie, des paysans devenus ouvriers pour la plupart, souvent analphabètes, pour tenter de mieux vivre en sol argentin. Leurs rapports avec le pays d'origine se teintent d'une douce nostalgie au fur et à mesure qu'ils vieillissent et qu'ils souffrent, de la même façon que les saltimbanques commencent déjà à regretter leur situation précaire à Gênes. Avec le blocus allié des ports des pays neutres, ces légions d'Italiens sont sans nouvelles de leur patrie depuis des années. Et voilà qu'un vrai cirque italien leur tombe dessus, juste dans la Boca. Ils se réjouissent et ils veulent montrer que leur immigration n'a pas été un échec.

Les Italiens de la troupe sont ainsi assaillis de questions précises sur les villages d'où ils viennent ; n'importe quel détail est précieux, même s'il s'agit d'informations concernant d'autres régions, de villages éloignés ou même imaginaires. Les familles se ressemblent toutes quand on les a laissées derrière depuis des années, et la nostalgie est capable à elle seule de joindre des bouts incroyables de réalité, les plus bizarres soient-ils. Elvira, Rita, Mariangela et la petite Gina sont aussi entourées de femmes et d'enfants qui les prient de raconter n'importe quoi, ne serait-ce que pour les entendre parler avec leurs accents encore si chargés de l'esprit du pays.

Ces visiteurs insistent pour faire fête aux saltimbanques, ils veulent les voir manger et boire, et ils offrent de les aider. Chacun de ces ouvriers veut aussi se prouver à lui-même qu'il a bien fait de venir avant les autres, que malgré les salaires de misère il lui reste assez pour offrir, pour pavoiser et donner l'impression que l'Argentine l'a rendu riche. Ils pourront se dire ensuite qu'après tout ce n'est pas si mal en Argentine. « T'as vu ces pauvres gens qui viennent d'arriver ? » Cela permettra de reprendre demain le travail dans les abattoirs avec un peu moins d'amertume, puisqu'ils seront une fois de plus arrivés les premiers en terre promise.

Il y a aussi des Espagnols parmi eux, qui veulent non pas avoir des nouvelles du pays — cela est impossible —, mais uniquement fraterniser avec des gens comme Fuank, Paco, Pilar et Firmina. Ce ne sont pas des combattants antifranquistes, mais de simples paysans émigrés ; les intellectuels et les républicains sont déjà bien intégrés à l'élite argentine, et ils ne fréquentent pas les ouvriers. Sauf que l'Espagnol en exil est devenu de gauche du simple fait qu'il est à l'étranger, parce qu'être un exilé paraît plus noble que d'être seulement un immigrant.

Ensuite, repus de tendresse, ils chantent. Quelqu'un entonne alors les premières strophes de *Bandera Rossa*[1] :

Avanti popolo, lavoratori,
Bandera rossa
Trionfera…

Cela commence bien timidement, certes, puisque c'est une chanson un peu embêtante lorsqu'on vote pour le parti de Juan Peron. Mais le vin aidant, ils se laissent aller et chantent tous comme si le drapeau rouge représentait encore quelque chose de précieux. Cotshi leur apprend la jolie chanson des partisans italiens, *Bella Ciao*, et ils sont tous étonnés de voir que Makarius sait aussi la chanter, mais en allemand. Non seulement le mime connaît *Bella Ciao*, mais il en connaît aussi une autre, qui secoue le cœur de quelques Espagnols, *El cielo d'España* ; avec les paroles allemandes elle devient la *Thälmann Batalion*, la chanson des Brigades internationales allemandes. Makarius les chante en espagnol et en allemand, comme s'il s'agissait de deux versants d'une même langue ; la chanson parle de continuer la lutte quand on est loin de son pays, car la liberté serait partout la même. Et les gens regardent alors avec un mélange de crainte et de respect cet homme étrange qui a vu Madrid et Barcelone le dernier, et qui est maintenant parmi eux, à la Boca, avec un cirque.

Quand il chante enfin le *Moorsoldaten*, chacun s'imagine sans même comprendre les paroles ce qui a dû se passer en Europe. C'est un chant de travail, rythmé pour des corps qui peinent, n'importe quel corps pendant une besogne physique. Sa voix est triste, peut-être d'une tristesse personnelle,

1. Hymne des communistes italiens.

sans rien à voir avec la guerre ; et cette tristesse rejoint le fond mou qui est tapi chez tous les expatriés.

Pendant qu'il chante, Makarius se rend compte qu'Oleg se lève et quitte le cercle autour du feu. « Dommage que le Russe blanc n'aime pas les chansons ouvrières de résistance », pense le mime. Cela n'a rien de politique ; Makarius lui-même ne croit pas à la politique ni à aucun socialisme. Il en a trop vu et connaît trop les hommes pour croire encore à ces illusions. Mais ce sont des chansons de solidarité entre pauvres gens, des chansons qui permettent de rêver l'espace d'un instant, ne serait-ce que pour saluer la mémoire des morts.

Il se trompe. Oleg n'est pas idiot à ce point-là. Un homme de son âge qui se prend pour Pinocchio et qui part avec un cirque est bien plus raffiné, et il chérit aussi les illusions plus que la réalité. Oleg est simplement allé chercher son copain Vania dans la cage des ours pour qu'il pleure à son tour dans ce bain de nostalgie. Vania est un étranger comme eux, venu des steppes de Sibérie, en plus d'être l'unique compatriote du dompteur d'ours.

Tous sont surpris de voir arriver Oleg et Vania, ces deux géants, au beau milieu du cercle, à côté du feu. Pendant un instant de silence, chacun croit entendre les paroles que le maître murmure à son animal, suivies du regard étrange que lui adresse l'ours. Et de sa voix puissante, Oleg chante alors le refrain de la chanson des Haleurs de la Volga :

Ie-eï, ishom, ïe-eï ishom,
Iechtché ràzik, iechtché ràz !...

Et tous entendent ensuite, distinctement, Vania qui grogne ou gémit, la tête tournée vers le ciel, reproduisant le même rythme du refrain. Ils sont bouche bée et émus à la fois, car Vania a vraiment l'air de chanter une complainte d'exil, aussi nostalgique que les leurs.

Oleg chante encore, suivi de l'ours ; ensuite, ils chantent ensemble, enlacés, titubant comme deux ivrognes sous les applaudissements de tous. Vania se détache de son maître et remercie les gens avec des signes de tête. L'ovation est spectaculaire. Quand il se retourne pour reprendre l'ours, le géant Oleg ne rit pas puisqu'il a les yeux pleins de larmes.

Quand les visiteurs repartent, il est déjà très tard dans la nuit. Mais l'état d'esprit des saltimbanques a changé du tout au tout. Les choses ne semblent plus aussi noires qu'auparavant. D'abord ils ont appris que la vie n'est moche en Argentine que pendant les deux ou trois mois de froid. Ces immigrants italiens et espagnols ne regrettent pas d'être là, et ils se réjouissent à l'avance pour les gens du cirque. On y mange bien ; le vin et le *cañazo* ne sont pas chers. Ensuite, si les vrais Argentins ne comprennent rien au cirque ni à l'art, les immigrants de première et de deuxième génération sont encore friands de la scène et assez connaisseurs pour apprécier les bons numéros. La Boca est très pauvre, les saltimbanques ne seront jamais riches ; mais la possibilité de survivre n'est plus une illusion.

— Nous avons fait tout ce voyage pour donner des spectacles à des Italiens pauvres et à des étrangers déracinés, remarque Fuank avec le sourire. Nous aurions pu rester à Gênes et simplement vendre les nazis aux Américains. Il ne faudra pas oublier de s'occuper un jour des couilles de Léon Feldmann. Là-bas, au moins, nous n'étions pas persécutés par la police, et nos latrines étaient aussi mauvaises qu'ici.

— Ne sois pas rancunier, Fuank, s'exclame Gorz. Nous n'avions jamais fêté là-bas comme ce soir. Ça ne pourra que s'améliorer.

— Peut-être... Il faut attendre pour voir. Je me demande aussi ce que fait notre magicien en ce moment.

— Il doit être en lune de miel, au lit, comme il sied à sa situation, réplique Gorz. Il ne sortait pas du lit avant d'être marié, imagine maintenant.

— Je ne sais pas, fait Fuank, songeur. Je me demande si nous aurons vraiment un magicien ici, le soir de la première. Son histoire fait trop conte de fées, et je me souviens de Spivac bien autrement.

— Tu crois qu'il a trouvé une planque avec le capitaine ? demande Makarius. Mais comment, et pourquoi Spivac ?

— Je n'en sais rien. Mais quelque chose me dit que Spivac n'a pas l'étoffe d'un père de famille. Vous êtes tous d'accord là-dessus, n'est-ce pas? Alors, ça fait louche. Mais seul le temps nous le dira.

— Tu es jaloux, Fuank, réplique Makarius.

— Tu crois à son histoire?

— Non, je n'y crois pas. Mais je n'arrive pas à saisir ni le comment ni le pourquoi. Alors, j'attends. Quelque chose me dit aussi qu'il ne reviendra plus. C'est peut-être uniquement une réaction à la mauvaise réception d'hier. Cela faisait un contraste trop grand avec le conte de fées, et je suis trop habitué aux contrastes pour ne pas le remarquer. J'attends…

— En tout cas, dit Fuank, toujours avec son sourire cynique, il a bien mentionné qu'il te donnerait la première cagnotte gagnée en sol argentin. S'il y a des casinos dans ce pays, je suis certain qu'en ce moment précis il te doit déjà une poignée de pesos.

— Attendons voir. Je ne suis pas inquiet pour Draco, mais bien pour la pauvre madame Spivac.

❑

Une fois le chapiteau dressé, avec les gradins et la piste bien en place, les appareils montés, il ne manque que les lumières promises par le chauffeur de Léon le soir de leur arrivée. Cinq jours sont déjà passés sans que les forains aient de nouvelles du camionneur et de son patron. En contrepartie, le cirque n'a pas reçu de visite de la police, ce qui est un très bon signe.

Le camp des saltimbanques est monté comme il l'était à Gênes, à l'exception de la nouvelle maisonnette des latrines avec cabine attenante pour se laver, cadeau des ouvriers de la Boca. Des menuisiers des entrepôts sont venus pendant leur pause, avec des outils et des planches, et en moins de deux les latrines étaient érigées sur les fosses qu'avaient creusées les gens du cirque. D'après Maroussia, les chiottes sont plus confortables, puisque les Argentins ne connaissent pas la manière européenne de se soulager debout; mais elles sont aussi aérées que celles de Gênes, ce qui veut dire qu'on y gèle autant.

Les billets donnés par Léon avaient l'air de constituer une bonne somme lorsqu'ils étaient en rouleaux, mais cet argent s'avère bien juste quand vient le temps de payer les premières dépenses. Les copains de la Boca qui travaillent dans les abattoirs peuvent fournir à bon marché les bottes de foin pour les chevaux et la viande pour la troupe. Mais il faut acheter le café, le pain, le tabac, le vin et la gnôle pour se réchauffer, le lait pour les plus jeunes, sans compter les légumes et le grain pour la pâtée des ours et des chiens. Les dernières boîtes de ration K ont été utilisées vers la fin de la traversée, et maintenant Oleg et Pitagore doivent faire bouillir les os qu'on leur apporte pour enrichir quelque peu la nourriture des bêtes.

Fuank et Cotshi, responsables de la publicité du cirque, trouvent un imprimeur de prospectus à la Boca qui accepte de leur faire crédit jusqu'après les premières représentations. Avec sa vieille minerve à pédales, il imprime des messages en espagnol et en italien, illustrés à l'aide d'un bois gravé représentant une face de clown. Ce n'est pas du grand art mais ces feuillets annoncent le cirque, ils indiquent le lieu, et ils affirment qu'il s'agit d'artistes italiens et espagnols de renom international, tout juste arrivés d'Europe, spécialement pour l'agrément des familles de la Boca et des environs. Les ouvriers se chargent de les distribuer sur leurs lieux de travail, dans les bars, les cabarets et les bordels, et même à l'école du coin.

Des marchands de pop-corn, de barbe à papa, de bonbons, de ballons, de limonade et de bière, ainsi que le propriétaire d'un stand de saucisses grillées et de vin chaud à la cannelle s'entendent avec Alberti pour pouvoir vendre leur marchandise autour du cirque et pendant les spectacles.

Gorz tiendra une table de tatouages le samedi et le dimanche à l'entrée du cirque. Le reste de la semaine, il s'installera avec Maroussia dans un bordel de la ville ; il y fera des tatouages pendant qu'elle tirera les cartes aux dames et aux clients. Ces revenus supplémentaires viendront compléter les recettes du cirque, si jamais les premiers spectacles ne sont pas assez rentables.

Larsen, Sven et Maroussia reviennent très encouragés de l'ambassade du Danemark. Leurs documents ne semblent pas difficiles à obtenir même s'ils devront attendre encore longtemps. Oleg, Pitagore et Anise possèdent déjà leurs passeports, et ils se sont fait enregistrer à l'ambassade de France. En ce qui a trait aux Italiens, la situation est passablement plus compliquée. Cotshi est allé seul à l'ambassade pour s'informer, mais il n'a pu obtenir rien de précis des fonctionnaires. Même ces derniers semblent avoir des papiers irréguliers; quelques-uns, employés du temps de Mussolini, ne savent tout simplement pas s'ils font toujours partie du corps diplomatique ou s'ils doivent à leur tour demander un permis d'immigration en Argentine. Pour ce qui est des mineurs, alors là, la situation est vraiment désespérée, puisqu'il faudrait leur trouver des tuteurs nommés officiellement ou des certificats d'adoption enregistrés en Italie devant un juge; ce sont là des procédures qui peuvent durer des dizaines d'années si on est sur place et si on est assez riche pour engraisser avocats et magistrats. Personne ne serait assez insensé pour croire qu'il pourrait obtenir cette sorte de documents depuis l'étranger. Les gens de l'ambassade n'ont d'ailleurs pas semblé comprendre pourquoi Cotshi voulait ces informations; les enfants d'immigrants finissent en grande partie au bordel ou dans les usines même quand ils ont des familles et des documents en règle.

— De vrais orphelins, dites-vous? lui a demandé le fonctionnaire chargé des affaires de la famille à l'ambassade. Alors, s'ils sont orphelins, ils n'appartiennent à personne; vous pouvez en disposer à votre guise sans vous encombrer de documents. Oubliez ça, mon cher. Il y a tellement d'Italiens qui cherchent à immigrer ici en ce moment que les services d'identification sont encombrés pour des années et des années encore. Ces enfants seront déjà des adultes et ils auront eux-mêmes des enfants quand viendra leur tour, si jamais leurs requêtes ne disparaissent pas en chemin comme tant d'autres. Dites adieu à l'Italie, mon ami. Tant qu'à dépenser votre argent, soudoyez plutôt les fonctionnaires argentins qui sont les plus proches. Vous ne connaissez pas leur expression *muñequear*? Il faut *muñequear* ici, c'est-à-dire savoir jouer des mains et des *propinas*, les pots-de-vin. Ce pays est le paradis des tours de main et des ristournes.

En entendant ces propos rapportés par Cotshi, Alberti retrouve passablement son enthousiasme.

— Si un Italien dit cela, l'Argentine doit être un puits de corruption, mes camarades, dit-il à quelques artistes réunis autour du feu. Notre seule chance est d'avoir un énorme succès. Si nous arrivons à gagner assez d'argent, je crois que la police nous laissera en paix. Ensuite, lorsqu'on aura obtenu ces fameux permis de séjour, ce sera à nous de nous débrouiller pour survivre. Je n'ai plus peur. Dorénavant, je vais traiter plus fermement avec cette ordure de Léon ; au lieu d'attendre et de l'épargner en vue de l'avenir, je vais tenter de lui soutirer ce que je peux, aussi vite que possible. Ça nous fera un petit coussin, même si on gagne un ennemi. Mais, n'est-ce pas, avec des amis comme lui, qui donc craint d'avoir des ennemis ?

— Comment feras-tu pour le trouver ? demande Cotshi.

— Je n'en sais rien. Il m'avait donné une adresse en Italie, mais je ne sais pas si c'est la bonne. Nos copains de l'abattoir ont un ami qui travaille dans les bureaux de l'usine. Il pourrait nous aider à chercher Léon. Leandro Felmont, importation et exportation, il ne doit pas y en avoir plusieurs ; et il semble riche, influent. Ces gens-là sont difficiles d'accès mais ils sont faciles à trouver. Pendant que vous continuez les préparatifs pour la première, je vais tâcher de lui envoyer une invitation amicale. S'il vient ici, nous le ferons cracher ; sinon, il faudra aller lui rendre visite.

— Je crois que c'est mieux de lui rendre visite directement, dit Fuank. Ici, il n'aura que son argent de poche. Chez lui, sans doute qu'il se sentira plus nerveux, et donc plus généreux. Je tenterais plutôt de savoir non pas où il travaille, mais où il habite. Et sans rien précipiter, en bon copain désireux aussi de devenir homme d'affaires, tu chercheras alors à gagner sa confiance. Tu dois jouer son jeu, Alberti, comme un artiste. Ensuite, tu nous laisseras la place, à Makar et à moi. Vas-y en douceur ; n'oublie pas qu'il a peut-être le pouvoir de nous faire tous boucler, et qu'il n'hésitera pas la prochaine fois.

Ils se mettent ainsi d'accord pour mener un jeu plus subtil. D'abord trouver Léon, ensuite l'inviter à la première comme si de rien n'était pour que lui et Alberti redeviennent copains. Léon verra que le cirque se débrouille bien et que tout le monde est très heureux de la tournure des choses. Une fois la méfiance disparue de part et d'autre, du moins en apparence, ils pourront aborder la question des documents de la troupe. Au bout du compte, il faudra lui faire payer sa trahison.

Mais il faut avant tout régler le problème de l'électricité et des lumières pour que le cirque puisse fonctionner. Ce qui reste de l'argent est alors employé à acheter du matériel et à payer les électriciens italiens de la Boca pour qu'ils illuminent le cirque. Ce n'est pas difficile, bien au contraire ; il s'agit là d'une manœuvre semble-t-il très courante dans les quartiers populaires. Et comme il n'y a pas de compteur électrique dans le cirque, les inspecteurs ne viendront pas regarder de sitôt. Il faudra cependant se contenter d'un minimum d'ampoules pour que ça ne paraisse pas trop dans la tension des câbles.

Les électriciens choisis, après avoir étudié soigneusement la situation, proposent une meilleure solution, plus sûre et efficace à long terme. Au lieu de brancher le cirque sur les poteaux de la ville, ils le brancheront plutôt au compteur d'électricité d'un des entrepôts situé à une centaine de mètres de là ; ensuite, ils tireront des câbles jusqu'au chapiteau en suivant le branchement déjà existant de cet entrepôt. Comme ils travaillent aussi à l'entretien électrique des entrepôts, tout se passera sans anicroche.

— C'est plus pratique de cette façon, leur explique un des électriciens. Les entrepôts sont de grandes compagnies, ils dépensent beaucoup d'énergie pour la réfrigération. Vos quelques ampoules ne feront pas de différence sensible sur les factures globales. Et si jamais les inspecteurs de la ville se pointent, ils penseront que votre cirque est patronné par les entrepôts, pour divertir les ouvriers. Ils vous respecteront davantage.

— Quelle sagesse ! s'exclame Oleg quand Cotshi lui traduit les propos de l'électricien. Voici ce que j'appelle savoir vivre. Le vieux Bakounine approuverait le geste de cet homme sans sourciller. Cette Argentine est curieuse mais on y trouve parfois des gens pleins de bon sens. Dommage qu'avec le temps les immigrants cessent de penser en immigrants pour devenir de vulgaires citoyens. Plutôt que de vouloir faire la bêtise qu'est une révolution, on devrait prêcher le parti des éternels étrangers. Les gens seraient peut-être plus solidaires s'ils restaient toujours des apatrides, sans nation, préoccupés uniquement du bien-être des personnes, de leurs besoins essentiels.

Le câblage et l'installation de lampes et d'ampoules se font en une soirée à peine. Ensuite, à l'aide d'une manette très pratique et tout à fait réglementaire, Alberti est invité à allumer pour la première fois le grand Circus Alberti.

14

Spivac n'a pas donné de nouvelles et les gens du cirque savent qu'ils n'auront pas de magicien. Mais quelques forains attendent au moins la visite de Léon pour ce samedi de première. Alberti lui a parlé au téléphone pour l'inviter au spectacle inaugural ; leur conversation a été amicale, avec de nombreuses excuses de la part de l'homme d'affaires pour le retard de ses électriciens. Mais comme tout paraissait bien se passer pour le cirque et que le directeur avait l'air content, Léon a promis qu'il serait là, avec des bouteilles de champagne pour fêter l'événement.

Tout illuminé de l'intérieur et décoré de guirlandes d'ampoules de toutes les couleurs, le chapiteau a un air coquet et invitant dans la noirceur du soir. Le public est venu nombreux et beaucoup de spectateurs devront rester debout. Malgré le froid, tout a été organisé de façon à pouvoir lever quelques pans de la toile dans l'espace des gradins pour accommoder ceux qui demeureront dehors. Les vendeurs ambulants font de bonnes affaires et ajoutent de la couleur avec la lumière verdâtre de leurs lampes à acétylène. Les gens s'attroupent devant Gorz pour le voir tatouer une femme nue sur la poitrine d'un des jeunes électriciens ; le client, livide, ne s'attendait pas à ce qu'un tatouage brûle autant, mais il fait de son mieux pour supporter la douleur devant tant de regards curieux. Maroussia, attablée sous un baldaquin, habillée de ses plus beaux atours de gitane, donne des consultations à des clientes empressées, pendant que d'autres attendent en file, impatientes de connaître leur avenir. Les nains se promènent, costumés, parmi les gens, avec de larges sourires et en faisant des cabrioles pour les encourager à acheter des tickets et à aller s'asseoir sous le chapiteau. Sur la piste, Lidia, Lioubov, Fanny et Durin jouent de la musique au rythme des tambours de Janus et d'Esmeralda.

Derrière la bâche de l'entrée des artistes, juste en bas du grand mascaron qui symbolise la joie du cirque, la tension est à son comble. Anise et Pitagore sont dans tous leurs états, puisqu'ils seront les premiers à entrer en scène, après l'annonce du directeur et quelques pitreries des clowns pour chauffer la salle. Leurs chiens n'aboient pas mais ils tremblent et sautent sur place, habillés en costumes bizarres, au bord de la pâmoison, tant ils sont excités par l'agitation générale. Wlacek fait les dernières retouches au maquillage de Fanny, en forçant sur les rouges car la fillette est presque livide de trac. Fuank et Cotshi finissent de peindre leur visage après avoir aidé les gens du numéro de Jaccobo et d'Angelo à répéter en chœur la suite des mouvements qu'ils auront à faire. Les chevaux attendent dehors, derrière Oleg et ses ours, tout contents puisqu'ils savent que bientôt ils pourront tourner à leur guise dans le manège.

Les gradins se remplissent vite dès que les gens se rendent compte que les places assises seront chaudement disputées. Maroussia prend congé de ses clientes jusqu'à l'entracte pendant que Gorz met la touche finale — les mamelons et l'ombre du pubis — au nu de l'électricien. Les musiciens quittent alors la scène et sortent du chapiteau pour annoncer que le spectacle va commencer.

Herr Direktor, resplendissant dans sa veste à brandebourgs, ses pantalons d'équitation et ses bottes, le haut-de-forme à la main, salue solennellement le respectable public de la nation argentine. Il remercie la population pour son accueil chaleureux et loue la solidarité des Italiens et des Espagnols qui, en véritables amateurs de grand art, ont contribué à rendre possible cet événement culturel d'importance, en plein hiver de la Boca. Son italien suffit pour les conversations courantes, mais laisse à désirer quand il parle ainsi à haute voix ; les gens applaudissent malgré tout avec enthousiasme parce qu'Alberti sait accompagner ses paroles de gestes éloquents et d'expressions du visage plus éloquentes encore.

Loki et Fili entrent en scène en courant et en trébuchant, poursuivis par Cotshi et Durin avec d'énormes bâtons, et ils tentent de trouver refuge derrière le directeur. La pantomime se continue avec le numéro de Fuank sur l'échelle libre au beau milieu de la poursuite ; le clown risque de tomber à chaque instant, mais il est retenu chaque fois par un des poursuivants qui s'appuie sur l'échelle pour souffler un peu, ou par Loki et Fili qui y montent à leur tour en faisant contrepoids. Un vrai succès, comme le sont toujours les numéros des clowns acrobates, avec de bonnes baffes et des coups de pied qui deviennent des pirouettes. En plus, Fili est une peste, coquette et aguicheuse lorsqu'elle s'y met ; ses jeux de séduction, la réaction excessive de Cotshi et de Durin, ainsi que la jalousie de Loki ajoutent au numéro une dimension qui dépasse celle de la simple bouffonnerie. Toujours en haut de la longue échelle, dans un équilibre incroyable, tantôt à califourchon, tantôt pendu par les pieds ou les mains, Fuank tente d'aviver la bagarre en bombardant les autres avec des balles colorées.

L'entrée de Pitagore et d'Anise avec leurs chiens chasse les clowns comme si ces derniers ne faisaient pas partie du cirque. Les animaux cabriolent et se soulagent de leur anxiété en courant à toute vitesse autour de la piste, pendant que les maîtres dressent des obstacles pour les faire sauter. Les chiens grimpent parfois les uns sur les autres, et deux ou trois sautent en même temps par-dessus les haies et à travers les cerceaux. Ce n'est pas un numéro très compliqué à monter : tout son art réside dans le mouvement continuel des bêtes, dans la drôlerie des chiens qui hésitent au dernier moment, sans compter la variété de races de chiens et leurs habits un peu clownesques. En plus, c'est un long numéro qui plaît par ses côtés attendrissants, et la simple présence des chiens contribue passablement à en assurer le succès. Plus les gens rient et applaudissent, plus les chiens surexcités augmentent la cadence, au point de confondre même les deux maîtres, ce qui incite en retour le public à applaudir, dans une progression accélérée qui n'est pas sans ressembler à la poursuite antérieure des clowns.

Quand la salle est ainsi réchauffée, l'entrée magistrale de Gandalf le magnifique est annoncée par Alberti avec une voix pleine d'émotion : « L'unique nain hercule sur la surface de la Terre ! » Le vieux directeur se souvient de ses propres prouesses d'autrefois ; cela transparaît dans sa présentation et prépare les spectateurs à l'émerveillement. Gandalf, le corps trapu tout en bosses musculaires serrées dans des lanières de cuir, avec un pantalon mettant en relief son sexe et ses couilles que le contraste fait paraître formidables, détache sa cape d'un geste élégant et salue la salle d'un simple signe de tête. En arrière du rideau, Lidia est frissonnante et toute moite comme une pucelle à la vue de son homme sur la scène. Alberti en personne seconde le nain dans ses tours de force avec les poids, les haltères et d'immenses boules de fer qu'il laisse tomber sur son cou et sur son ventre. C'est un numéro qu'ils ont conçu à deux, et qui marche bien puisque l'élégance du directeur cache entièrement le fait qu'il est lui-même un hercule. Et comme Alberti est aussi un excellent comédien, Gandalf n'a aucun mal à arracher des soupirs et des cris à une foule en alerte. Les barres de fer qu'il fait plier à l'aide de sa nuque et de ses bras ouverts en croix ne sont pas une tricherie, même si dans la salle rares seraient les hommes capables d'en faire autant en s'appliquant à deux à la tâche. Ce sont des trucs du métier présentés avec l'art de ceux qui les ont découverts il y a des centaines d'années. Tout comme le truc qui permet de ne pas tomber à cause de la force centrifuge des chevaux tournant sur un manège de treize mètres a été découvert au XVIIIe siècle par le chevalier anglais Philip Astley, pour être ensuite immortalisé par Antonio Franconi, le fondateur du cirque français. Tant et tant d'artistes ont répété les mêmes gestes, en y apportant chaque fois des modifications minimes dans l'unique but de mieux conserver et de transmettre ces numéros éternels. Et à nouveau, sur une piste aux abords de la Boca, un homme nain célèbre la même liturgie du spectacle pour le ravissement des gens du commun.

Les trapèzes volants n'ont pas changé non plus depuis leur invention par Jules Léotard. Et pourtant, chaque fois que les trapézistes se présentent, le public ressent la même angoisse, la même tension dans les muscles de la poitrine et du ventre. L'art de l'acrobate découle justement du fait qu'il n'est pas uniquement un spectacle pour les yeux. Ses gestes et ses postures visent surtout à faire ressentir à celui qui est assis sur les gradins, dans son propre corps, un danger imaginaire, exactement comme s'il était lui-même là-haut. Plus qu'une gymnastique, c'est un véritable ballet dont la chorégraphie commence sur la piste en dévoilant la beauté et la fragilité des corps qui s'apprêtent à affronter le vide. La présence de Fanny accentue cette impression de vulnérabilité par la tendresse érotique qui se dégage de ses formes juvéniles. On voit les trapézistes monter sur l'échelle de corde, rapetissant au fur et à mesure qu'ils s'éloignent du sol pour devenir presque des enfants arrivés en haut. Malgré les lumières peu intenses, leurs costumes scintillants dessinent leurs silhouettes contre la noirceur de l'arcade de toile. Le silence se fait dans la salle, un silence d'autant plus intense et dramatique qu'il est ponctué imperceptiblement par les tambours de Janus et d'Esmeralda. Et voilà qu'ils s'élancent, d'abord sans effort, Wlacek se laissant attraper par les jambes pour revenir ensuite suivant le mouvement naturel des pendules. La salle applaudit, surtout parce que Fanny offre à tous les regards ses jolies cuisses et son beau sourire. Wlacek se lance de nouveau, cette fois en tournant dans un demi-salto pour se laisser attraper par les poignets, et il revient au trapèze de départ simplement en tournant sur lui-même. C'est déjà plus que le simple mouvement d'une pendule.

Fanny semble retrouver tout son courage après le baiser que lui donne Wlacek, et elle se lance à son tour, élégante et si fragile, pour rencontrer les mains puissantes de Sven. Le receveur la fait tourner par un seul bras et la suspend de nouveau pour l'embrasser à son tour, sans arrêter son élan. Fanny rattrape le trapèze et rejoint Wlacek sur la rampe pour recevoir les applaudissements des spectateurs émus.

Ils partent ensuite à deux sur le trapèze pour le saut croisé. D'abord Fanny, qui va et vient, tenue par le receveur, suivie de Wlacek qui change de place avec elle en plein air en exécutant un salto. Et le numéro finit par le *salto mortale* de

Wlacek en partant de la rampe surélevée. C'est un salto simple, même s'il peut aussi exécuter aisément le *double mortale*; mais il ne prend jamais de risque à une première. Personne ne prend aucun risque au spectacle inaugural, jusqu'à ce qu'on sache comment l'esprit du chapiteau réagit au terrain où il a été érigé. Ce n'est pas une question de peur ou de manque d'entraînement, mais bien une question de respect envers le démon du cirque. Les trapézistes ne provoquent pas la mort avant de savoir si le démon est là pour les protéger. Un excès de vanité, même innocent, pourrait être interprété par les esprits comme de l'orgueil ou de la suffisance, et cela peut avoir des conséquences funestes.

Fuank et Cotshi, accompagnés maintenant de Lioubov et de Durin, viennent alors récolter sous la forme de rires et de tendresse la tension laissée dans la salle par les trapézistes. D'autres pantomimes, d'autres poursuites, avec le violon rouge de Durin provoquant les clowns méchants, l'accordéon de Lioubov lui donnant la réplique, le tout finissant par le duo de scie et d'accordéon. Quelque chose de magique se répand alors, et qui surprend même tous les artistes: c'est le charme mystérieux qui se dégage des mouvements de Durin et de Lioubov, quelque chose d'impalpable mais de très intense, qui rappelle les performances de Makarius. Sauf qu'ils sont deux et qu'ils forment plus qu'un couple d'amoureux; c'est presque comme s'ils étaient frère et sœur, plongés tous les deux dans une douce et étrange forme de folie, entièrement à l'abri des autres vivants. Lioubov avance avec des pas d'une grande sensualité, en tirant profit de ses hanches fournies. Mais sa tête est continuellement tournée vers le haut, hésitante, évoquant la démarche d'une aveugle dont le corps serait envahi par la passion. Fuank et Cotshi, un peu désarçonnés au début par ce charme inconnu, adaptent vite leur jeu à cette nouvelle saveur de leurs compagnons. La simple pantomime d'autrefois devient alors un véritable jeu de massacre des deux artistes innocents par les clowns méchants, le tout avec une grande charge émotive. Par moments, les rires des spectateurs risquent de se tourner à l'envers, de nouer la gorge et de faire jaillir les larmes. Mais d'autres rires se succèdent et d'autres frissons. Le solo final de scie vient clore le numéro avec des grattements dans toutes les âmes présentes.

Lioubov et Durin sont applaudis debout par un public bouleversé ; des couples se tiennent la main, émus sans savoir pourquoi, d'autres s'essuient le coin de l'œil ou toussent pour soulager la tension dans la gorge. Makarius est peut-être le plus surpris de tous, car lui seul sait tout l'art qui vient de se révéler sur la piste, cette sorte de chose sublime que chaque mime vise la vie durant sans jamais l'atteindre. C'est qu'il faut plus que juste de l'art ou du métier pour toucher la fragilité de l'amour ; il le sait bien.

Le numéro de Kropotkine, de Virginie et des marionnettes parlantes est plus calme ; il exige davantage d'attention que d'émotion, et il fait une bonne transition après l'émotion qui plane encore sur la piste. Le nain ventriloque a aussi senti la force du jeu de Lioubov et de Durin, et il table alors plutôt sur sa technique et sur les aspects drôles des poupées, en épargnant Virginie. Ce n'est pas le moment d'attirer la haine d'une foule aussi émue, et Kropotkine est assez artiste pour suivre la salle. Son numéro n'en est pas pour autant moins intéressant, surtout qu'il parle un excellent italien et peut ainsi communiquer ce qu'il veut aux spectateurs. Virginie paraît comprendre le changement et met à son tour des accents comiques dans ses plaintes.

C'est très bien, mais Kropotkine verra à ce qu'on change l'ordre des numéros à l'avenir pour qu'il soit en mesure de tirer parti des souffrances et des aspects érotiques du jeu de sa pupille.

Oleg suit avec ses ours en compagnie de Loki et de Fili. Vania est tout à fait réjoui de se retrouver à nouveau sur scène, d'autant plus qu'il a déjà plein contrôle d'un Bobi remis de ses ardeurs. Loki et Fili chevauchent les deux oursons et se font poursuivre ensuite par eux sur de petites bicyclettes. Mais c'est la partie de football qui fait le bonheur de cette foule de supporters du Boca Juniors, l'équipe de football du quartier. Les spectateurs hurlent comme s'ils assistaient à un vrai match de foot, ce qui excite Vania et l'amène à essayer des cabrioles devant le but, le ballon sur le museau, même si pour le faire il doit se servir de ses pattes de devant et subir alors les coups de sifflet d'Oleg.

— Penalty ! crient les gens.

Les tirs au but et les arrêts de Bobi soulèvent les spectateurs et obligent le directeur du cirque à venir sur la piste pour éviter qu'elle ne soit envahie.

Voilà encore quelque chose qui doit être changé de place dans les représentations suivantes. La salle est si excitée avec le football des ours qu'elle prête peu attention au numéro suivant, celui des funambules sur la corde raide. Pancho et Isabel donnent une performance magnifique, y compris sur le fil tendu incliné qui est bien plus risqué. Mais les gens discutent toujours des ours footballeurs avec une telle profusion de gestes qu'il est vraiment impossible d'apprécier ce qui se passe là-haut. Isabel attire quand même des regards masculins, puisque son costume collant met en évidence son joli corps mince et ses seins lourds presque posés sur le balancier. Mais c'est dommage pour son art. Pancho, même en jonglant avec des balles sur le fil, n'a aucune chance devant la passion du football.

Les tambours de Janus et d'Esmeralda précèdent l'entrée du directeur et l'annonce qu'il crie :

— *Intermezzo ! Intermezzo ! Intermezzo !*

Les vendeurs ambulants envahissent le chapiteau pendant que les spectateurs s'étirent ou sortent se promener, toujours en commentant le jeu des ours. Maroussia, déjà installée sous son baldaquin, reçoit de nouveau des femmes avides de passions ou de guérisons miraculeuses. L'électricien tatoué revient auprès de Gorz et de sa machine pour exhiber son torse habité désormais par une fille qui bouge les hanches lorsqu'il tend les pectoraux. Le tatoueur en profite alors pour montrer ses dessins d'autres nus, d'ancres, de cœurs transpercés de flèches et de beaux exemples de calligraphie, tout en invitant les hommes aux séances qu'il fait dans le bordel chaque soir de la semaine. On lui demande surtout s'il est capable de tatouer l'écusson du club Boca Juniors ou des ballons de football ; Gorz promet de se procurer les dessins voulus sans tarder pour s'adapter au goût de son nouveau public.

Maroussia, de son côté, devra trouver aussi une deuxième place pour ses consultations durant la semaine, puisque les femmes et les filles sérieuses ne peuvent pas aller au bordel, même si elles paraissent plus friandes d'avenir que les putes.

— Les vraies putes sont déjà putes, lui explique très sérieusement une vieille dame. Elles peuvent rêver d'un nouveau souteneur ou de gagner à la loterie, c'est tout. Tandis que les femmes honnêtes peuvent rêver d'un mariage, d'un amant, elles peuvent rêver pour leurs enfants, tout en gardant en tête qu'elles risquent aussi de devenir des putes ou de gagner à la loterie. Alors, comme elles ont plus de choses à rêver que les putes, il faudra que vous ayez plus de temps pour les femmes honnêtes. Et que ce soit dans une place convenable, comme la maison d'une couturière, par exemple. Sinon, vous savez, les gens se mettront à médire et les maris rosseront leurs femmes en les traitant de dévergondées. Sans compter que le curé italien n'aime pas que les femmes se préoccupent de leur avenir.

L'entracte s'étend pendant presque une demi-heure pour donner la chance aux vendeurs ambulants d'écouler leur marchandise. C'est l'entente qu'Alberti a prise avec eux : il recevra sa part des bénéfices si les affaires sont bonnes. Le stand des grillades et de vin chaud fait des profits, sans doute à cause de la nuit froide. Pendant les matinées, au contraire, ce sont plutôt les friandises qui rapporteront le plus.

Quand les musiciens annoncent la reprise du spectacle, les gens accourent encore pour acheter du pop-corn ou de la barbe à papa, et des tasses en carton avec du vin chaud. Maroussia doit s'excuser auprès des femmes, car elle entrera bientôt en scène. Mais ce n'est pas grave si seulement peu de clientes ont été renseignées sur les méandres de la fatalité ; la voyante a déjà reçu plusieurs invitations pour tenir des séances chez des femmes honnêtes, et son avenir paraît assuré.

Les appareils pour le numéro des acrobates sont déjà installés sur la piste. L'entrée en scène de Jaccobo et d'Angelo, suivis de leurs six jeunes compagnons, a un aspect grandiose, presque martial. Leurs performances se succèdent ensuite à une grande vitesse pour que l'inexpérience des plus jeunes ne soit pas trop évidente. Ils se démènent sur les barres fixes, sur la bascule et en faisant des pyramides, pendant que d'autres tout autour font la roue et marchent sur les mains. La petite Gina se révèle être une vraie poupée de chiffon pendant les numéros de main-à-main, et elle se laisse lancer depuis la bascule avec une rare élégance pour une fillette aussi jeune. Elvira et Rita sont trop préoccupées de montrer leurs cuisses et leur cul pour bien suivre, mais elles compensent leur étourderie par de jolis sourires et de petites poses osées qui ne sont pas dénuées de charme. De toute manière, Jaccobo et Angelo pourraient à eux seuls tenir le public en haleine, et les autres sont davantage là pour le décor. Marco et Pietro se débrouillent bien comme porteurs et ne semblent pas devoir faire trop d'efforts pour supporter Mariangela pendant qu'elle fait ses tours d'équilibre et de contorsion sur la pyramide. La jeunesse et l'entrain de toute l'équipe lui valent des applaudissements nourris, d'autant plus que c'est le seul numéro entièrement composé d'Italiens, comme l'a annoncé Alberti.

Maroussia est ensuite accueillie par les femmes de la salle avec un enthousiasme qui n'a d'égal que leur passion pour l'avenir. Elle est accompagnée de Kosta et de Lioubov. Le nain entame le numéro par des tours prodigieux à l'aide de jeux de cartes, jonglant avec l'ensemble des lames à la fois comme s'il s'agissait d'un ruban de tissu. Il les mélange et fait apparaître d'un coup toutes les figures dans une main et les basses cartes dans l'autre. Il les mélange de nouveau pour ouvrir le jeu en l'air et en accordéon, l'étendant et le rétrécissant plusieurs fois, à la verticale et à l'horizontale, et finit par sortir en un tour de main les quatre as et le fou. Le public est ravi puisque, au contraire des forains, il n'a jamais vu comment Kosta s'amuse à longueur de journée avec ses cartes. Le nain offre encore d'autres facéties, comme produire des mains de poker gagnantes, ou des carrés de dames se transformant soudainement en carrés de rois par de simples tours de ses doigts noueux.

Ensuite, les yeux bandés et secondée par Kosta, Maroussia devine les objets que Lioubov reçoit du public. La fille joue alors très bien l'idiote un peu folle, et c'est presque comme si elle ne voyait pas elle-même les objets, se contentant de les sentir dans une sorte de transe. Maroussia, renseignée par Kosta avec des signes sur ses bras, a tout à fait l'air de communiquer par télépathie avec Lioubov, se trompant lorsqu'il le faut et décrivant plutôt les couples d'amoureux, l'homme ventru ou la dame qui a offert l'objet. Aux jeunes femmes, elle prédit aussi de belles choses romantiques, ce qui plaît et impressionne énormément le public déjà gagné à sa réputation de gitane clairvoyante. Le clou du numéro arrive quand elle demande à Lioubov de revenir auprès d'une jeune dame en noir, visiblement en deuil puisqu'elle est accompagnée d'un petit garçon qui porte un ruban noir autour du bras. Maroussia paraît alors très affligée, presque souffrante, et elle hésite comme si elle se débattait contre quelque chose de plus fort qu'elle. Mais elle cède enfin, impuissante. Dans son italien prononcé très lentement pour que chacun la comprenne, elle dit alors à Lioubov de toucher la main de la dame en noir et de se concentrer très fort sans craindre la peur.

— Il n'y a pas de motif d'avoir peur, ni d'être triste, déclare-t-elle à la dame en question. J'ai un message pour vous, un message que je ne voulais pas recevoir ici. Mais j'y suis obligée, c'est beaucoup plus fort que moi. L'amour est plus fort, madame, et je dois céder. On me dit de très loin que tout va bien, et que c'est très beau. La voix est faible mais elle paraît heureuse. C'est un simple chuchotement… J'entends aussi de la musique. On me dit de vous demander de cesser d'être triste. Une prière par soir suffira pour garder le contact. Pardonnez-moi, madame, c'est tout ce que je peux vous dire. Je ne suis pas assez forte pour en dire plus long. Vous recevrez sans doute des messages plus personnels dans vos rêves. Mais j'ai l'impression que cette voix venait d'un endroit très beau, et qu'elle vous aime beaucoup. C'est sans doute un ami ou un parent qui fait un long voyage, je ne sais pas…

La salle est entièrement paralysée. La dame en noir pleure et sourit à la fois en embrassant le petit garçon. Maroussia, exténuée, enlève le bandeau qui lui couvrait les yeux ; à la vue de la dame en deuil, elle sourit, s'approche d'elle et lui dit tout bas :

— C'était très beau. Vous devez être une femme heureuse pour qu'on vous aime avec autant de force.

Et elle fait signe aux spectateurs de ne pas applaudir même si plusieurs sont déjà debout et crient des vivats. Kosta et Lioubov, main dans la main, s'inclinent respectueusement et suivent la voyante vers la sortie.

Les artistes aussi sont étonnés de ce qui vient de se passer. Ils connaissent les ressources de Maroussia, mais ils ne s'attendaient pas à ce qu'elle prenne cette sorte de risque dans un spectacle inaugural. Mais la voyante est ainsi faite, et qui sait si elle n'a pas reçu vraiment un message du défunt pour la veuve, directement depuis le paradis ?

Le numéro suivant, celui de Jeremiah, de Mandarine et de Korvus cadre tout à fait avec l'ambiance mystique descendue sur les gradins. Loco n'aime pas qu'on rie en sa présence, et Korvus ne rit jamais. Mais Mandarine est ravissante dans le collant qui moule ses formes. Voilà sans doute pourquoi le lanceur de couteaux exige le plus grand respect et le silence absolu, histoire d'éviter qu'un quelconque satyre ne profite des rires et de la diversion pour avoir des pensées désobligeantes envers sa partenaire. En plein silence, seule la mort fait partie du spectacle.

D'un geste de sorcier, Korvus chasse tous ses corbeaux des cages et ne garde que Munin sur son épaule. Jeremiah et Mandarine lancent alors en l'air de petites balles ; les oiseaux les attrapent dans un ordre parfait et les rapportent ensuite à Korvus. Munin va lui-même chercher les balles directement dans le bec de certains corbeaux, les donnant après soit à Jeremiah, soit à Mandarine, ou encore il les dépose délicatement entre les lèvres de son maître.

C'est ensuite le tour des poupées géantes, sorte d'épouvantails grotesques que Mandarine tient d'une main pour que Jeremiah les cloue avec ses couteaux sur les trois larges planches. Chaque lancer est étudié de façon que le public soupire de peur pour les mains et le visage de Mandarine. Une fois les poupées clouées, Korvus ordonne à ses corbeaux d'aller les becqueter, pendant que Jeremiah tente désespérément d'atteindre les oiseaux avec d'autres couteaux. Il paraît enragé de ses échecs, et sa frustration fait peur à toute la salle. Les corbeaux ne bougent pas d'où ils sont et se contentent de regarder les lames qui se plantent les unes après les autres autour d'eux. Munin s'envole alors pour aller chercher les yeux de verre des épouvantails et les apporte sur la balustrade pour effrayer les spectateurs des premiers rangs.

Lorsque vient le tour de Mandarine de se mettre le dos contre une des planches, la tension est à son comble ; Jeremiah paraît enragé de frustration, et chacun se souvient de ses tentatives infructueuses pour atteindre les corbeaux. La jeune femme montre des signes de peur, avec une réelle hésitation dans la démarche, mais obéit. Korvus rappelle ses corbeaux et s'éloigne comme s'il ne voulait pas être mêlé à ce qui va se passer sur la scène. Dans le silence, la tension monte d'un cran au son des tambours de Janus et d'Esmeralda. Mandarine est adorable là-bas, le dos contre la planche de bois et les bras écartés en croix. À sept pas d'elle, Jeremiah Loco choisit treize couteaux qu'il place soigneusement côte à côte sur un socle. Et alors, d'un geste souple mais énergique, il les lance un à un et dessine sur la planche la silhouette de Mandarine avec une perfection absolue. Les lames pénètrent le bois sans la moindre vibration, comme des balles de revolver, avec un bruits sourd et menaçant. Le public a l'haleine suspendue jusqu'à ce que Mandarine se détache de la planche, saine et sauve, avec son plus joli sourire, et qu'elle demande des applaudissements pour Jeremiah. Celui-ci remercie la salle d'un signe de tête et baise la main de sa partenaire avec une courbette aussi élégante que courtoise.

Makarius entre en scène après les présentations du directeur : Makarius le Spectre, le plus grand mime d'Europe. Il est seul, et apporte avec lui uniquement une besace d'ouvrier qu'il dépose à terre avant de commencer. Son art touche l'humain en ce qu'il a d'essentiel, au delà des paroles, et il n'a aucune difficulté à captiver aussitôt la salle. Son imitation d'un ouvrier fatigué qui se réveille le matin, qui caresse sa femme avec envie mais se voit repoussé par celle-ci est immédiatement comprise, puisque la plupart des spectateurs ont déjà vécu la même scène. Il se lave le visage et tente de se raser avec un mauvais rasoir, fâché parce qu'il se coupe à diverses reprises. Il pisse et se sert un verre d'une bouteille de gnôle à la place du café. Quand il veut s'habiller, il trébuche et réveille sa femme, qui l'engueule. Makarius prend alors la besace par terre et part à l'aube pour travailler, frissonnant et trébuchant encore jusqu'au moment où la besace s'arrête en l'air et refuse de le suivre. Ses tentatives pour la faire bouger ne servent à rien et il doit demander de l'aide à des passants pour tenter de la déplacer. Ils discutent, il leur explique son problème, et ils essaient à plusieurs de la tirer, mais la besace résiste, en les repoussant à son tour. Soudain, la besace part en l'air par sa propre volonté, tirant derrière elle l'ouvrier tout autour de la piste. On voit bien qu'il la touche, mais tout le corps du mime agit comme s'il était vraiment tiré par une force trop puissante. Cela se calme ; il est surpris que la besace lui obéisse et il reprend son chemin. Il traverse ensuite un endroit très sombre où il avance à tâtons le long de murs sales et repoussants, il trébuche contre des obstacles et des portes mal fermées. Après divers accidents, il devient méfiant, avec un pas hésitant, et tente de reconnaître les objets qui apparaissent sur son chemin. Avec des gestes précis, et seul sur la piste vide, Makarius se transporte alors vers un espace imaginaire qu'il partage avec les spectateurs. Les gens sont attentifs, sur le bord de leurs bancs, tout comme s'ils étaient eux-mêmes à la place du mime. La porte qui refuse de s'ouvrir et qu'il doit défoncer à coups d'épaule est d'un réalisme magique très saisissant, tout en étant d'un ridicule absolu. Il tâte ensuite le mur à la recherche de l'interrupteur et, voyant que rien ne se passe, il tente de réparer une boîte à fusibles imaginaire malgré les chocs électriques qui le font sursauter. Une fois la lumière venue, il est surpris et effrayé de se trouver au bord d'une sorte de précipice ; ses signes de vertige sont étonnamment vrais. On le voit qui monte des échelles pour fuir de là, il tombe de fenêtres et escalade des murs, toujours à la recherche d'une issue. Au bout d'un long périple, il arrive enfin à son usine et tente alors d'expliquer le motif de son retard au patron. Rien à faire, son interlocuteur ne le croit pas, ils discutent et finissent par se battre. Le personnage est alors renvoyé chez lui, tout penaud, en tirant par terre sa besace et en trébuchant parce qu'elle s'arrête toute seule par moments. Il rentre silencieusement dans sa maison dans l'espoir de ne pas réveiller sa femme, il se couche et tire les couvertures sur sa tête pour retourner au sommeil. Mais voilà qu'elle se réveille et lui demande les caresses qu'il n'a plus envie de donner. Le numéro finit avec le personnage caché au fond du lit, tentant de repousser sa femme à l'aide de sa besace et de coups de pied.

Pas un seul mot ni bruit de gorge, uniquement l'expression de son corps, des mains et du visage. Les applaudissements tardent un instant à venir, car les spectateurs sont encore sous le charme, mais ils sont chaleureux et enthousiastes dès qu'ils commencent, accompagnés d'autres vivats et de bravos.

L'entrée des chevaux brise la tension psychologique de la salle, ce qui permet aux gens de se relaxer et de redevenir de simples récepteurs d'impressions visuelles agréables. Larsen et Larissa sont beaux, les chevaux inspirent la confiance en tournant joyeusement, et même la présence des lutins Janus et Esmeralda contribue à l'atmosphère de fête. L'écuyère se hisse sur les croupes massives avec des gestes féminins et souples, sans hésitation, et son équilibre n'est à aucun moment menacé. Elle saute les obstacles et elle traverse les cerceaux tendus par Larsen en souriant avec aisance. Quand elle chevauche en projetant en arrière ses belles fesses serrées dans un costume étroit, les animaux obéissent docilement, passant sans difficulté du trot au pas, puis au pas d'école comme si c'était la chose la plus simple du monde. Et les voltiges de cette jolie femme paraissent toutes destinées uniquement à mettre en valeur son propre corps. Le long fouet de Larsen éclate aussi en l'air plutôt que pour le besoin du spectacle, puisque les bêtes sont trop bien dressées. Janus et Esmeralda, petits et ressemblant à des enfants, paraissent courir davantage de risques. Mais leurs gestes sont si drôles quand ils tentent de récupérer leur équilibre, et les chevaux paraissent si contents de leur compagnie que la salle réagit seulement avec plaisir. Ensuite, quatre par quatre, au signe de Larsen, les bêtes exécutent très élégamment les levades et les courbettes, comme pour saluer les spectateurs et les remercier d'être venus au cirque. Et voilà que le cortège des artistes entre déjà en scène, tournant sur la piste en compagnie des chevaux pour annoncer la fin du spectacle.

Les gens de la Boca repartent à pied dans la nuit à travers champs ; ils sont contents, la tête remplie de rêves et de belles images colorées, et ils viennent de ressentir toute une vaste gamme d'émotions et de désirs. Demain, ils raconteront aux autres ce qu'ils ont vu, ou ils reviendront encore pour revivre des choses si différentes de la grisaille des abattoirs et de la tristesse des *conventillos*. D'autres spectateurs viendront à leur tour s'émerveiller parce qu'ils auront entendu parler des ours footballeurs, de la beauté du corps des filles et de l'adresse du gitan lanceur de couteaux. La grâce de Sven et de Wlacek n'aura pas échappé aux femmes les plus pudiques, et l'on peut s'imaginer que cette nuit beaucoup de couples referont l'amour dans l'étroit de leurs chambres minables avec ardeur ou une tendresse renouvelée. Maroussia promet de s'occuper aussi des femmes honnêtes à l'avenir, celles qui ont davantage besoin de rêver parce qu'elles ne sont pas des putes.

Les matinées se rempliront d'enfants et de jeunes gens venus assister à un spectacle légèrement modifié à leur intention, avec plus de numéros de clowns et de bêtes, et un peu moins de mélancolie.

Une fois les spectateurs partis, les artistes célèbrent la nouvelle vie du cirque autour du feu de camp. La barrique de vin et les bouteilles de *cañazo* tiennent lieu du champagne, puisque, encore une fois, Léon n'a pas tenu parole. Alberti l'a attendu pendant tout le spectacle même s'il soupçonnait un nouveau mensonge. « Qu'importe, se dit-il, on le trouvera, l'ordure, et on aura un motif de plus de le mépriser. »

Ils ont tous le sourire aux lèvres, soulagés que le démon du chapiteau ait bien voulu leur accorder une soirée inaugurale parfaite. C'est de bon augure pour les mois à venir, peut-être même pour l'obtention des permis de séjour. Le démon punit chaque fois qu'il n'est pas complètement satisfait ; parfois ce ne sont que des contretemps de dernière minute, des crises de nerfs ou de jalousie, mais cela peut aller jusqu'aux équipements brisés, aux blessures et même à la mort. Ce soir, rien de tout cela mais un succès total.

Et c'est bon de sentir dans son corps fatigué, dans ses mains écorchées et dans ses muscles trop tendus qu'on est redevenu un artiste. Ce sentiment d'identité récupérée est enivrant ; il redonne tout le courage oublié pendant les mois d'entraînement et la longue traversée dans les soutes du navire. Chacun croit maintenant qu'il survivra, puisque ce qu'il peut offrir est une denrée précieuse pour les gens de la rue. Sera-t-elle assez importante à long terme pour assurer leur existence ? Ils ne se posent pas ce genre de questions dangereuses pour le moral. Ce soir, ils fêtent ; ils boivent et ils ont l'impression que la vie est un fait accompli qu'on impose à la face des visas, des traîtres, des bureaucrates et des amours malheureuses. Même face à la mort. Dommage que Spivac, Katia et Negerkuss ne soient pas là pour célébrer avec eux.

15

Les débuts du cirque Alberti à la Boca sont prometteurs et les gens ne cessent de remplir le chapiteau à chaque représentation. Mais le quartier est trop pauvre pour pouvoir les soutenir longtemps, et les jours difficiles ne tarderont pas à venir. Le prix des entrées doit être maintenu très bas pour que les gens puissent le payer ; il faut aussi offrir des tarifs réduits pour les familles nombreuses, et les matinées ne rapportent que la moitié des recettes normales à cause du rabais pour les enfants. Dommage que le cirque ne puisse donner que quatre spectacles par semaine. C'est que les gens travaillent de longues heures à la Boca et ils arrivent éreintés à la maison les soirs de la semaine, en pensant uniquement à manger et à boire pour oublier la vie aux abattoirs. Ils se réveillent de bonne heure, lorsqu'il fait encore nuit, et reviennent à la maison très tard. Les jeunes gens ressortent encore pour aller danser ou pour faire un saut hâtif au bordel, rien que pour se sentir vivants au contact des femmes. Les filles travaillent aussi, et elles ne sortent pas, car elles ne sont pas des putes, ou bien parce qu'elles craignent trop de le devenir. Il n'y a donc pas de place pour les spectacles quand c'est le temps de travailler.

Maroussia, au contraire, a les mains pleines avec ses consultations, et sa clientèle est des plus fidèles. Même en faisant payer peu, selon les moyens de chaque cliente, elle arrive à bien augmenter le budget du cirque.

Gorz aussi travaille beaucoup, puisque les jeunes mâles de la Boca ont désormais un besoin pressant d'avoir chacun au moins un petit tatouage à montrer à sa fiancée. L'écusson du Boca Juniors Football Club est sans doute le dessin le plus prisé, à tel point que Gorz est désormais capable de l'exécuter sans regarder le modèle, et qu'il lui arrive parfois de rêver au maudit écusson. Mais des clients plus imaginatifs demandent aussi d'autres choses, comme des cœurs, des poignards, des pistolets, des nus, des noms de femme, ou des phrases du genre « *Amore di mamma ed amore eterno*[1] », « *Italia nello cuore*[2] » ou des plus cyniques comme « *Putear no engendra cuernos*[3] », « *Me cago en la leche del gobierno*[4] », « *Coño de vida*[5] *!* » ou même « *Mis huevos no tienen patron*[6] », cette inscription étant parfois accompagnée du dessin de bourses scrotales rayonnantes et costaudes. Gorz se divertit sans cesse avec les souhaits étranges de ses clients, et ne refuse une offre que lorsque le client veut forcer le tatouage sur le corps d'une pute sous la menace d'un couteau.

— Mais non, camarade, doit-il alors parlementer dans son espagnol rudimentaire. Une fille n'est pas comme une vache qu'on doit marquer au fer pour savoir qu'elle est à nous. Il faut la séduire, *hombre*, il faut qu'elle tombe amoureuse, il ne faut pas la maltraiter. Tu ne veux pas que d'autres hommes jouissent avec elle en pensant au tatouage que tu auras payé, n'est-ce pas ? Tu n'es pas un *cabron*. Alors, ne prend pas le risque, camarade. Fais-toi plutôt faire un tatouage sur ton corps, et les filles courront après toi pour l'admirer.

En général, les gens se plient à cette sorte d'arguments et louent ensuite la sagesse de Gorz quand ils redeviennent sobres. Mais d'autres fois il faut utiliser la manière forte, pour le bien du client et de la réputation de la *señora* Mercedes, la propriétaire du *prostibulo* où il tient ses séances de tatouage. Les filles de la maison préfèrent des dessins plus équivoques, des choses passe-partout comme des fleurs, des pommes, des

1. « Amour de mère est amour éternel. »
2. « L'Italie dans le cœur. »
3. « Aller chez les putes ne fait pas de cocus. »
4. « Je me fiche du gouvernement », mais littéralement : « Je chie dans le lait du gouvernement. »
5. « Merde de vie ! »
6. « Mes couilles n'ont pas de patron. »

cœurs qui saignent, des fers à cheval ou des signes du zodiaque. C'est très rare qu'elles demandent un nom masculin; cela risquerait de faire débander des clients trop susceptibles, ou encore de nouveaux amants pourraient vouloir les effacer à l'aide d'un rasoir.

Avec ce que Gorz et Maroussia rapportent durant la semaine, Alberti arrive à payer les dépenses et à donner un petit salaire aux forains, proportionnel à l'importance de chacun dans la troupe. Ce n'est pas beaucoup mais cela leur permet de sortir un peu à la Boca pour entendre du tango attablés à un café, ou d'acheter un petit rien pour eux-mêmes ou pour offrir. Sven et Wlacek ont un grand succès comme danseurs, puisque souvent les hommes dansent entre eux pour s'entraîner; il y a peu de couples aussi parfaits que les deux acrobates. Et quand ils dansent en compagnie de Fanny, les spectateurs sont ravis de voir comment ces trois-là ont vite appris l'essence de leur musique. Janus et Esmeralda, le couple de lutins, ont déjà leurs admirateurs lorsqu'ils chantent et dansent dans les cabarets, et ils reçoivent des propositions pour faire des représentations dans divers bars. Jeremiah Loco se plaît à sortir le soir avec Mandarine, tous les deux très sérieux et habillés comme pour un enterrement, uniquement pour regarder les bals populaires assis à leur table, sans toutefois jamais danser. Jeremiah croit qu'un vrai homme ne danse pas, qu'il ne sied pas à un lanceur de couteaux de montrer le cul de sa femme sur une piste de danse pour que tous les autres hommes la regardent. Mais il reste là à regarder les couples, avec son visage de tueur qui coupe l'envie à quiconque désirerait demander une danse à Mandarine. Curieusement, d'autres hommes font comme lui, tenant leurs femmes en laisse courte, se regardant les uns les autres avec sérieux et se saluant respectueusement du chef. Fuank a déjà demandé à Jeremiah s'il n'était pas Argentin dans une autre vie, mais le gitan n'a répondu que par un petit sourire supérieur. Oleg et Martha, par contre, s'avèrent être d'excellents danseurs. Quand le Russe met les pieds sur une piste de danse, les autres couples cèdent la place; de sa voix de trombone il crie aux musiciens: «Une valse!» Et les tangos et les *milongas* deviennent aussitôt des valses par crainte du géant, même si les gémissements si caractéristiques des bandonéons continuent à attrister la mélodie.

Les jeunes gens se promènent souvent en groupes dans les rues de la Boca, surtout pour être admirés par les habitants, puisqu'ils viennent du cirque. Ils s'attablent parfois à un café pour s'offrir des glaces ou des chocolats chauds avant d'aller au cinéma. Mais tout le monde revient ensuite manger au campement parce que le prix des restaurants les plus humbles reste trop élevé pour les bourses des saltimbanques.

Le dimanche soir, cependant, après les comptes de la semaine, même si tout le monde est très content, il ne reste pas grand-chose dans les coffres du cirque. C'est ainsi qu'Alberti et ses conseillers les plus intimes savent que la situation de la troupe est précaire, et qu'ils ne s'en sortiront pas à moins d'un miracle. Tout se déroule cependant si bien qu'il serait vraiment bête de se gâcher la vie avec des soucis ; surtout qu'ils réfléchissent depuis le début, sans qu'aucune solution miracle paraisse à l'horizon.

Mais leur réputation d'artistes dans la Boca et les environs est très solide. La preuve : les propositions de nouveaux numéros que le directeur ne cesse de recevoir. Cela a commencé avec un père venu en visite au cirque, un jour de la semaine, aidé par ses voisins pour pousser sa fille sur un chariot. C'était une jeune femme si obèse qu'on avait de la difficulté à percevoir les détails de son anatomie.

— Je vous apporte la plus grosse femme du monde, criait-il à la ronde pendant qu'il tentait de faire avancer le chariot sur le terrain boueux.

Les forains, surpris par le vacarme, se sont réunis autour du père enthousiaste, déjà à l'intérieur du chapiteau. Il insistait pour qu'Alberti reçoive sa fille et s'en occupe à l'avenir, puisqu'elle était sans aucun doute une attraction fabuleuse pour un cirque. Il était prêt à s'en départir sans réclamer aucune indemnité, disait-il, par simple respect envers la vocation d'artiste de la jeune femme. Pendant ce temps, celle-ci restait mi-assise mi-couchée sur le chariot, ses graisses débordant de partout, sans qu'on sache au juste où finissait le torse et où commençaient les cuisses. Sa respiration paraissait difficile et elle gardait ses yeux presque fermés, avec une expression hébétée.

La jeune femme était réellement gigantesque, un véritable monstre ; elle avait aussi une moustache considérable et des poils noirs un peu partout sur le corps. Le père vantait d'ailleurs cette pilosité abondante, et il écartait sans cesse les pans de sa robe pour prouver fièrement que sa fille était aussi velue que grosse.

— Mon ami, a répliqué Alberti, désireux de ne pas offenser le père, nous sommes un cirque et non pas un musée. Votre fille est magnifique avec ses formes robustes ; vous avez raison. Mais il faudrait l'offrir à un musée ou à une compagnie de cinéma.

L'homme n'était pas venu pour se laisser décourager aussi facilement, et il était décidé à repartir sans son obèse.

— Attendez, vous n'avez pas tout vu. Ma Lola a aussi une bite ! Les gens payeront une fortune pour la regarder de près. Et elle n'est pas difficile, la pauvre enfant, au contraire.

Lui et ses voisins ont alors renversé le chariot et fait rouler la femme sur la paille de la piste. L'instant d'après, elle était nue et étalée là, toujours avec son air béat. Une odeur puissante de beurre rance sortait de ses plis et des touffes de poil collées à sa peau par la saleté. Non sans peine, ils sont parvenus à écarter un peu ses cuisses en forçant son bassin, pour dégager une sorte d'appendice minuscule émergeant de son pubis.

— Voilà ! s'est écrié le père. La fille est énorme, poilue et elle a une bite ! Que voulez-vous de plus pour qu'elle soit une artiste ?

— Mon cher, a répondu Alberti, il faut encore qu'elle sache faire quelque chose. Même nos ours savent jouer au football. Votre Lola a tout ce qu'il faut, c'est vrai, mais il s'agit encore de lui apprendre quelques trucs ; je ne sais pas, avec des cartes à jouer ou des bouteilles pour jongler…

— Vous avez pourtant des nains ! a répondu l'homme au bord du désespoir. Pourquoi pas une géante ?

— Oui, je vois ce que vous voulez dire, mon cher. Mais les nains font des choses, on peut les montrer en train de jouer, et ils cherchent à être drôles. On ne peut tout de même pas montrer votre fille nue, ou la mettre dans une cage pour que les gens la regardent. Ce n'est pas un zoo, ici, c'est un cirque. Pensez aux enfants qui viennent aux spectacles. Lola pourrait les impressionner trop, même provoquer des cauchemars.

L'homme a encore insisté beaucoup, incapable de comprendre pourquoi Alberti ne voulait pas donner une chance à Lola dans la carrière artistique. Il a fallu se mettre à plusieurs pour la remettre dans le chariot, et les aider à traverser le terrain boueux. Le père était très déçu, tout comme les voisins qui ne s'attendaient pas à devoir pousser Lola sur le chemin de retour.

Ensuite il y a eu Carlitos, un garçon remarquable mais qui a déclenché une avalanche de talents artistiques bizarres. Carlitos est une vraie graine d'artiste et il a aussitôt été engagé, d'autant plus que sa famille offrait de payer trois mois de nourriture pour le garçon si Alberti le prenait au sein de la troupe. Il a treize ans et il est beau, mais il est né sans bras ; il n'a que des petits moignons qu'il préfère cacher dans les manches de sa chemise par pure coquetterie. Par ailleurs, c'est un as du monocycle ; on dirait qu'il est né sur un monocycle, tellement il est habile, même pour monter ou descendre de l'engin sans l'aide de personne. Le jour de son arrivée, son père n'a rien dit ; il s'est simplement assis pendant que le petit faisait le tour du cirque sur son monocycle. Il portait alors un long bonnet à pompon, et il tenait absolument à plaire. Ça n'a pas été difficile ; les nains et les lutins se sont aussitôt intéressés à lui. En moins de deux, le petit faisait des tours sur la banquette et des courses d'obstacles dans le manège. En outre, Carlitos est intelligent et toujours de bonne humeur. Il a été convenu qu'il resterait dans sa famille, mais qu'il viendrait s'entraîner avec les nains et qu'il participerait aux spectacles comme simple figurant. Quand le cirque partira de la Boca, il deviendra peut-être un membre permanent de la troupe.

Dès la première apparition de Carlitos, cependant, avec une ovation sans précédent des spectateurs puisqu'il est un personnage connu à la Boca, d'autres vocations moins heureuses ont aussitôt vu le jour.

— Vous avez engagé Carlitos, s'est écriée la mère du bébé barbu. Pourquoi pas Vicentino ? Je ne demande pas de salaire, uniquement le gîte et la nourriture pour nous deux ; vous pouvez le montrer pendant les représentations. Il va avoir aussi du succès. Tout le monde le connaît, mon Vicentino.

Comment expliquer à cette pauvre mère que son Vicentino n'était pas un bébé barbu, mais bien une sorte d'avorton qui avait vieilli sans que son corps arrive à suivre, ni en hauteur ni en largeur ? Elle le gardait dans une sorte de lit d'enfant, avec des couches et dans un état presque comateux, l'alimentant avec des biberons et des pâtées depuis presque quinze ans. Mais il y avait Carlitos, l'autre impotent du quartier devenu artiste. Dans son désarroi, voilà qu'elle découvrait enfin une porte de sortie : Vicentino n'était pas un avorton mais peut-être un artiste.

Ensuite, un commis voyageur est venu harceler les gens du cirque pendant une journée entière, dans l'espoir de vendre son singe. Un petit singe laid et maigrichon, assez agressif, criard et continuellement attaché à une chaîne pour qu'il ne s'échappe pas. La seule curiosité intéressante de l'animal résidait dans le fait qu'il se masturbait presque incessamment de façon compulsive. Le commis voyageur l'avait drogué, il avait plongé son cul dans du piment de Cayenne ou quelque chose du genre pour que la pauvre bête se masse de la sorte et se frotte sur tous les objets à sa portée. C'était très pénible à voir. Si le commis n'avait pas demandé un prix si élevé, Oleg aurait acheté le petit singe pour aussitôt le tuer et mettre un terme à ses souffrances. Mais c'était Puñeta, *el mono masturbador*, et son propriétaire était persuadé qu'il pourrait le vendre très cher, car Puñeta ferait le délice des visiteurs de n'importe quel cirque digne de ce nom.

Il a fallu aussi presque expulser la famille qui cherchait à vendre l'idiot chanteur à la voix de femme. C'était un jeune homme très maigre, d'aspect maladif, visiblement faible d'esprit et qui se laissait mener avec une grande passivité. On lui avait appris à chanter des chansonnettes à la mode, sans doute pour pouvoir se moquer de sa voix extrêmement aiguë ; non pas la voix d'un castrat mais plutôt celle d'un chiot qui saurait parler.

— Voilà, il chante, disaient les parents de l'idiot. Chante, Tonio, chante ! Mais chante donc, *porca miseria* !

Le pauvre garçon, effrayé, tentait alors de chanter.

— Ce n'est pas assez de savoir chanter avec une voix féminine, insistait Alberti. Il faut encore qu'il sache bien chanter et qu'il ait un peu plus de coffre pour que les gens l'entendent, votre Tonio. C'est déjà un bon début, mais il a besoin de s'exercer davantage, d'apprendre le solfège, mes braves gens. La chanson, c'est tout un art ; il ne suffit pas d'avoir une belle voix et un joli visage. Ça exige de la ténacité, de l'abnégation. Est-ce que Tonio a ces qualités-là, je vous le demande ?

D'autres étaient moins insistants, sans doute gênés par l'aspect de ce qu'ils cherchaient à offrir, mais qui tentaient quand même de gagner un peu d'argent tout en se débarrassant de parents encombrants. Même d'une vieille grand-mère complètement sénile, s'exprimant dans un jargon incompréhensible qui, selon la famille, n'était rien d'autre que la langue parlée autrefois par l'enfant Jésus. Il paraît que la vieille avait déjà quelques miracles à son actif, et c'est pourquoi ils ne voulaient pas la vendre, mais uniquement la louer pour la durée des spectacles.

— Tu vois, Makar, il y a des gens qui ont plus de problèmes que nous en Argentine, a dit Alberti un soir, alors qu'ils bavardaient assis autour du feu. Et ils ne peuvent pas comprendre ce que je tente de leur expliquer. Ils viennent nous voir en spectacle, ils sont ravis, bouleversés, et ils repartent en croyant que nous sommes une sorte d'erreur de la nature. Tout vient du fait qu'ils trouvent étrange que nous ne gagnions pas notre vie comme eux. Alors, quand ils découvrent des erreurs de la nature ou des vicieux dans leur entourage, même des paresseux qui ne sont bons à rien, ils les identifient à nous, spontanément. Ils le font parce que ces gens-là les bouleversent aussi, ou ils les font rire, ou encore ils sont l'objet de leur curiosité. Un monstre, une bête féroce ou un fainéant seraient alors dans la même catégorie que les artistes, du simple fait qu'il est inadapté. Est-ce que les gens en Amérique sont si primitifs qu'ils ne peuvent pas comprendre ce qu'est l'art ?

— Il paraît que c'est la tradition ici, réplique Gandalf, et aussi en Amérique du Nord, de montrer des monstruosités dans les spectacles de cirque. Je crois qu'ils sont un peu plus primitifs qu'on ne pensait. Ils confondent le comique avec le grotesque, la déformation expressive avec la laideur et le manque de métier, et sans doute aussi la tragédie avec les faits divers d'alcôve. Ce n'est peut-être pas la même chose partout, mais c'est l'impression que j'en retire jusqu'à présent.

— Je crois plutôt que c'est une tendance générale, dit Gorz. Je suis allé voir leur Museo de Bellas Artes, et je suis encore dégoûté de ma visite. D'un côté, des militaires et des politiciens dans toutes les poses imaginables ; de l'autre, une sorte de kitsch pour boîte de chocolats pralinés. Ceux qui ne savent pas peindre ou dessiner se donnent l'appellation d'artistes modernes, expressionnistes ou cubistes, selon qu'ils privilégient les lignes courbes ou les angles droits. Il faudrait leur dire que Picasso ou Munch font ce qu'ils font parce qu'ils ont choisi de le faire et non pas parce qu'ils ne savent pas dessiner. Si le peintre ici peut être un véritable idiot devant les techniques plastiques, c'est alors tout à fait normal que les parents des idiots croient que leurs enfants sont des artistes. Je suis persuadé, Makar, que la plupart des spectateurs pensent que tu es sourd et muet.

— C'est bien possible, répond le mime en riant. Ils me regardent parfois avec une telle pitié dans les yeux que je me demande s'ils saisissent vraiment l'esprit du spectacle. S'ils sont enthousiastes, c'est parce qu'ils ressentent quelque chose. Mais qu'est-ce qu'ils ressentent ? Impossible à dire. Sauf que ce n'est pas uniquement ici, en Argentine. C'est vrai qu'ici ils sont un peu concrets, naïfs comme des enfants, sans parler de leur nationalisme de pacotille qui est grotesque. Mais je ressentais la même impression d'absurdité eu Europe quand je voyais le public applaudir avec émotion. Au fond, je crois qu'ils ont raison de nous prendre pour des monstres. Ils sont si farouchement attachés à leurs petites vies que notre façon de vivre doit ressembler à leurs yeux à celle des avortons qui se fichent de tout. Il y a sans doute aussi le manque de culture artistique, Otto, tout au moins dans les musées. Mais n'oublie pas comment les Allemands se sont empressés de suivre les conceptions artistiques des nazis. Ce n'est pas étonnant que les gens de l'Amérique, plus pragmatiques, aient voulu passer immédiatement du kitsch à l'avant-garde, sans trop savoir ce que cela signifiait. Ils ont peut-être simplement voulu sauter des étapes et aller au plus facile, au plus rentable. Et comme ils n'avaient aucune conception de l'art, cela leur semblait non seulement faisable mais aussi plus malin. Souviens-toi des soldats américains en Italie ; de vraies brutes innocentes, n'est-ce pas ?

— Un dramaturge anglais a dit que les États-Unis sont la seule nation qui soit passée directement de la barbarie à la décadence, sans passer par la civilisation, répond Gandalf. C'est peut-être vrai pour tout le continent.

— Ils ont pourtant de beaux cirques là-bas, dit Alberti. Toute une tradition du spectacle. C'est aussi vrai qu'ils aiment exhiber des monstres et d'autres curiosités. Je crois plutôt que l'explication se trouve dans leur sens des affaires et non pas dans la bêtise. Le peuple est peu éduqué, il s'étonne avec un rien, sans compter sa religiosité un peu conne. Les gens du spectacle n'ont pas la fierté des artistes, mais bien l'esprit des commerçants ; et ils se disent donc que n'importe quoi qui est montré mérite d'être admiré, du simple fait que c'est montré par des gens d'affaires. Léon, ce fils de pute, m'a déjà glissé un mot à ce sujet lors de sa première visite à notre campement. Sur le coup, j'ai cru qu'il faisait une blague ou qu'il me disait de ne pas m'en faire si nos numéros n'étaient pas au point. Il m'a dit qu'il suffirait de trouver des blessés de guerre bien laids et qu'il se chargerait d'en faire des tableaux vivants pour montrer la guerre aux Argentins. En réalité, il était en train de me dire qu'un homme d'affaires ici n'a aucun scrupule ; le public gobera n'importe quelle sottise simplement parce que c'est la sottise annoncée par des gens bourrés de pognon.

— Si c'est vrai ce que tu dis, répond Gorz, je me demande comment seront les musées d'ici quelques années. Il y aura peut-être des monstruosités ou de la ferraille, ou encore des poubelles et des cailloux à la place des œuvres d'art.

— Le pire, Otto, rétorque Makarius avec son rire cynique, c'est que les Européens vont ensuite importer ces mêmes ordures et ferrailles américaines, en croyant que c'est de l'art de l'après-guerre. Comme ils le feront sans doute avec la gomme à mâcher et avec cette sorte de gruau-truc Kellogs que les soldats mangeaient le matin. La ration K en sandwich pourrait devenir la mode là-bas dans quelques années, et les artistes d'avant-garde diront que nous sommes des rétrogrades d'avoir donné ça aux chiens et aux ours. Les Allemands vont faire la file devant les stands américains de ration K en sandwich. Tu te souviens comme ça ressemblait à de la pâtée pour chiens, sucrée et un peu visqueuse ?

— Non, Makar, tu exagères. Je ne crois pas. C'est trop laid, ce que tu dis là. Les Européens ne sont pas primitifs à ce point.

— Je ne parle pas de primitifs, Otto ; je parle de sottise. Garde toujours en tête que Hitler a été élu démocratiquement. Les Argentins viennent d'élire aussi ce Juan Peron, le *generalissimo*, sans que personne leur force la main. Tout est alors possible chez l'être humain, même la ration K en sandwich. Tu vas devoir te convertir au dessin publicitaire ou en rester au tatouage ; bientôt, ton dessin ne servira plus à rien d'autre. L'art de l'avenir sera dicté par les mêmes gens qui inventeront la ration K en sandwich. Et le monde artistique applaudira cet exploit commercial en se réclamant justement des avant-gardes européennes.

— À propos d'ordures, Alberti, demande Gandalf, as-tu réussi à retracer la niche de Léon ?

— N'insulte pas les pauvres chiens, Wilhelm, répond le directeur. Mais la réponse est oui. Je lui ai parlé à quelques reprises au téléphone, et il paraît plutôt en confiance. Il approuve mon intention de vous abandonner ici dès que le cirque fera faillite. Par gratitude, dit-il, on trouvera pour moi une place dans son entreprise. Il m'a même déjà fait une offre ferme pour acheter les chevaux *lipizzaner*, la seule chose de valeur à ses yeux dans notre campement. Mais il craint la vengeance des ingrats, c'est-à-dire vous tous. C'est pour cela qu'il préfère attendre la faillite, pour que je devienne le traître de service à vos yeux. Vous voyez son schéma? Je dois aller le rencontrer en ville bientôt, pour discuter affaires. Il ne semble pas se douter que je sais aussi où il habite. Je verrai ce qu'il me propose pour les visas de séjour. Nous avons tout le temps qu'il faut, il suffit de ne pas cesser de le détester. L'oubli est l'ennemi de la vengeance; l'oubli et le ramollissement des couilles, comme prétendent les Argentins.

❑

Avant même que le cirque ne commence à montrer les premiers signes de faillite, divers incidents isolés annoncent déjà des difficultés insurmontables. D'abord, la renommée de la troupe n'est pas passée inaperçue aux yeux des autorités, surtout de la police locale. Dès la troisième semaine de représentations, les policiers sont venus pour voir si le directeur du cirque était aimable et généreux. Ils voulaient de l'argent, et pas moins de la dîme, c'est-à-dire dix pour cent des recettes brutes. Selon eux, le cirque n'avait pas de permis pour donner des spectacles publics, les propriétaires du terrain pourraient vouloir porter plainte, il y avait des mineurs dans la troupe, et le prix des billets ne comprenait pas les taxes réglementaires. Ils sont repartis contents avec le premier butin, mais uniquement pour revenir ensuite mieux renseignés.

Maintenant, les policiers exigent davantage parce qu'ils savent que les saltimbanques sont dans une situation presque illégale au pays. Alberti tente de gagner du temps en disant que l'avocat de l'homme d'affaires qui les a engagés s'occupe de tout en ce moment; mais les policiers savent très bien que ce n'est pas vrai. En bons hommes d'affaires, les sbires ne veulent pas tuer la poule aux œufs d'or et ils temporisent, tout en récoltant leur dîme. Par ailleurs, ils savent aussi que les recettes baissent, que le cirque est une nouveauté moins attirante au fur et à mesure que le temps passe. Ce sont des policiers de la Boca, et ils doivent avoir leurs informateurs. Leur présence se fait plus voyante, incommodante, et quelques-uns d'entre eux commencent même à montrer un sans-gêne qui risque de porter malheur. Ils ne font cependant pas de menaces, puisque le temps des menaces n'est pas encore arrivé.

Un événement mineur, presque sans conséquence, a été le départ de la jeune Rita avec un maquereau du coin. Non pas que Rita soit une grande perte, ni même une très jolie fille. Mais cela indique que la vie de pute peut paraître plus attirante que celle du cirque, tout au moins pour ce qu'elle peut procurer en matière d'habitation et de vêtements, sans compter la régularité des gains et la position plus confortable de travail. Et d'autres jeunes gens de la troupe peuvent se mettre à penser la même chose. Curieusement, Elvira ne paraît pas envier le sort de Rita, mais tant elle que Fanny, Mariangela et même Virginie ont déjà fait l'objet de questions précises de la tenancière Mercedes à la voyante Maroussia.

— Vous ne trouvez pas qu'elles sont trop jeunes pour faire la pute ? a demandé Maroussia, histoire de préciser les intentions de la maquerelle.

— Oh, ma chère *señora* Maroussia, je veux juste m'informer, sans vouloir absolument manquer de respect. Bien sûr qu'elles sont jeunes, mais c'est le meilleur moment pour penser à l'avenir. Les gains sont plus importants pour une jeune personne si elle est entre de bonnes mains. Celle qui est partie avec un gigolo, cette Rita, pensez-vous qu'elle profitera de son corps ? Non, c'est lui qui empochera tous les gains. Il l'abandonnera ensuite pour une autre. Et quand elle viendra dans une maison respectable comme la mienne, elle aura déjà perdu ses charmes les plus rentables, si jamais elle arrive ici. Je dis cela uniquement parce que vous êtes attachée à ces demoiselles, et que vous voulez leur bien. Si jamais elles sont dans le besoin, pensez d'abord à moi et orientez-les comme il faut. Vous savez comme je suis maternelle avec celles qui fréquentent ma maison.

— Ce sont des artistes, Mercedes. Je ne sais pas si elles s'adapteraient à cette vie ici.

— Il faut laisser ouvertes toutes les portes, ma chère Maroussia. L'offre vaut aussi pour vous, même si vous gagnerez toujours bien votre pain avec vos dons de voyance. Mais on ne sait jamais ce que le lendemain réserve aux jeunes filles. Si jamais le cirque vient à...

— Vient à… ?

— Je ne sais pas. La nouveauté a fini par attirer moins les gens avec le temps. Je suis aussi bien renseignée que vous, ma chère. Les policiers qui protègent le cirque en ce moment, protègent aussi ma maison de rencontres. Pensez à moi, c'est tout ce que je demande. Pensez au bien de ces enfants aussi, puisqu'elles sont parfois trop écervelées pour évaluer convenablement leur capital de départ. Une amourette idiote, et les voilà entre des mains moins habiles, avec des baffes et dans certains cas des coups de rasoir. Tandis que, moi, j'ai de bons contacts capables de les placer en dehors de la Boca, chez des dames qui ont des clients influents, des vieux prisant les petits corps qui sentent encore les couches. C'est la vie, Maroussia. Vous savez comment il peut être difficile pour nous, les femmes, de nous faire une petite place au soleil. Je dis « femmes », mais mon offre s'étend aussi aux garçons, naturellement, et il y en a de beaux dans votre cirque. Même cette toute petite, si jolie, Gina. Celle-là, je pourrais la faire adopter, ma chère, officiellement devant le juge. Et l'homme qui l'adopterait la traiterait comme une vraie princesse ; c'est un veuf, et il nous serait très reconnaissant à nous deux, Maroussia, je vous l'assure. Gardez tout ça en tête et cessez de penser du mal de votre amie Mercedes.

— Je ne pense pas du mal de vous, Mercedes. C'est la vie qui m'écœure.

— Elle m'écœure aussi, et c'est pour ça que je cherche à répandre le bien autour de moi. Si jamais vous avez besoin d'argent, une ou deux petites rencontres discrètes en ville chaque semaine, avec des hommes distingués, suffiraient à vous faire vivre hors d'ici. Vous êtes une très belle femme, Maroussia ; même un mariage de raison ne serait pas exclu dans votre cas.

Maroussia a parlé de cette conversation à Makarius. Elle semblait plus inquiète que le mime de voir les vautours commencer à partager la dépouille du cirque avant même que la fin n'arrive. Makarius, de son côté, ne voyait rien de différent par rapport à qu'il avait toujours connu en Europe :

— Dès qu'il y a des fleurs sur le bord du chemin, Mara, il y a toujours des gens qui désirent les couper pour les regarder faner en leur possession. Ici, en Argentine, ils sont simplement plus prévoyants, ils ont davantage le sens des affaires et moins de scrupules moraux, c'est tout. Moins aussi de sens des convenances. Je crois que notre situation se dégrade, mais nous n'en sommes pas encore là. Et même quand nous en serons arrivés là, chacun devra choisir son propre chemin. Nous tenterons de protéger Gina ; nous le tenterons par tous les moyens. Quant aux autres, je ne crois pas qu'elles se laisseront protéger contre leur volonté. C'est au moment critique qu'on voit la valeur des gens. Rien ne sert de s'inquiéter d'avance, puisqu'on n'arrive jamais à prévoir avec justesse comment les gens réagiront, ou même si seulement ils réagiront. Souvent, les gens se laissent emporter en croyant qu'il s'agit d'une vraie réaction. Et puis, notre situation dépendra de ce que nous pourrons extorquer à Léon et de l'issue de l'affaire concernant ces fameux permis de séjour. En attendant, nous aurons une meilleure idée de ce qui se prépare. Nous sommes dans une impasse, Mara. Mais notre vie entière n'a jamais été autre chose que des impasses, et nous sommes encore vivants. J'en parlerai avec Alberti et Gandalf pour tenter d'accélérer le coup qu'on veut faire à Léon. Tout dépendra de ce coup.

Mais les événements se précipitent. Un après-midi, alors que la plupart des gens sont à la Boca, Makarius entend frapper à la porte de sa chambre. Il est surpris de voir Larissa, l'écuyère, qui paraît nerveuse et qui demande d'entrer chez lui.

— J'ai quelque chose à te demander, Makar. À toi tout seul. Ferme la porte, je t'en prie. C'est difficile, je suis confuse. Lars est parti en ville, il ne reviendra que tard ce soir. Personne ne m'a vue entrer.

— Alors, assieds-toi, Lara. Si personne ne sait que nous sommes seuls, on ne fait de mal à personne.

— Makar, s'il te plaît, cesse de faire le cynique. Il faut que je te parle.

Larissa est d'autant plus belle qu'elle est nerveuse, tout essoufflée, et elle sait que sa présence dans la chambre du mime enfreint un tabou du cirque. Elle est la compagne de Larsen. Makarius et elle n'ont pas besoin de faire l'amour ou de s'embrasser pour que ce soit tout comme, si quelqu'un les surprend ainsi en tête à tête. Le mime attend, patient malgré sa perplexité. Larissa ne dit rien ; elle paraît se débattre avec une sorte d'hésitation ; mais lorsque leurs yeux se croisent, elle soutient le regard de l'homme presque avec défi.

— Qu'est-ce qu'il y a, Lara ?

— Rien, dit-elle avec un brin d'irritation dans la voix.

Il touche ses cheveux et son visage pendant qu'elle le fixe toujours, maintenant avec des signes d'une tension sensuelle sur tout le corps. Elle sent bon la paille et les chevaux ; elle est si proche et son désir de femme paraît si intense qu'il oublie presque l'absurdité de la situation. Lui aussi l'a déjà désirée, souvent ; mais à distance uniquement, sans jamais aucun moment d'intimité. Larissa a toujours donné l'impression à tous qu'elle était la femme d'un seul homme. Et pourquoi lui, Makarius, et si soudainement, sans qu'il y ait rien eu pour les rapprocher davantage ? Elle, d'habitude si prude...

Quand il lui touche le sein, sa respiration s'accélère, ses yeux se ferment avec force et elle se colle contre lui, non sans violence.

— Prend-moi, Makar !

Le ton de sa plainte surprend le mime. Ce n'est pas seulement du désir qu'il sent là ; Larissa hésite et lui demande peut-être de la prendre de force. La femme en elle ne désire pas des caresses... C'est trop étrange, et ça rappelle à l'homme l'absurdité de la situation. Il hésite à son tour, plus désireux cependant de ne pas réfléchir et simplement de la posséder. Ses seins sont fermes et mouillés de sueur, ses lèvres sont sur son cou, et sa respiration paraît être celle qu'elle aura en se laissant pénétrer par lui. Mais elle fait alors un très petit geste de défense en refermant ses cuisses au toucher de l'homme. « C'est trop absurde pour être vrai », pense-t-il.

— Lara, qu'est-ce qu'il y a au juste ? demande Makarius après lui avoir baisé le front avec tendresse.

— Tu ne veux pas de moi ? fait-elle avec une raucosité dans la voix.

— Oui, Lara. Mais pas comme ça. Parlons un peu d'abord.

— Pourquoi ? demande-t-elle, surprise. Je ne suis pas assez bonne comme ça ?

— Non, pas comme ça. Tu as quelque chose à me dire. Dis-le d'abord et nous nous aimerons ensuite. Quelque chose qui te tracasse. Je te veux, mais je te veux comme la belle Lara lorsqu'elle s'amuse avec les chevaux. Celle-ci est trop souffrante.

— Serre-moi fort, Makar, dit-elle en posant la main de l'homme dans sa blouse ouverte. J'ai besoin que tu me serres fort. Je ne sais pas quoi faire. Prends-moi d'abord, je t'en prie. Je t'avoue tout après. Prends-moi, j'ai envie d'être à toi. Fais-le. Personne ne le saura. Fais-le, Makar, dit-elle parmi les sanglots. Prends-moi de force…

— Larissa…

Il caresse en silence ses cheveux et son visage baigné de larmes. Les sanglots durent encore longtemps, mais elle se laisse consoler sans plus tenter de feindre le désir sexuel. C'est une femme qui souffre et non pas une camarade d'amour.

Dès qu'elle commence à parler, tout devient très clair ; très triste aussi. Larsen a réussi à prendre contact avec la famille d'Arcadi, le clan influent des Gross en Argentine. Et il compte partir travailler comme écuyer dans leurs estancias, en emmenant Larissa.

— Arcadi nous avait promis qu'ils nous aideraient, dit-elle. Ça y est. Lars a déjà rencontré la famille à diverses reprises. Ce sera pour bientôt. Ils veulent aussi tous les chevaux du numéro ; et je crois Lars quand il dit qu'ils les auront. Alberti ne pourra rien faire.

— Et toi, Lara ?

— Moi ? Je vais le suivre, Makar. Je vais le suivre…

— Tu veux le suivre ?

— Oui…, rétorque Larissa, hésitante. Cette vie que nous menons est trop difficile. J'avais espoir que tout change. Maintenant, je vais le suivre. Prends-moi, Makar…

— Lara, c'est pour ça que tu es venue me voir ?

— Tu ne veux pas de moi ?

— Lara, si tu pars, tu n'as pas besoin de payer avec ton corps.

— Tu ne veux pas de moi ? demande-t-elle en pleurant à nouveau.

— Oui, ma chérie, je te désire et tu le sais. C'est Larissa Viriskaïa que je désire, la belle écuyère du Circus Alberti. Je vais toujours la désirer, je vais me souvenir d'elle avec tendresse. Mais je ne désire pas madame Larsen, fermière en Argentine. Si tu veux partir, pars seule ; laisse les souvenirs ici. Tu n'as besoin de dédommager personne, surtout si c'est si difficile de tromper Larsen.

— Pourquoi ?

— Parce que. Ou crois-tu que faire l'amour avec moi allégera ton départ ? Tu as décidé de partir parce que la vie du cirque ne te convient plus. Alors, trouve-toi un amant dans la famille d'Arcadi.

— Tu es cruel, Makar. J'ai besoin de tendresse, je me sens mal de partir. J'ai peur de ce qui adviendra du cirque. Et tu me réponds avec mépris…

— Pas avec mépris, Lara. Je réponds comme je le ressens. N'est-ce pas plus cruel d'enlever au cirque son plus beau numéro, si vite, sans même attendre la fin ? Dans un mois ou deux, peut-être que ce départ n'aurait presque plus d'importance. Mais maintenant, il donne le coup de grâce sans qu'on puisse se défendre.

— Ce n'est pas de la trahison, Makar. Je n'en peux plus de cette vie, c'est tout.

— Si ce n'est pas de la trahison, alors tu n'as pas besoin de dédommager qui que ce soit en offrant ton corps.

— Mais je souffre. Tu ne peux pas répondre à ma souffrance avec un peu de tendresse ? C'est tout ce que je demande, tu n'as pas à m'humilier. Un peu de tendresse pour que je me sente capable de vivre sans le cirque.

— Lara, Larissa… Tu veux plutôt un viol, tu veux t'avilir. Tu ne me désires pas. Tu es venue ici chercher un prétexte de plus pour fuir le cirque. Tu veux simplement détourner ta honte vers ton corps de femme, le corps de l'écuyère Lara. Madame Larsen devra vivre sans le viol de Lara. Je ne te donnerai pas la permission de partir contre une affaire de cul. Tu te trompes sur moi et tu te trompes sur la vie, petite.

— Comment allez-vous faire ?

— On se débrouillera. Pourvu que Larsen se débrouille pour te trouver des documents. Tu seras toujours la bienvenue ici, si tu veux revenir. Tu sais, Larissa, ce n'est pas un crime de choisir sa propre vie ; mais c'est un crime de vouloir fuir les conséquences de son choix. Dis-toi bien que je te désire. Ce n'est pas aimer, tu le sais. C'est un désir tendre puisque tu as toujours été une bonne camarade. Nous allons en rester là. Souviens-toi d'aujourd'hui comme quelque chose de beau. Si ça va mal ailleurs pour toi, tu sauras où trouver des camarades. Sinon, au moins tu ne pourras pas te mentir en prétextant que le cirque est entièrement mauvais.

— J'ai honte ; tu as réussi. Es-tu content ?

— Tu avais déjà honte en entrant ici. Tu ressors avec ta honte tout entière, puisque je ne veux pas la partager, c'est tout... Lara, mes rêves et mes illusions sont trop précieux pour les échanger contre un cul, si beau soit-il. Va-t'en maintenant parce que nous risquons de dire des méchancetés, et ce qui s'est passé jusqu'à maintenant est seulement triste.

— Tu me méprises, Makar.

— Non, Lara, j'ai pitié de toi.

— C'est pire que le mépris !

— Oui, mais cela s'accompagne d'un peu de tendresse. De beaux souvenirs aussi.

— Ce serait si facile d'être moins compliqué, Makar, dit-elle avec une douceur enfantine dans la voix.

— Tu es trop belle, Lara. Va-t'en immédiatement, sinon je finirai par me mépriser. Je vais discuter avec les autres de ce que tu m'as confié ; Larsen ne saura pas que ça vient de toi. Il faut qu'on pare le coup, autant que possible.

Un peu plus tard, le même jour, un messager apporte une lettre de Spivac à Alberti. On sait qu'elle vient de Spivac puisqu'elle est signée de son nom, mais l'écriture est trop belle et l'italien trop parfait pour qu'il l'ait écrite de sa propre main. Mais le ton est tout à fait spivacien.

Très cher Alberti,

Voici un moment de calme où votre camarade Draco trouve enfin la possibilité d'envoyer de ses nouvelles et des nouvelles de sa très chère et courageuse épouse, Katia. Nous avons fait face à beaucoup d'adversité mais je peux enfin vous annoncer à tous que nous allons bien. Nous survivons, certes, mais pleins d'espoir grâce à la bienveillance du capitaine Mavros, lequel s'est avéré être un frère et une âme noble. Il a mis avec grande générosité sa maison à notre disposition. Katia avait cependant beaucoup souffert durant l'affreuse traversée ; dès que nous sommes arrivés ici, elle s'est alitée. J'avais peur pour elle et pour notre enfant, je l'avoue, et des larmes me viennent aux yeux quand je me souviens de ces journées d'angoisse. Plusieurs jours ont passé où je ne pouvais pas quitter son chevet. Des médecins ont été mandés par le capitaine mais rien ne pouvait être fait de concret par la science ; le sort des deux innocents était dans les mains de Dieu. Des journées d'une profonde tristesse, et seul le souvenir de mes braves camarades artistes et de ma chère maman Lidia allégeait un peu ma mélancolie.

Ces choses tristes appartiennent au passé, heureusement. Au moment où je vous écris, ma chère Katia passe sa convalescence dans une station d'eaux thermales du sud de l'Argentine. Je pars demain la rejoindre, et je lui transmettrai tous les bons vœux que sans doute vous lui souhaitez. Les médecins sont très confiants quant à l'aboutissement normal de la grossesse. Votre ami Draco tente de gagner quelque argent pour rembourser au moins la partie matérielle de notre dette envers Mavros. Les tables de jeu sont rares, les joueurs sont pauvres et frustes, mais je travaille avec ardeur. Dès la naissance du petit Lucas ou de la petite Gina, si maman Katia se porte bien, nous comptons vous rendre visite à Buenos Aires ; je pourrai peut-être alors reprendre ma place au sein de notre troupe.

Mon cher Alberti, pense à moi et à Katia. Lis cette lettre à tous nos amis et présente mes respects à maman Lidia et au brave Wilhelm. À bientôt, je l'espère. Et que le cirque ait un grand succès. Je pense à vous.

Draco Spivac.

Fuank fait remarquer qu'il n'y a pas d'adresse de retour, et que la lettre ressemble trop aux effets d'un spectacle, avec poudre aux yeux et jeux de lumière pour cacher la nudité des acteurs. Makarius pense aussi que c'est un tissu de mensonges ; mais, se dit-il, à quoi ça sert de le dire à Lidia si rien ne peut être fait ? La nuit, cependant, seul avec Alberti et Fuank, à l'abri des oreilles indiscrètes, il donne enfin son opinion :

— Je crois que Spivac ne reviendra plus. La lettre est écrite de façon à gagner du temps. Je crains même pour le sort de Katia. Quelque chose me dit que ce Mavros est de mèche avec Spivac, et que Katia va devoir en payer chèrement le prix.

— Pourquoi dis-tu cela ? demande Alberti. Il n'avait pas besoin d'écrire si tel était le cas.

— Il protège ses arrières, c'est tout, rétorque Fuank. La lettre est trop belle pour être vraie. Pourvu que la fameuse station d'eaux thermales ne soit pas un bordel.

— Fuank ! s'indigne Alberti.

— Je le pense aussi, reprend Makarius. Mais que cela reste entre nous. Il y a quelque chose d'autre que vous devez savoir. Mais, une fois de plus, il faut que cela reste entre nous. D'aucune façon le nom de Larissa ne doit être associé à cette information.

— Larissa ? demande Fuank, les yeux pétillants et le sourire méchant.

Makarius leur raconte sa visite de l'après-midi.

— Les chevaux sont à moi ! s'exclame Alberti.

— Pour le moment, ajoute Makarius. Larsen trouvera un moyen de les acheter, surtout si tu es bien préparé pour accueillir sa proposition. S'ils ont vraiment de l'influence, les Gross pourront simplement venir ici avec la police et les saisir. Je ne crois pas que nous sommes en mesure de faire quoi que ce soit pour les empêcher de partir. Sans les deux écuyers, les chevaux vont seulement nous encombrer. Ces gens de la famille d'Arcadi élèvent des chevaux, c'est du moins ce que Larissa a compris. Pourquoi alors ne pas vendre tes chevaux en demandant la moitié du prix en argent et l'autre moitié en chevaux de trait ? On oublie le spectacle mais on assure le transport du cirque. Ils vont sauter sur l'occasion.

— Mais c'est une trahison ! s'écrie Alberti. Ils ne peuvent pas nous abandonner ainsi, au milieu des représentations.

— Au contraire, réplique Makarius. Penses-y bien, Alberti. Nous sommes encore en position de négocier. S'ils attendent un mois de plus, nous devrons vendre les chevaux à perte. Tu dois jouer serré, Alberti. Tu dois cacher ta déception. Fais-leur croire que nous avons d'autres projets loin d'ici, et que leur départ ne changera rien pour le cirque.

— Ce sera la fin, fait Alberti avec une grimace d'impuissance.

— Non, répond Fuank. La fin uniquement du numéro équestre. Sans eux, nous voyagerons plus légers et nous mettrons l'accent sur le reste de la troupe. Avec de bonnes bêtes de trait, nous sortirons peut-être gagnants. Bientôt, si rien ne change, il faudra partir ; peut-être même fuir. De bons percherons nous serviront davantage. De toute manière, Alberti, il n'y a pas d'autre solution. Avec l'argent des chevaux et ce que nous soutirerons à Léon, nous arriverons à survivre loin de Buenos Aires. J'ai discuté de cette possibilité avec des amis à la Boca, des gens liés aux syndicats. Ils ne croient pas qu'on nous arrêtera, quoique cela reste une possibilité ; mais ils craignent la saisie du matériel. Sans compter que les mineurs pourront aussi nous être enlevés, et que les jeunes hommes seront peut-être envoyés dans une caserne militaire. Par contre, le pays est grand mais seule la capitale semble vraiment compter pour ce qui est des documents, de la bureaucratie et de la police. Si nous partons d'ici avant qu'ils se souviennent de nous, il sera possible de voyager ailleurs sans trop de difficulté. Puisque le cirque viendra de Buenos Aires, les gens croiront que nous avons des permis de séjour en règle. Les gens du syndicat nous offrent de nous trouver du travail aux abattoirs, si jamais le cirque fait faillite. Mais je ne compte pas rejoindre la classe ouvrière. Et vous ?

— Fuank a raison, Alberti. La maquerelle Mercedes a aussi offert à Maroussia d'engager nos petites filles. Ce n'est pas pour ça qu'on les a fait sortir d'Italie, n'est-ce pas ? Il faut nager avec le courant pour survivre. Tu sais aussi que Pitagore et Anise tentent désespérément de trouver un emploi pour leurs chiens en dehors du cirque. Ce n'est pas grave, puisque personne ne voudra de leur numéro ; mais c'est un autre signe qu'il faut agir vite, qu'il faut être flexible. À ta place, je discuterais dès demain avec Larsen. Tu n'as qu'à évoquer ton désir de voyager vers les provinces, tout en mentionnant qu'avec son passeport danois il pourra facilement s'établir ici. Si tu joues bien ton jeu, il mordra. Nous sauverons ainsi ce qui peut être sauvé. Mais pas un mot de ma rencontre avec Larissa.

— Donc, tu veux nous faire croire que tu ne l'as pas sautée, dit Fuank avec son éternel sourire. Pourquoi, Makar ? Ce n'était que justice et elle voulait te dédommager. Parfois, tu me laisses perplexe.

— Non, je ne l'ai pas baisée. Comme toi, moi aussi je la désirais ; et je vais rêver d'elle, j'en suis certain. Mais je préfère le rêve à la réalité. Larissa nous abandonne, et en très mauvais état. Si elle voulait rester, le numéro équestre ne serait pas perdu. Elle choisit de devenir madame Larsen, fermière. Je ne baise pas des fermières.

— Moi non plus, reprend Fuank, pensif. Une petite punition aurait pourtant été de mise dans un cas pareil. Quelque chose qu'elle garde dans sa mémoire lorsqu'elle pensera au cirque. Tu ne crois pas ?

— Je l'ai punie à ma manière, mon cher. Et j'ai aussi laissé la porte ouverte si jamais elle désire revenir. Je tiens à garder mes illusions.

— Elle ne reviendra pas, Makar, tu le sais bien.

— Oui, je le sais. Mais c'est une camarade et une femme que je désire. Je ne peux pas la bannir. On ne sait pas quels sont les projets de Larsen à son sujet. Pense à Katia. Larissa risque aussi d'être laissée-pour-compte. L'humilier maintenant, simplement parce qu'elle veut une autre forme de vie, serait la condamner au bordel si jamais Larsen ne tient pas parole.

— Et s'il tient parole, qu'est-ce qu'elle pensera de toi ?

— Je m'en fiche, répond Makarius. En tout cas, elle va rêver de cet homme qui n'a pas voulu d'elle… Et qu'est-ce que ça peut me faire, ce que pense une fermière en Argentine ? Fuank, tu es simplement fâché qu'elle ne soit pas allée vers toi. Dans la même situation, tu aurais réagi comme moi.

— Je ne sais pas, peut-être. Quoique la chair soit faible ; je ne crois pas que je lui aurais donné du temps pour s'expliquer. Je l'aurais baisée avant et j'aurais discuté après.

— C'est exactement ce qu'elle souhaitait. Ensuite, tout attendri, tu aurais été obligé de lui trouver les excuses qu'elle cherchait.

— Et alors ?

— Oui, et alors ? Si tu continues à me poser ce genre de questions, c'est vrai que je finirai par regretter mon geste. Quand on fait des choses difficiles, des gestes reliés à la morale, à la tendresse ou à la camaraderie, il ne faut pas ensuite les décortiquer. Si le charme de la situation est brisé, il ne reste que le beau cul qu'on n'a pas baisé. Et on se sent ridicule…

— C'est vrai…, réplique Fuank, pensif. N'empêche que je suis jaloux de ne pas avoir été à ta place pour me montrer aussi chevaleresque. Je l'aurais montée, la jument, pour être chevaleresque d'une autre façon. Une question de style personnel, c'est tout. Mais je comprends le plaisir que tu as dû avoir en ne la baisant pas. Un plaisir trop exquis pour moi. Je suis un homme plus simple. Je vais donc devoir rêver qu'elle viendra aussi me trouver pour se confier, d'autant plus qu'elle doit être maintenant très excitée, frustrée par ta réaction. Si tel est le cas, je promets de récolter tous les fruits que tu auras semés.

— Tu es un nihiliste, Fuank, réplique Makarius avec le sourire.

— Oui, je suis juste comme toi, sauf que j'exprime ce que tu caches et je cache ce que tu exprimes. C'est pourquoi je suis jaloux de ce qu'elle doit ressentir en pensant à toi. Tu as agi avec justesse, Makar. Mais tu sais aussi que tu as été plus blessant avec la pauvre fille que ce que j'aurais fait avec ma bite.

— Vous êtes des ordures tous les deux, reprend Alberti. N'empêche qu'elle nous abandonne pour cet imbécile de Larsen. Les femmes, vous savez, il n'y a rien à y comprendre. Elles souhaitent tout à la fois, l'amour courtois, la passion au lit, la réussite dans le métier, la renommée sociale, et même la médiocrité conjugale. Il faudrait qu'elles soient polygames et qu'elles aient plusieurs vies pour tout ramasser. Nous, les hommes, nous nous contentons de la variété corporelle, et seulement pendant une courte période de notre vie. C'est peut-être là le secret de notre joie de vivre. Tandis que les pauvres créatures resteront à jamais insatisfaites.

En même temps, non loin de là, dans la chambre de Gandalf, a lieu une conversation un peu sur le même thème.

— Je pourrais tenter de prendre contact avec la communauté juive ici à Buenos Aires, dit Lidia. J'ai gardé mes doigts souples en m'exerçant toutes ces années sur un clavier en tissu. Ce n'est pas comme jouer sur un vrai piano, mais c'est quand même une sorte d'entraînement. Et je n'ai cessé d'étudier mes partitions. Je n'arriverai peut-être plus jamais à donner des concerts comme autrefois, mais je sais que je peux encore jouer, et donner des leçons. Je gagnerais suffisamment pour nous deux, Wilhelm. Nous vivrions mieux que maintenant, j'en suis certaine. J'attendais d'arriver ici pour pouvoir reprendre la musique. Je ne suis pas faite pour la vie du cirque, tu le sais bien. Tout était si compliqué, Katia partie, Lioubov et Fanny si différentes, que je croyais devoir me contenter de cette vie uniquement. Mais maintenant que Katia se repose dans une station d'eaux thermales, tout redevient possible comme autrefois, Wilhelm. Est-ce que ce serait trop te demander de me suivre ?

— Lidia, moi aussi je suis persuadé que tu pourras reprendre ta musique. Et je t'encourage à le faire. C'est toi qui hésites toujours à aller dans les synagogues dont j'ai trouvé les adresses. Quand je te vois jouer sur ton clavier, même sans rien entendre je sais qu'il y a de la musique dans ton esprit. Il ne faut pas que cette musique se perde, qu'elle reste à jamais dans ton imagination. Ce serait une perte trop grande. Tu dois encore jouer, ne serait-ce que pour venger les musiciens qui ne joueront plus ou ceux qui n'entendent pas de musique depuis leur mort. Mais c'est ta musique, c'est ta responsabilité de reprendre ton passé et de montrer que tu es restée Lidia Fisher, la pianiste de concert, en dépit de la bestialité des nazis. Je suis Gandalf, un nain de cirque. Je ne peux pas te suivre.

— Wilhelm, ne dis pas ça. Tu as survécu comme Gandalf, tout comme j'ai survécu dans le cirque. C'est maintenant le moment de changer, cela ne dépend que de toi. Gandalf était ton déguisement, pour te cacher quand il n'y avait rien d'autre à faire. Dorénavant, tout peut changer. Le professeur Wilhelm Lutz peut enfin se réveiller de son long sommeil.

— Wilhelm Lutz est mort, Lidia. Il est mort en empruntant le masque de Zarathoustra quand j'étais encore un jeune homme. Ensuite, Gandalf est né de ce même masque. Je ne me déguise pas en Gandalf ; Gandalf est une transfiguration à la suite de la mort de Wilhelm Lutz. C'est ce dernier qui était une piètre tentative pour me cacher du monde. Gandalf n'est pas un pis-aller, un ersatz du docteur Lutz, l'ancien professeur de philosophie. Voilà ce que tu n'arriveras jamais à comprendre, ma chère. Je me suis reconnu quand je me suis vu masqué pour la première fois ; c'est à ce moment-là que je me suis rendu compte de mes faibles tentatives pour nier l'artiste en moi. Wilhelm Lutz, s'il était vivant, serait sans doute heureux de l'offre que tu viens de me faire. Mais il est mort, Lidia, enterré depuis longtemps dans l'oubli de ma mémoire. S'il paraît vivant dans ton esprit, c'est bien la preuve que tu n'es pas faite pour une vie de saltimbanque. À mes yeux, Gandalf est beaucoup plus grand, plus réel et plus profond que Wilhelm Lutz ne l'a jamais été.

— Mais je t'aime, Wilhelm. Je sais que tu es vivant.

— Tu te trompes, Lidia. Et tu tentes de tromper la femme en toi. Tu aimes Gandalf. Lui seul te fait vibrer dans ton corps, et tu crains de le perdre, de me perdre. Et c'est pourquoi tu veux me déguiser d'un linceul venu du passé.

— Mais je t'aime.

— Bien sûr que tu m'aimes, et c'est très bon. C'est pourtant un amour défendu, que la pianiste Lidia Fisher n'ose pas montrer en public. Gandalf est acceptable à tes yeux tant que tu n'es pas encore redevenue la pianiste. Il est la part de péché qui rend ton amour si passionnel, qui fait frémir la part de saltimbanque que tu as découverte en toi. Je crois aussi que c'est le moment de choisir. La musique est une chose noble, pour salons distingués ; elle cadre mal avec un nain de cirque. Tu dois choisir entre ta face noble et le démon qui t'habite. Je resterai ton amant inavouable si tu veux, mais je ne peux pas renier mon propre démon.

— Pourquoi donc, si tu me conseilles de renier le mien ?

— Parce que, toi, tu es dans une impasse. Ton démon et ta partie noble sont incompatibles. Je ne suis pas dans une telle impasse ; j'ai déjà réglé mes contradictions en liquidant mon passé de professeur. Mon démon est alors devenu ma face noble.

— Ce n'est pas vrai, Wilhelm. Tu as toujours le choix.

— Je l'ai fait, le choix. Et je le refais chaque jour, sans jamais le regretter.

— Tu m'abandonneras, alors ?

— Il ne s'agit pas d'abandonner, ma chère. Si nos chemins se séparent, ce ne sera la faute de personne. Je garderai de toi tout ce que tu m'as donné, et d'autres femmes en profiteront.

— Wilhelm !

— D'autres hommes profiteront aussi de ce que je t'ai donné, Lidia. Et je suis jaloux à la pensée que d'autres hommes récolteront la part démoniaque que j'ai dévoilée en toi. Mais ils te donneront en contrepartie ce que je ne peux pas te donner ; ils sauveront la musique dans ton esprit. Il faut donc que tu choisisses ta destinée de pianiste plutôt que le plaisir de ton corps de femme.

— Ce n'est pas ça que je te demande, Wilhelm.

— C'est tout ce que je peux te donner, même si tu cherches à le camoufler à tes propres yeux. Viens plutôt au lit, Lidia, cessons ces discussions inutiles. Viens rejoindre Gandalf, sans honte. Personne ne saura jamais que la pianiste est aussi passionnée qu'une gitane.

— Wilhelm, je vais me perdre !

— Si tu veux, Lidia. Seulement si la musique n'est pas assez forte pour sauver la pianiste. Mais dis-toi bien que la femme que j'aime se débat entre la musique et le nain. Si tu choisis le nain, tu cesseras d'être la femme que j'aime ; le démon en toi s'étiolera et même ton corps ne répondra plus à mes caresses. Tu n'as pas le choix, Lidia. Si Gandalf redevenait Wilhelm Lutz, toi aussi tu l'abandonnerais ; et si tu deviens saltimbanque toute ta passion disparaîtra.

— Tu es cruel, Gandalf ! s'exclame la femme avec de la haine dans les yeux.

— Je suis Gandalf, et c'est à moi que tu te donnes. Viens, cesse tes chichis de pianiste et ouvre tes cuisses. Il reste peu de temps pour apaiser ton feu.

— Je te déteste… Wilhelm…

Plus tard encore, dans la chambre de Maroussia, couchés après l'amour, le mime et la voyante rêvent en silence. La femme se souvient de l'ardeur passionnée avec laquelle elle vient d'être prise et se demande qui en est la cause.

— Elle te fait souffrir, Makar ? demande Maroussia en lui caressant la poitrine.

— Qui ?

— Celle qui était dans ta tête tout à l'heure, quand tu étais dans mon sexe.

— Maroussia… Voilà le danger de vivre avec une voyante. On ne peut même pas avoir des fantaisies discrètement.

— Ce n'est pas la voyante qui l'a vue, c'est la femme qui t'aime. Et c'était si bon, Makar… Tu peux avoir toutes les fantaisies que tu veux, surtout avec elle. Mais il ne faut pas que tu souffres.

— Je ne souffre pas, Mara. Un homme qui a une femme comme toi ne souffre jamais. J'ai en toi toutes les femmes que je veux. Est-ce que ça te blesse ?

— Non. Comment être blessée si tu rêves à d'autres entre mes cuisses ? Je peux aussi jouir de leurs corps…

— Tu le fais bien, Mara. J'aime que tu sois joueuse.

— C'est bon de cueillir des fruits défendus… C'est à la fois comme si je l'avais moi-même baisée et comme si j'étais elle entre tes bras. C'est enivrant…

— Tu l'as possédée, c'est vrai. C'est ta façon d'être sorcière. Et je suis content, après l'avoir eue entre mes bras, de te retrouver là quand je rouvre mes yeux. Même ta voix change, comme si tu pouvais la voir dans mes fantaisies. Comment fais-tu ça ?

— Je suis joueuse, tu l'as dit. Je ne permettrais jamais que la jalousie gâche le plaisir exquis de t'avoir à moi avec le corps d'une autre. Si je pouvais, si tu le voulais, chaque nuit je t'offrirais une femme différente pour que tu la possèdes entre mes cuisses.

— Tu le fais déjà, Mara. Nous deux seuls savons que tu le fais. Pourvu que je te rende la pareille avec autant de variété.

— Je n'ai pas besoin d'autant de variété que toi. Tu m'offres déjà assez pour mes propres fantaisies. Ça me suffit. Je préfère que tu m'apportes de nouveaux rôles, comme ce soir. Ça aiguise mes talents de comédienne ; et c'est délicieusement sensuel. Dommage que tu n'aies pas eu besoin de déflorer celle-là. Ton jeu avec les pucelles me rend folle de désir.

— Elle n'est pas pucelle, et c'était une sorte de dépucelage qui n'a pas eu lieu.

— Ce sont les meilleurs, les dépucelages imaginaires, fait Maroussia en se mordant les lèvres. Ils durent ensuite longtemps. Viens, Makar, prends-la à nouveau, cette garce qui te fait rêver. Mais ne l'épargne pas comme tout à l'heure. Pense à elle et venge-toi. Sinon, la pauvre va souffrir toute sa vie durant. Il ne faut pas être cruel à ce point-là.

16

La rencontre avec Léon a été soigneusement préparée par diverses conversations téléphoniques préalables, dans lesquelles Alberti s'est exercé à jouer le rôle de l'homme menacé qui demande secours à son ancien associé. Léon se méfiait, certes, mais comme Alberti était déjà en possession de ses numéros de téléphone au bureau et à la maison, il a préféré parlementer. La perspective d'aider le directeur, tout en rejetant sur celui-ci la haine et la rancune des saltimbanques, était un compromis intéressant pour sortir de l'impasse et se faire oublier. Ensuite, la vente des chevaux mentionnée par Alberti était une preuve claire que le cirque faisait faillite et que le directeur cherchait à fuir ; et l'argent rapporté par cette vente couvrirait amplement les dépenses que la protection du directeur du cirque pourrait entraîner. C'était aussi une question de temps pour Léon ; s'il n'agissait pas vite, les forains pourraient tenter de lui faire quelque scandale, ce qui nuirait à sa réputation d'homme d'affaires sérieux. Avec la fuite d'Alberti, il serait enfin à l'abri.

Ils se rencontrent donc tous les deux le matin, presque à l'heure de l'apéritif, dans le prestigieux café Tortoni sur l'Avenida de Mayo. C'est à la fois un endroit sûr où se réunit la fine fleur de la société *porteña*, et une place luxueuse où Léon peut faire miroiter à son invité les avantages d'abandonner la vie foraine. Il est déjà attablé, son pardessus et son chapeau jetés bien en vue sur une chaise voisine, lorsque le directeur entre dans la salle. Alberti ne paye pas de mine dans ce décor chic, et il en est bien conscient. Léon, au contraire, paraît tout à fait dans son élément. Il salue le directeur discrètement, en le priant de s'asseoir avec empressement pour que les autres clients ne remarquent pas les habits modestes de son invité. Et il commande ensuite du café et des scotchs avec une autorité pleine d'élégance. Son espagnol a même un brin d'accent local qui ajoute au charme de sa personne, et il utilise des mots bien argentins en s'adressant au garçon, du *lunfardo* de Buenos Aires, pour montrer à Alberti combien il fait partie intégrante de tout ce monde. Le garçon le reconnaît d'ailleurs, et ajoute à son tour le «*por supuesto, señor Felmont*» à sa réponse, pour faire plaisir au client.

Les miroirs sur les murs multiplient les visages des gens bien habillés et les décors anciens du café Tortoni, les tables en marbre et les boiseries, ce qui contribue à écraser Alberti. Léon sourit avec condescendance en tendant son étui à cigarettes en argent. Alberti sursaute lorsque le garçon surgit de nulle part pour lui présenter une allumette. Cela fait rire Léon.

— Il faut t'habituer à te faire servir, Alberti. Ce n'est pas un cirque ici. Bientôt tu te sentiras à l'aise, j'en suis persuadé. C'est uniquement une question d'attitude devant la vie.

— Je l'espère, répond Alberti, mal à l'aise. Même à Berlin je ne fréquentais pas ce monde, tu le sais.

— Il n'est pas trop tard pour changer. Si tu travailles pour moi, tu fréquenteras quotidiennement ce genre de lieux et ces gens. Tu ne me feras pas honte, je l'espère.

— Non, mais laisse-moi le temps de m'habituer. Je me sens mal dans mes habits…

— Bien sûr. Une fois débarrassé du cirque, la vie te paraîtra plus facile et l'habitude s'installera d'elle-même. Est-ce que tout marche comme prévu ?

— Oui, très bien. J'ai vendu les chevaux au nouveau patron de Larsen, et il a accepté le prix que tu avais fixé. Voilà. Cette famille Gross paraît ne pas regarder à la dépense.

— En effet. Ce sont des gens remarquables. Dommage que cet écervelé de Kurt soit tombé du bateau. Il avait survécu à la guerre, figure-toi, pour tomber à l'eau au milieu de l'océan. Justement lui qui aurait pu tant nous aider. Je suis content qu'ils aient accepté l'affaire ; ça me donnera l'occasion de renouer avec eux dans quelque temps, après qu'ils auront oublié le sort de Kurt. Je m'imagine qu'ils me blâment, sans doute en partie... Comme ça, Larsen est parti.

— Il partira ces jours-ci, quand ils viendront chercher les chevaux. Je me demande ce qu'ils feront avec seize chevaux de spectacle, qui ne sont bons que pour le manège.

— Larsen tiendra un manège, c'est tout. Ils utiliseront aussi les bêtes pour la reproduction. Ce sont de belles bêtes de manège, assez rares de ce côté-ci de l'Atlantique. Les grands propriétaires ruraux aiment collectionner les chevaux pour les montrer, et des bêtes bien dressées feront un effet exquis dans les estancias. Du prestige, mon cher, ils achètent du prestige européen. C'est un pays avec une longue tradition de gauchos, et les chevaux dressés sont ici un peu comme les automobiles de luxe en Amérique du Nord. Comment ont réagi les gens à cette nouvelle ?

— Mal, naturellement. Ils se rendent compte que le cirque est près de la faillite. Mais ils croient que je vais partager l'argent de la vente des chevaux et de l'équipement quand le cirque fermera ses portes ; j'ai déjà des offres pour le chapiteau. Ils sont malgré tout contents d'être ici en Argentine, ça compensera un peu. La plupart se trouveront des emplois dans les usines de la Boca ; les gens du syndicat ont déjà promis de les aider. D'autres se placeront dans des salles de spectacles. Makarius a décroché un contrat avec un agent de théâtre, un vrai. Il est possible qu'il s'en aille à Montevideo. Les nains... Bon, ils devront se débrouiller avec des variétés. Gandalf suivra sa femme, une pianiste juive qui nous accompagnait depuis l'Italie. Il se fait vieux et souffre d'arthrite. Elle le fera vivre en attendant qu'il trouve quelque chose. Gandalf est instruit et il se débrouillera. Le reste de la troupe, tu sais, ce sont des jeunes gens...

— Oleg, le Russe ?

— Il a déjà fait des démarches à l'ambassade de France pour demander son rapatriement. Avec la vente des ours au zoo, il pourra attendre confortablement. Tu vois, ça va. Nous sommes bel et bien arrivés en Argentine.

— C'est ce que je te disais, Alberti. Au début, moi aussi je m'accrochais à mes vieux rêves. Ensuite, les choses se sont réorganisées d'elles-mêmes selon de nouvelles perspectives. Tu veux donc que je m'occupe de l'argent des chevaux ?

— Oui, Léon, je ne saurais pas comment m'y prendre pour le mettre à l'abri. Et je devrai partir vite quand les choses vont se précipiter. Pas la peine de s'occuper des roulottes, elles ne valent rien de toute manière. Les gens vont y loger le temps qu'ils peuvent, et cela leur permettra de m'oublier. Il y a des rancunes, je t'avoue, puisque déjà je n'arrive pas à les payer. Il faudra que tu me trouves un logement discret, tout au moins pour quelques mois. Ensuite, ils se disperseront et je me sentirai plus à l'aise. Ils me tiennent pour responsable de la situation dans laquelle nous sommes, ils commencent à avoir des exigences, ça devient très difficile, Léon. Très difficile, et je ne suis plus très jeune.

— Bien, Alberti, je suis content de te voir dans ce nouvel état d'esprit. Entre nous, ton cirque était une épave, tu le sais aussi bien que moi. Je me sens soulagé de le voir couler sans t'emmener au fond avec lui. Dorénavant, il faudra penser à l'avenir. Tu as raison, nous ne sommes plus très jeunes, et ton espagnol n'est pas suffisant pour les affaires. Il faudra que tu t'habitues à travailler avec les gens de la communauté allemande ; bien sûr, en étant très respectueux et en oubliant tout ce dont tu te souviens de là-bas. Tu me comprends, n'est-ce pas ?

— Oui, Léon.

— Alors, de grâce, appelle-moi Leandro, Leandro Felmont, d'accord ? Ça te mettra dans l'esprit de notre nouvelle association. En public, *señor* Felmont ; c'est l'habitude ici. J'ai fait ma réputation autour de ce nom. Ça n'a pas été facile, mon cher, tout seul, sans un ami pour m'aider. Ne gâche donc pas mon travail. Tu seras un ami allemand, un homme d'affaires, mon ancien associé là-bas, à Berlin. Tu redeviendras Albrecht, mais avec un nom de famille plus convenable, quelque chose de simple comme Schultz ou Meyer ; on trouvera un nom pour toi. Ne parle jamais de spectacles ni de cirque ; ce Léon-là n'a jamais existé.

— Mais comment je vais faire pour mon identité ?

— Je vais tout arranger. Je ne peux rien faire pour les autres. Ils attendront que les bureaucrates oublient et ils vivront comme des milliers d'autres étrangers ici. Dès qu'ils travailleront quelque part, leur carte syndicale servira de papier d'identité et ils se fondront dans la masse. Après tout, ils sont en Argentine, ça devrait suffire. Ton cas est différent. Tu travailleras pour moi, je ferai intervenir des gens qui me doivent des faveurs, et dans quelques mois tu auras des documents en règle. Les Allemands, nous ne sommes pas traités ici comme ces immigrants italiens. Alors, oublie-les, veux-tu ? Tu les as conduits ici ; ils n'auraient jamais pu sortir d'Italie sans ton aide. Ce ne sont plus des enfants…

— Mais ils me poseront des questions sur les documents, Léon. Excuse-moi… Leandro. Il faut que je puisse gagner du temps jusqu'à mon départ.

— Tu partiras dès que les chevaux seront payés. Tu partiras sans dire adieu, c'est tout. Pour ta propre sécurité. Tant pis pour les derniers spectacles. Tu partiras discrètement comme tu es venu ce matin. Pas la peine de t'encombrer avec les vieilleries de ton cirque ; tes habits ne te serviraient pas de toute façon dans ta nouvelle vie. Romps avec le passé ; pars comme quelqu'un qui s'en va se promener. L'argent des chevaux suffira, pas la peine de traîner des souvenirs. Voilà.

— Ça va être difficile, Leandro. Je vais le faire parce que j'ai confiance en toi. Mais j'ai peur de me trahir. S'ils se méfient…

— Sors tes talents de comédien, Albrecht. Cette fois, ce ne sont pas des minables applaudissements qui t'attendent, mais une nouvelle vie.

— D'accord. Je me présente à ton bureau, et après ?

— Non, pas à mon bureau. Il faut qu'on soit très discrets, tu n'as pas encore de documents. Il faut que je prépare ton entrée dans les affaires. Quand tu auras reçu l'argent, viens directement à la maison. Le soir, de préférence. Tu dormiras chez moi et le lendemain je t'envoie passer quelques semaines à mon estancia. Tu te reposeras, je placerai l'argent pour toi et tu reviendras dès que nous serons certains de la réaction des gens de la troupe. Aussi simple que ça. Tu n'as pas dit aux autres comment me trouver, n'est-ce pas ?

— Bien sûr que non ! C'est chez toi qu'ils chercheraient en premier en me voyant disparaître. Toi non plus, tu ne m'auras pas vu, d'accord ? Je compte sur toi. Si jamais tu croises des gens du cirque, ne leur dis pas que tu m'as vu. Je ne laisse pas que des amis, tu peux me croire. Je me mets entre tes mains. Depuis que je pense sérieusement à les quitter, je ne dors presque plus de peur de me trahir. Je crains aussi le retour de Spivac, le magicien. Il avait promis de revenir. C'est un homme dangereux.

— Ne t'en fais pas pour ton magicien, mon cher. J'ai appris qu'il se débrouille trop bien pour penser à redevenir magicien de cirque. En voilà un qui a su saisir sa chance. Espérons seulement que les autres en feront autant. Avec le temps, ils oublieront. Sinon, je peux toujours demander de l'aide à la police. Ils n'auront pas le choix. Tu verras comment on fait des affaires ici, mon cher Albrecht. Il faut tout prévoir, conclut Léon avec un sourire méprisant.

❑

La vente des chevaux du cirque à la famille Gross s'est faite en toute discrétion. Alberti a réussi à inclure les bêtes de trait dans le marché, et le cirque est assuré de pouvoir repartir de la Boca. Les policiers, qui lorgnent depuis longtemps déjà les avoirs des saltimbanques, ne semblent au courant de rien, et ils continuent à recevoir leur part des recettes en attendant patiemment la faillite finale.

La question du départ ne peut cependant pas rester cachée aux membres de la troupe, puisque ce départ aura tout l'air d'une fuite. Les risques de l'entreprise doivent être pesés par chacun des forains, et la situation doit leur être clairement expliquée pour qu'ils sachent quoi faire. Il a été décidé de ne pas communiquer la nouvelle en même temps à tout le monde, de peur que cela ne s'ébruite à la Boca et n'attire l'attention de la police. Alberti a par ailleurs reçu une convocation des autorités de l'immigration pour la comparution de tous les membres du cirque la veille de l'expiration de leur visa provisoire, c'est-à-dire deux semaines plus tard. Cela peut signifier la fin et exige donc des actions immédiates. Une fois la troupe dispersée, plus moyen de décider quoi que ce soit. Fuank, Makarius et Gandalf ont été chargés d'expliquer la situation et le plan de départ à chacun des membres, en lui laissant l'entière responsabilité de sa décision. Ceux qui souhaitent ne pas accompagner le cirque se verront remettre une petite somme d'argent ; une très petite somme, puisque le cirque aura besoin d'un certain montant pour payer ses dépenses tout au long de sa fuite.

— De toute façon, a dit Fuank, qu'ils nous arrêtent ici ou sur la route, le résultat sera le même. Si nous disparaissons, peut-être que leur bureaucratie nous donnera le temps de nous perdre dans la nature. Et s'ils ne comptent pas nous arrêter, il faudra quand même partir, puisque nos ressources ici sont épuisées.

La question des visas ne paraît pas très importante pour ceux qui quitteront le cirque. Les ouvriers italiens auxquels ils ont demandé conseil sont persuadés que les gens trouveront du travail sans qu'on leur demande des papiers de séjour. Ce sera un travail moins bien rémunéré, certes, mais ils se perdront ainsi dans la masse des immigrants et ne seront plus embêtés par la police.

Les entrevues se font en toute discrétion. Janus et Esmeralda, les deux lutins, ont déjà trouvé du travail comme chanteurs et danseurs exotiques dans un cabaret, et leur succès promet l'obtention d'autres contrats intéressants. La vente des chevaux met fin de toute façon à leur participation au numéro équestre, et cela les encourage à partir aussi.

Ilario, le père de Mariangela, n'a jamais voulu autre chose que d'immigrer en Argentine, et il a déjà cherché du travail comme manœuvre dans les abattoirs. Par contre, mis au courant de la vraie situation du cirque, il paraît soudainement se préoccuper de l'avenir de sa fille. Très spontanément, en pensant sans doute aux chevaux, il offre de vendre Mariangela au cirque.

— Je ne demande pas cher. Rien qu'un peu d'argent pour me dédommager de sa perte, dit-il à Fuank.

— Nous n'avons pas assez d'argent pour te l'acheter, Ilario. Si elle reste ici, elle finira au bordel, et ce sera son maquereau qui empochera ses gains, pas toi. Tu n'es pas assez homme pour la défendre. Si elle part avec nous, au moins elle ne deviendra pas pute, et tes camarades de l'abattoir ne se moqueront pas de toi. Tu vois ta gueule pendant qu'ils raconteront comment elle suce des bites et se fait baiser dans le bordel de Mercedes ? Ce sera gênant, n'est-ce pas ?

— Elle pourrait aussi travailler, je ne sais pas... à l'usine, pour rapporter quelque chose.

— Son usine va être le bordel, et tu seras le *cabron* de service. Pense à la petite, Ilario. Elle est toute maigrichonne. Le samedi et le dimanche, quand il y a affluence, une petite pute débutante peut recevoir jusqu'à quinze clients par soir. Imagine-toi si les quinze ont envie de l'enculer. Ce n'est pas drôle !

— Et qui pense à moi ? Tu veux que je perde ma fille comme ça, sans rien recevoir en retour ? Nous sommes pauvres, Fuank, il faudra qu'elle mette la main à la pâte pour aider...

— C'est à cause d'elle que tu as pu immigrer ici, ne l'oublie pas. Il ne faut pas qu'elle fasse encore la pute pour toi, sale paresseux. Si elle veut faire la pute, c'est différent. Je vais parler avec elle sans que tu sois là pour l'influencer. Si elle désire partir avec nous, elle partira et tu vas te la fermer. Sinon, je te coupe en petits morceaux et je te donne à manger aux ours. Compris ? Et pas un mot à personne de cette conversation. Je te tue, salaud !

Le jeune Pietro, lui aussi, a plus l'âme d'un ouvrier que celle d'un artiste. Il travaille déjà aux entrepôts durant la semaine pour pouvoir envoyer de l'argent à sa famille, et ses compagnons de travail veulent le garder et veiller sur lui. C'est dommage, car il est vraiment sympathique. Par contre, la famille de Carlitos, le manchot monocycliste, est tout à fait d'accord pour qu'il s'en aille avec le cirque. Lui-même est très heureux et ne s'attendait pas à être laissé en arrière.

Lidia reçoit la nouvelle du départ de la bouche même de Gandalf. Elle a pris contact avec des synagogues et est en train de se faire patronner par les services d'aide juifs. Mais elle a cru pouvoir garder sa relation avec le nain, quitte à lui rendre visite en cachette au cirque dans l'espoir d'arriver à le convaincre de redevenir Wilhelm Lutz.

— Nous allons partir dans quelques jours, Lidia.

— Ce n'est pas possible ! Si vite ? Et Katia ?

— Nous laissons l'itinéraire de notre voyage à des amis à la Boca. Si elle et Spivac nous cherchent, ils sauront comment nous retrouver. Toi aussi, tu pourras nous retrouver si tu veux. Je t'enverrai de nos nouvelles.

— Je ne peux pas abandonner Lioubov et Fanny, Wilhelm.

— Si, Lidia, tu peux et tu dois le faire. Dès que tu seras bien établie, avec un revenu suffisant, tu me le feras savoir. Ce sera alors à tes filles de décider. Je crois qu'elles voudront rester avec le cirque, mais je vais leur donner le choix. Pas maintenant, Lidia. Tu n'es pas en mesure de t'en occuper seule. De toute manière, tu t'es toujours souciée davantage de Katia que des deux autres. Laisse-leur une chance. Si nous sommes arrêtés, je promets d'avertir les services d'aide juifs pour qu'ils les prennent en charge. Ils verront à les protéger si nécessaire. Tu sais bien qu'elles ne voudront pas rester avec toi. Alors, ne cause pas de déchirements. Nous nous déplacerons en Argentine uniquement... Je te laisse le soin de discuter avec elles, mais sois diplomate et ne fais rien pour diminuer leurs chances de s'en sortir. Une dispute avec toi maintenant risquerait de les laisser sans protection à l'avenir.

— Wilhelm, tu veux dire qu'elles vont être des saltimbanques pour toujours ?

— Je n'en sais rien. Elles ont toutes les deux l'air d'être heureuses. Qu'est-ce que tu pourrais faire d'autre, les enfermer dans un couvent pour les empêcher de partir ? Durin aime Lioubov, et sans lui elle ne serait qu'une pauvre idiote. Fanny est trapéziste. C'est mieux que d'être pute ou bonniche, tu ne crois pas ?

— Ce n'est pas ce que je souhaitais pour elles. Katia reprendra le conservatoire, j'en suis certaine. Je jouerai encore du piano. Comment veux-tu qu'on se dise, Katia et moi, que les deux plus jeunes travaillent dans un cirque ?

— Tu diras la même chose que pour moi. Je ne crois pas qu'on pensera qu'elles sont des naines. Ou tu diras qu'elles sont des actrices de variétés. Parle avec elles, ça t'aidera à te faire une raison.

— Et toi, Wilhelm ?

— Gandalf est un artiste de cirque, tu le sais déjà.

Fuank et Makarius ont décidé de ne pas laisser le choix à Elvira et à Gina, et même à Mariangela. Elles n'auraient aucune chance d'éviter la prostitution ; et après l'entretien avec Ilario, Fuank est persuadé que le père tenterait de vendre Mariangela directement à la maquerelle Mercedes. Il est vrai que les trois petites les encombreront plus qu'autre chose, attisant un peu partout la convoitise des autorités et des tenancières. Mais elles font désormais partie de la troupe et doivent être protégées.

Tous les autres ont choisi de continuer avec le cirque. Les jeunes gens parce qu'ils s'amusent, les artistes parce qu'ils sont des artistes. Paco et Firmina aussi, parce qu'ils ne se voient pas enfermés dans les taudis de la Boca pour le reste de leurs jours ; comme les autres, ils ont attrapé la fièvre du cirque et préfèrent continuer le voyage en quête d'aventures. Oleg continue lui aussi. « À cause des ours », a-t-il dit. Mais, entre amis, son motif est encore la même énigme :

— Pinocchio a choisi d'abandonner le cirque à cause de Gepetto, son papa. Je n'ai plus de papa ; je n'ai donc pas de raison de cesser de m'amuser. Et cette Buenos Aires est une ville d'immigrants nostalgiques. Elle me rappelle trop les cercles russes à Paris. Ça me coupe la respiration. Ils moisissent dans la merde en rêvant de l'âge d'or, d'un retour impossible. Je suis trop jeune pour perdre mon temps avec des nostalgies. Pas vrai, Martha ? Ma femme et moi, nous sommes en voyage de noces pour les vingt prochaines années. Ensuite, nous repartirons peut-être pour passer nos vieux jours dans le sud de la France.

Quand Makarius a posé la question à Gorz, sa réponse a été presque aussi énigmatique :

— Je pars avec vous. Les couleurs de ce pays ne m'inspirent pas du tout.

— Tu peux rester si tu veux. Tu pourrais facilement obtenir des documents ; la communauté allemande est influente.

— Makar, tu étais en Turquie pendant la guerre et tu as oublié la mère patrie. J'ai fait toute la guerre avec les Allemands ; je les ai frais dans ma mémoire. Il n'est pas question que je partage l'exil avec ceux-là mêmes qui me donnaient des ordres au bataillon disciplinaire. Ici, je deviendrais ce genre de tueurs qui ne cessent pas de tuer ; non pas pour se venger, mais par pur plaisir. Et puis, veux-tu savoir la vérité ? Je pars avec vous dans l'espoir de gagner le Brésil. Le musée des beaux-arts d'ici me pousse à partir, voilà. C'est une excellente raison pour un peintre. Si j'en suis réduit un jour à devoir peindre des militaires, des politiciens et des bourgeois, je me mets une balle dans la tête. Et je trouve très amusant de voyager avec vous. Faire des tatouages dans les bordels est quelque chose de bien reposant.

Pitagore et Anise partiront malgré eux, mais en se promettant bien de quitter la troupe dès que l'ambassade française leur fournira un moyen de revenir en Europe. Les démarches de rapatriement risquent cependant de durer des années.

Lioubov n'a presque pas reconnu sa mère, et s'est contentée de répondre, de son air absent, qu'elle suivrait Durin puisqu'il deviendrait son mari dès qu'elle aurait beaucoup de bébés.

— Si j'ai trop de bébés, Lidia, a-t-elle ajouté, je t'en enverrai quelques-uns pour que tu t'en occupes. Mais ne les mélange pas avec les bébés de Katia. Les miens vont être blonds et rouquins, avec les mêmes cheveux que Durin. Ceux de Katia vont avoir les cheveux noirs, comme ceux du magicien. Ne l'oublie pas.

Fanny s'est mise à rire quand sa mère lui a offert de rester à Buenos Aires :

— Qu'est-ce qu'une trapéziste va faire à Buenos Aires, maman ? Tu ne me feras plus jouer de la musique pendant des heures comme autrefois. J'en ai marre, de tes souvenirs de grandeur. La vie a changé pour nous toutes ; toi seule, tu ne l'as pas compris. Wlacek s'occupera de moi, ne t'en fais pas. Et Sven s'occupera de Wlacek. Cela me fait toute une famille, maman. Je te souhaite de t'en trouver une aussi belle.

— Fanny, le cirque n'est pas une vie pour une demoiselle. Tu pourrais étudier, fréquenter des gens comme il faut...

— Pauvre maman ! Quand je suis en l'air, tu sais, je ne pense à rien. Je peux me laisser aller en toute confiance parce que les mains de Sven vont m'attraper, me tenir très fort. Si seulement tu pouvais trouver des mains comme celles de Sven, tu saurais enfin que ce sont des gens comme il faut. Je te donnerai de mes nouvelles, ne t'inquiète pas. Pense plutôt à toi. Essaie de retrouver Katia ; elle aura plus besoin de ton aide que moi. Ça ne sert à rien d'insister.

Le soir, dans leur petite chambre, Fanny raconte la discussion à ses deux compagnons.

— C'est vraiment ce que tu veux ? lui demande Sven.

— Oui, si vous deux vous voulez de moi.

— Bien sûr, Fanny. Je suis fier de toi, répond Wlacek. De toute façon, je t'aurais kidnappée si ta mère t'avait obligée à rester avec elle. Sven et moi, nous avions déjà notre plan.

— C'est vrai, Fanny, réplique Sven. Nous sommes amoureux de toi. Tu es Fania, notre oursonne. Si tu veux rester, nous allons te protéger.

— Un jour, Wlacek, tu m'as promis, nous nous marierons, dit-elle. Tu t'en souviens ? Sven nous rejoindra pour la nuit de noces...

— La peste de petite sœur que le démon m'a envoyée ! s'exclame Wlacek. Je vais finir mère de famille si ça continue comme ça.

— Nous ferons un tas de petits trapézistes, rétorque Fanny en riant avec Sven de la drôle de tête que leur fait Wlacek.

— Les filles, quelle plaie ! crie Wlacek en couvrant Fanny de baisers.

❑

Le lundi matin convenu, les camions affrétés par la famille Gross sont là, avec les vingt-quatre chevaux de trait. Ce sont des bêtes saines et robustes qui passent sans difficulté l'examen minutieux que Paco et Alberti leur font subir. Des chevaux tranquilles et de très grande taille, tous au pelage tacheté comme il y en a tant d'autres partout dans le pays ; ils n'attireront pas trop les regards curieux. Les magnifiques chevaux blancs qu'Alberti a autrefois achetés à Vienne prennent leur place dans les camions, conduits par Larsen et par Larissa. Le paiement de la différence se fait en argent comptant. Sans doute que les Gross font une très bonne affaire, puisqu'ils payent sans discuter. Mais les gens du cirque sont soulagés parce que tout se passe comme prévu.

Même s'il le cache très bien, Alberti se sent vieillir soudainement en voyant le joyau de son cirque disparaître dans les camions. Ce n'est pas le moment de montrer de la tristesse, puisque la troupe se prépare pour une bagarre.

L'adieu de Larsen et de Larissa est bref. Lui salue à la ronde en souhaitant du succès au cirque. Elle baisse les yeux et se contente de le suivre comme si elle devait partir contre sa volonté.

Les policiers de la Boca ont été payés hier, après la représentation du dimanche soir, et ils ne reviendront pas avant samedi. Les travaux de démontage du chapiteau commencent de façon accélérée dès que les camions de la famille Gross disparaissent en direction de la ville. Chacun se met à la tâche selon le plan préétabli pour que tout soit fini le soir. Des copains italiens ont déjà débranché les câbles venant des entrepôts, et il suffit maintenant de les enrouler pour emporter toute l'installation électrique. Cela servira sans doute pendant le voyage ; Paco, Fuank et Cotshi savent désormais comment les installer directement à partir des réverbères des rues ou sur le compteur de n'importe quel édifice. Les latrines et le cabinet de bains sont aussi démontés, puisqu'ils pourront aussi servir, ne serait-ce que comme bois de chauffage.

Martha, Firmina et Pilar s'en vont acheter des vivres à la Boca pour ne pas avoir à cuisiner les premiers jours. Mais aussi pour se faire voir des passants et ne pas soulever des soupçons. Les forains font déjà partie intégrante du paysage local et leur absence soudaine pourrait faire parler les gens.

Ils travaillent fort la journée entière pour remballer le matériel. Tous les gens partis de Gênes allègent passablement les roulottes, et ce n'est pas la place qui manque. S'ils y sont obligés, ils pourront même abandonner en chemin la plus vieille des roulottes, celle dont les essieux commencent à trop grincer.

Le soir, tout est prêt pour le départ. Les forains mangent et se retirent de bonne heure dans l'espoir de se reposer un peu. Le cortège des roulottes se mettra en branle avant une heure du matin, pendant que toute la ville dort, et elle sera menée par Fuank et par Gandalf. Ils auront ainsi le temps de contourner Buenos Aires en direction sud, par les champs presque déserts de la Matanza, pour bifurquer ensuite vers le nord et rejoindre la route qui mène à Rosario, dans la province de Santa Fé. La première chose à faire est de quitter la province de Buenos Aires. L'idéal serait de se diriger directement vers la province Entre Rios, depuis la ville de Campana ; mais les copains de la Boca sont d'avis que c'est trop humide et peu peuplé là-bas, et que les forains feraient mieux de tenter leur chance du côté de ce qu'on appelle Las Pampas.

Alberti, Makarius et Paco n'attendent pas la nuit pour partir. Dès le début de la soirée, ils prennent la direction de l'avenue Quintana, dans le quartier chic Retiro, où Léon attend le directeur avec l'argent des chevaux. Il l'attend seul, naturellement, et c'est pourquoi les trois copains paraissent si contents malgré les risques de l'opération qu'ils s'apprêtent à entreprendre. Makarius et Paco, en plus des pistolets que Fuank s'est procurés à Gênes, portent aussi chacun un gros paquet ; ce sont des boîtes en carton d'une apparence imposante même si elles ne contiennent rien. Alberti porte un litre de *cañazo* bien enveloppé comme un cadeau, au cas où Léon n'aurait pas suffisamment à boire chez lui.

Le tramway est presque vide, il avance lentement dans les rues de plus en plus désertes, pendant que les trois camarades révisent une dernière fois la stratégie à suivre. Leur plan n'est pas à toute épreuve, loin de là, mais c'est ce qu'ils ont trouvé de mieux pour faire payer Léon malgré leur inexpérience concernant les affaires d'argent en Argentine. Si ça marche, le cirque aura un peu plus dans ses coffres pour assurer sa fuite ; sinon ils se seront au moins vengés du traître. Dans le pire des cas, Makarius et Paco ne pourront pas rejoindre le cirque et devront fuir ; c'est pour ça qu'ils ont été choisis. Fuank, Cotshi, Jeremiah, Gandalf et Durin ont beaucoup insisté pour être à leur place, chacun plaidant sa cause avec enthousiasme, tant ils tenaient à « tâter de l'ordure », comme disait Fuank. Mais c'était trop risqué, il fallait penser au départ de la troupe, et leur présence était indispensable pour que tout se passe bien. Makarius connaît Léon personnellement ; en plus, son allemand et son italien seront peut-être nécessaires pendant les transactions. Paco est très costaud ; même s'il n'a rien de personnel à discuter avec Léon, son espagnol sera un autre bon atout. S'il ne revient pas, le cirque n'en souffrira pas autant que si c'était Fuank. Mais Paco lui a promis de donner quelques baffes en son nom à ce cher Leandro Felmont qui les a laissés tomber. Une fois qu'il aura permis à ses deux compagnons d'entrer dans l'appartement, Alberti pourra repartir pour rejoindre la troupe en chemin.

L'immeuble en question fait partie d'une longue rangée d'édifices à appartements où logent des familles riches. Maintenant qu'Alberti l'a appelé pour lui dire qu'il avait l'argent sur lui, Léon croit sans doute qu'il n'y a plus de risques et que c'est au tour du directeur d'avoir peur. Alberti a eu beau jouer les hommes traqués pendant la conversation, les trois camarades n'ont aucun moyen de prévoir ce qui va au juste se passer. En principe, Léon doit être seul ; mais cette prémisse n'est que la première d'une série de faiblesses dans leur stratégie. Ils savent par contre, pour avoir déjà étudié l'immeuble, qu'un concierge reste au rez-de-chaussée jusqu'à dix heures du soir, et qu'il peut communiquer par téléphone avec les habitants de l'immeuble. D'où les caisses qu'ils emportent avec eux ; elles doivent pouvoir transformer les trois camarades en un visiteur accompagné de deux livreurs de marchandises.

Un peu avant dix heures, le concierge reçoit Alberti sans surprise et il ne s'étonne pas de la présence de Makarius et de Paco ; de toute évidence ce sont seulement des employés qui apportent des colis. Léon a signalé l'arrivée d'un visiteur ce soir, et ce visiteur est seul. Les deux porteurs, avec leur charge qui a l'air bien pesante, se tiennent à une distance respectueuse de lui, en attendant l'ordre de le suivre. L'ascenseur est cependant trop petit pour les trois hommes ; Alberti, de son ton le plus sec, leur ordonne d'y déposer les caisses et de monter ensuite par les escaliers pour le rejoindre là-haut. Il le fait d'une façon si méprisante que le concierge espagnol ne peut s'empêcher de sympathiser avec les deux pauvres porteurs fatigués.

— Ce sont trois étages à monter, leur dit Alberti, déjà dans l'ascenseur. Allez, dépêchez-vous !

« Ces gringos sont tous les mêmes, pense le concierge. Ils ont de l'argent et ne respectent personne. »

Léon reconnaît Alberti par l'œil de bœuf et ouvre la porte. Makarius et Paco, sortant de nulle part, forcent à leur tour l'entrée, chacun un pistolet à la main. Alberti met les caisses à l'intérieur, surveille le couloir et, rassuré, entre à son tour en refermant la porte à clé et avec le loquet de sécurité.

— Pas un mot, fait Makarius en accompagnant ses paroles d'une gifle sur le visage de Léon.

Cet avertissement n'est pas nécessaire, puisque Léon semble avoir perdu la voix ; il est livide et a besoin d'appui pour se tenir debout. Alberti et Paco font la visite des lieux pour s'assurer qu'ils sont vraiment seuls.

— Calme-toi maintenant, Léon, dit Alberti d'une voix qu'il veut cordiale. Calme-toi. Dommage que tu n'aies pas prévu une arrivée si chaleureuse. Mais c'est tant mieux ; de cette façon nous n'aurons besoin de tuer personne. Nous allons commencer par boire un grand verre en souvenir de nos jours à Berlin. Un verre de ce bon scotch que tu dois avoir quelque part. Sinon, tu devras te contenter du *cañazo* argentin. Rien qu'un toast pour célébrer nos retrouvailles. Allez, assieds-toi là et reprends ton souffle. Quelle émotion !

Le bar de Léon est cependant bien garni. Alberti lui sert un grand verre et lui ordonne de boire ; Léon obéit volontiers, avalant le scotch comme si c'était de l'eau.

— Bien, Léon Abramovitch Feldmann, dit Alberti. Je vois que tu es prêt à collaborer avec ton ancien associé. Ne tente pas de jouer le Leandro avec moi parce que ça m'irrite, d'accord ? Très bien. Nous sommes venus chercher un dédommagement ; tu n'as pas tenu parole et mon cirque n'existe plus. Alors ?

— Alberti, répond l'autre d'une voix chuchotante, qu'est-ce que je peux faire ?

— Non, pas ce que tu peux faire, Léon. Ce que tu vas faire. Tu ne vas tout de même pas laisser ta peau pour sauver ton fric ?

— Combien voulez-vous ?

— Tout ce que tu pourras donner. Mais fais-le vite.

— Je n'ai pas d'argent ici, seulement mon argent de poche...

— Si tu veux, Léon. C'était la partie faible de notre plan, mon cher. Nous ne pouvions pas te tomber dessus à ta banque, n'est-ce pas ? Alors, réfléchis si tu veux sortir d'ici vivant. Ou tu payes, ou tu meurs. Le matin, nous devons repartir pour gagner l'Uruguay. Les autres camarades sont en train de passer à Colonia par bateau, et nous devons les rejoindre.

— Tout le cirque ? demande Léon, surpris.

— Il n'y a plus de cirque. J'ai tout vendu, chevaux, ours, roulottes et chapiteau. Il ne reste rien. Nous allons tenter de revenir en Italie depuis l'Uruguay. C'est de ta faute si nous sommes là, sans papiers. Alors, pas de discussion. Je repars dès que le concierge sera parti. Makarius et Paco resteront pour te tenir compagnie. Ça va être une longue nuit pour toi.

— Alberti, je ne peux rien faire !

— Dommage, ils repartiront les mains vides. Mais je veux tes couilles comme preuve que tu as payé quelque chose au moins. Réfléchis. Et ne crie pas puisqu'ils ont trop envie de te faire du mal. Soyons polis.

— Si je paye, quelle est ma garantie ?

— La parole de ton ancien associé. C'est la même garantie que tu nous avais offerte, t'en souviens-tu ? Si tu payes, ils te laisseront ici complètement soûl pour être certains d'avoir le temps de s'échapper. Tu n'auras que la gueule de bois demain matin, c'est tout. Si tu ne payes pas en argent, je veux que tu payes de ta vie. Tu es une ordure.

Nu sur le divan, les mains et les pieds attachés avec des cravates, Léon Feldmann réfléchit en buvant le scotch que le directeur ne cesse de lui offrir. La fouille de l'appartement n'a rapporté que des bijoux et dix mille pesos argentins. C'est déjà quelque chose mais encore trop peu pour les besoins du cirque.

— Alors, Léon, reprend Alberti. Je dois bientôt partir. Mes deux camarades vont devoir utiliser la méthode forte. Tu n'as vraiment pas d'autre solution ?

— On pourrait prendre mon auto et aller au bureau. Je dois avoir de l'argent là-bas.

— Quelle auto ?

— Mon auto, mon Hispano-Suiza noire, répond-il avec la voix déjà passablement pâteuse. Tu peux l'avoir si tu veux, Alberti. Je te la donne. Prends les clés. C'est une belle automobile, devant l'immeuble. Je te la donne.

— Non, pas à ton bureau, Léon. C'est trop risqué. Tu n'as rien d'autre ici, plus petit que ton auto ?

— Non, je n'ai pas...

— Dommage. Si tu gardais plus d'argent à la maison, tu aurais la vie sauve. Je pars. Makarius, il est à toi. Fais-le souffrir avant de le tuer.

Makarius s'approche alors de Léon en tenant à la main un large rasoir pliable et s'empare de sa bite flasque. Le prisonnier sursaute de terreur et balbutie :

— Non, Alberti, je paye. Ne me laisse pas seul. Je paye.

— Tu payes ?

— Oui, mais éloigne-le.

Une simple pression des doigts du mime sur les couilles produit enfin l'effet souhaité.

— Le matelas...

— Dans le matelas ! s'exclame Alberti avec le sourire. Il fallait y penser, mon cher Léon. Tout comme dans le bon vieux temps à Berlin. C'est vrai qu'on gardait nos recettes dans le matelas. Les vieilles habitudes sont les plus difficiles à changer. J'étais certain qu'une ordure comme toi garde toujours de l'argent liquide à la maison, pour les bonnes occasions d'affaires. Tu ne peux tout de même pas montrer tous tes coups à la banque. Le matelas est si discret...

Paco n'as pas de difficulté à trouver les coutures rafistolées et découvre facilement la cachette de Léon. Des dollars américains en coupures de vingt et de cinquante ; il doit y avoir entre trois et cinq mille dollars. Par acquit de conscience, il déchire aussi d'autres coins de l'énorme matelas et en sort toutes sortes de documents : des lettres de change, des certificats de prêt et d'autres paperasses qui doivent représenter du gros argent peu honnête.

— Tu ne fais pas confiance à ton comptable, Léon ? demande Alberti, surpris. Tu devrais, mon cher. Si ta maison brûle, tout cela partira en fumée.

— C'est le travail d'une vie que vous avez là, réplique Léon en redevenant presque sobre.

— Combien de nazis pour gagner tout ça, Léon ? Et de copains trahis ? Tu devrais plutôt t'acheter un coffre-fort.

— Prenez l'argent, tout. Les papiers ne vous seront d'aucune utilité. Il faut les négocier à la banque.

— Non, nous prendrons tout. Si tu ne dis rien, je te rendrai tes sales papiers par la poste, petit à petit. Sinon je les enverrai à la police. Gandalf, tu te souviens de Gandalf ? Il t'envoie ses respects. Voilà ! dit Alberti en giflant violemment Léon. Gandalf et aussi Fuank, et tous les autres.

Les gifles se succèdent, faisant gicler le sang du nez, de la bouche et même des yeux de Léon.

— Maintenant, bois. Allez, bois si tu ne veux pas mourir. Il faut que tu sois ivre mort jusqu'à demain midi.

Ce sont de gros verres de scotch accompagnés de cachets trouvés dans sa table de chevet. La proximité du rasoir de Makarius sur ses couilles donne au prisonnier la soif nécessaire pour tout avaler. Une fois qu'il est profondément inconscient, ils nettoient son visage et le mettent soigneusement au lit. Ils rangent ensuite l'appartement pour effacer les traces de leur passage.

— Et s'il meurt dans son sommeil ? demande Paco.

— Lorsqu'on ne tolère pas l'alcool, on ne devrait pas boire, réplique Makarius. Ce serait une trop bonne mort pour une crapule de son espèce. Je vide de toute façon une autre moitié de bouteille à côté de son lit, pour donner l'impression qu'il s'est soûlé avant de s'endormir. Avec son visage tout amoché, il a l'air d'un vieil ivrogne.

— On dirait le personnage du tango *La ultima curda*[1], remarque Paco, avant de chantonner : *La vida es une herida absurda...*

Les trois camarades sortent ensuite en prenant bien soin de fermer la porte à clé. L'entrée de l'immeuble est vide. Juste en face, la Hispano-Suiza noire les attend.

— Laisse-moi conduire, Makar, demande Alberti. Ça me rappellera de bons souvenirs.

Il est deux heures du matin. Si les forains ont suivi le plan, le cortège des roulottes du Circus Alberti est déjà en route, loin de la Boca. Les rues de Buenos Aires sont vides et mouillées d'une bruine froide, la fameuse *garua* dont parle le tango du même nom, celui d'Enrique Cadìcamo :

Quelle nuit pleine de spleen... et froide
Personne dans les rues
Les rangées de réverbères
font briller l'asphalte d'une clarté blafarde
Je vais comme un spectre
seul, isolé
avec toi en souvenir
Bruine
tristesse
Même le ciel s'est mis à pleurer.

Mais les pneus de la Hispano-Suiza sifflent sur la route comme s'ils accompagnaient plutôt le chant murmuré par Makarius : *Wir sind die Moorsoldaten...*

1. La dernière cuite.

La suite de cette trilogie narrative paraîtra en 2001 chez le même éditeur.

Dans la même collection

Donald Alarie, *Tu crois que ça va durer ?*
Aude, *L'homme au complet.*
Marie Auger, *Tombeau.*
Marie Auger, *Le ventre en tête.*
André Brochu, *Les Épervières.*
André Brochu, *Le maître rêveur.*
André Brochu, *La vie aux trousses.*
Denys Chabot, *La tête des eaux.*
Anne Élaine Cliche, *Rien et autres souvenirs.*
Hugues Corriveau, *La maison rouge du bord de mer.*
Hugues Corriveau, *Parc univers.*
Claire Dé, *Sourdes amours.*
Guy Demers, *Sabines.*
Danielle Dubé et Yvon Paré, *Un été en Provence.*
Bertrand Gervais, *Oslo.*
Bertrand Gervais, *Tessons.*
Mario Girard, *L'abîmetière.*
Hélène Guy, *Amours au noir.*
Louis Hamelin, *Betsi Larousse.*
Julie Hivon, *Ce qu'il en reste.*
Sergio Kokis, *L'art du maquillage.*
Sergio Kokis, *Errances.*
Sergio Kokis, *Le maître de jeu.*
Sergio Kokis, *Negão et Doralice.*
Sergio Kokis, *Un sourire blindé.*
Andrée Laurier, *Mer intérieure.*
Claude Marceau, *Le viol de Marie-France O'Connor.*
Marcel Moussette, *L'hiver du Chinois.*
Paule Noyart, *Vigie.*
Yvon Paré, *Les plus belles années.*
Jean Pelchat, *La survie de Vincent Van Gogh.*
Daniel Pigeon, *Dépossession.*
Daniel Pigeon, *La proie des autres.*
Hélène Rioux, *Le cimetière des éléphants.*
Hélène Rioux, *Traductrice de sentiments.*
Jocelyne Saucier, *La vie comme une image.*
Gérald Tougas, *La clef de sol et autres récits.*
Pierre Tourangeau, *La dot de la Mère Missel.*
André Vanasse, *Avenue De Lorimier.*

Cet ouvrage
composé en Palatino corps 11 sur 13
a été achevé d'imprimer
en août deux mille
sur les presses de

Cap-Saint-Ignace (Québec).

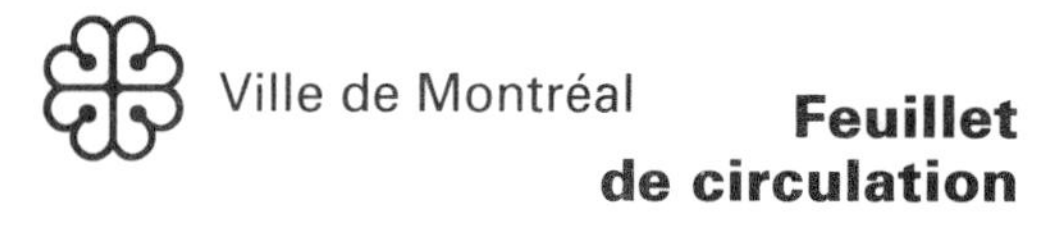
Ville de Montréal
Feuillet
de circulation